Jet
[aventura]

Biblioteca

ALBERTO
VÁZQUEZ-FIGUEROA

Alberto Vázquez-Figueroa nació en Santa Cruz de Tenerife, en 1936. Antes de cumplir un año, su familia fue deportada por motivos políticos a África, donde permaneció entre Marruecos y el Sáhara hasta cumplir los dieciséis años. A los veinte años se convirtió en profesor de submarinismo a bordo del buque-escuela *Cruz del Sur*. Cursó estudios de periodismo y en 1962 comenzó a trabajar como enviado especial de *Destino*, *La Vanguardia* y, posteriormente, de Televisión Española. Durante quince años visitó casi un centenar de países y fue testigo de numerosos acontecimientos clave de nuestro tiempo, entre ellos, las guerras y revoluciones de Guinea, Chad, Congo, República Dominicana, Bolivia, Guatemala… Las secuelas de un grave accidente de inmersión le obligaron a abandonar sus actividades como enviado especial. Tras dedicarse una temporada a la dirección cinematográfica, se centró por entero en la creación literaria. Ha publicado más de cuarenta libros.

ALBERTO VÁZQUEZ-FIGUEROA

LOS OJOS DEL TUAREG

PLAZA & JANÉS EDITORES, S.A.

DeBOLS!LLO

Diseño de la portada: Método, comunicación y diseño, s. l./
    Alberto Castilla
Fotografía de la portada: © A.G.E./FotoStock

Primera edición: octubre, 2001

© 2000, Alberto Vázquez-Figueroa
© 2000, Plaza & Janés Editores, S. A.
    Edición de bolsillo: Nuevas Ediciones de Bolsillo, S. L.

Printed in Spain – Impreso en España

ISBN: 84-8450-736-X (vol. 69/44)
Depósito legal: B. 37.327 - 2001

Fotocomposición: Lozano Faisano, S. L.

Impreso en Liberdúplex, S. L.
Constitució, 19. Barcelona

P 80736X

INTRODUCCIÓN

Ésta es una novela que nunca quise escribir.

Cuando hace ya casi veinte años concluí *Tuareg* consideré, en buena lógica, que era aquélla una historia que no ofrecía posibilidad alguna de continuidad, puesto que su protagonista, Gacel Sayah, había muerto.

Quizá tuve razones más que sobradas para arrepentirme de haber permitido que lo mataran, ya que *Tuareg* se convirtió con el tiempo en mi novela de más éxito, la que más ediciones ha alcanzado, a más idiomas se ha traducido y más satisfacciones de índole personal me ha proporcionado.

Es, a mi modo de ver, mi única obra literaria digna de ser tenida en cuenta, y que tal vez, con un poco de suerte, siga estando vigente tras mi muerte.

Cuando a un escritor le sale algo bien, no debe molestarse en tratar de analizar las razones de ese triunfo, ni mucho menos pretender aplicar la misma fórmula en busca de un nuevo éxito a través de un camino ya trillado, puesto que corre el riesgo de repetirse a sí mismo y el lector lo advierte de inmediato y lo rechaza.

Por ello, jamás se me pasó por la mente la idea de volver sobre el tema de los tuaregs.

Sin embargo, una serie de sorprendentes acontecimientos que ocurrieron no hace mucho en el corazón del Sahara, y que tuvieron como origen una famosa prueba deportiva, llamaron mi atención hasta el punto de que el espíritu periodístico que aún queda en mí, recuerdo de viejos tiempos ya olvidados, me impulsó a intentar denunciar las infinitas injusticias y arbitrariedades a que se está sometiendo en estos momentos a uno de los pueblos más nobles y míticos del planeta.

Los tuaregs, con los que había pasado gran parte de mi infancia, parecían estar necesitando que alguien elevara la voz en su favor, y en recuerdo de lo mucho que les debo y lo mucho que me enseñaron años atrás, me decidí a volver a escribir sobre ellos, recuperando el hilo de la historia allí donde un buen día lo abandoné.

Éste es el resultado, y debo admitir que al concluir he sentido idéntica satisfacción que experimenté el día en que terminé mi novela más querida.

Confío en que al lector le ocurra lo mismo.

ALBERTO VÁZQUEZ-FIGUEROA

El día en que el *inmouchar* Gacel Sayah murió acribillado por la guardia personal del presidente Abdul-el-Kebir, pasó a la historia por el triste hecho de haber sido el culpable de que la democracia no consiguiera asentarse definitivamente en su país, pero pasó también a la leyenda de la nación del *Kel-Talgimus* —«El Pueblo de Velo»— ya que había demostrado de forma indiscutible, que un *imohag* —como solían llamarse a sí mismos los tuaregs— solo y sin más armas que su astucia, su valor, y su casi sobrehumana capacidad de resistencia, era capaz de derrotar al mejor armado de los ejércitos gracias a su extraordinario conocimiento del desierto en que había nacido y en el que había transcurrido la mayor parte de su vida.

En las frías noches en las que los beduinos se reunían en torno al fuego con el fin de tomar el té y contar historias sobre los hermosos tiempos ya pasados, con frecuencia se evocaba la extraña y casi mítica aventura de aquel bravo guerrero que había sabido defender los más firmes valores de las antiguas tradiciones de los habitantes del corazón del Sahara, y se especulaba sobre la razón que hizo posible que un terrible e inexplicable error le hubiera llevado a matar, de forma totalmente involuntaria, al hombre por el que había arriesgado tantas veces su vida, y que había acabado por convertirse en su mejor amigo.

—*Insh' Aláh* —solían decir.

Pero para la inmensa mayoría de quienes se referían a ello, no se había tratado de la voluntad de Alá, sino de un absurdo capricho del destino, o de una cruel jugarreta de los traviesos demonios de las arenas, que probablemente se sintieron celosos al descubrir que un simple mortal era capaz de arrebatarles el protagonismo de las mil historias que siempre se habían contado a la luz de las hogueras.

Las hazañas de Gacel Sayah habían trascendido las fronteras, habían hecho correr ríos de tinta, e incluso habían inspirado un libro, pero seguía siendo en las largas tertulias de las transparentes noches saharianas, donde su memoria permanecía viva y eternamente vigente.

Pero el día en que al fin el valeroso *inmouchar* resultó abatido por fuerzas cien veces superiores, la opinión pública se había dividido en dos facciones: la de quienes le odiaban por haber disparado contra el único hombre que podría haber traído la paz y la libertad al país que les vio nacer, y la de quienes le admiraban como a un auténtico héroe al que tan sólo consiguieron derrotar, por equivocación, cuando se encontraba en una ciudad extraña en la que aún no había aprendido a desenvolverse.

La dictadura más corrupta y tiránica, aquella contra la que Gacel Sayah tan eficazmente luchara, volvió a instalarse casi de inmediato en el palacio presidencial, y los ofendidos generales que tantísimas humillaciones habían sufrido por parte de «aquel sucio y escurridizo salvaje» decretaron que todo cuanto estuviese ligado a su nombre y su persona fuera borrado de la faz de la tierra.

A consecuencia de ello, su esposa, sus hijos y sus siervos se vieron obligados a emprender un interminable y amargo éxodo a través de las dunas y las llanuras pedregosas, unas veces acogidos como amados hermanos de sangre de los *imohag*, y las más, rechazados como si de auténticos apestados se tratase.

Fueron años difíciles que endurecieron el carácter de la antaño dulce Laila, pero que al propio tiempo forjaron a fuego la personalidad de sus tres hijos, Gacel, Ajamuk y Suleiman, e incluso la de la pequeña Aisha, que vio transcurrir la mayor parte de su infancia desde lo alto de la joroba de un dromedario.

Los tuaregs habían sido siempre, y por gloriosa tradición, un pueblo eminentemente nómada, pero en cuanto se refería a la familia del difunto Gacel Sayah, su amado nomadismo pasó a convertirse en una maldición, puesto que no parecía existir forma humana de que permaneciesen más de tres meses en un lugar sin que cualquiera de sus innumerables enemigos se percatase de su presencia.

Consiguieron vivir en paz durante casi dos años por el simple procedimiento de abandonar su hábitat natural estableciéndose en los arrabales de una populosa ciudad en la que la masificación les permitió pasar desapercibidos, pero al cabo de ese tiempo comprendieron que, ni el lugar era todo lo seguro que cabía esperar, ni aquel tipo de vida merecía la pena ser vivido.

—Más vale que nos maten en el desierto, respirando aire puro… —sentenció al fin Laila—. No soporto continuar en este basurero que hiede a cloaca.

Sus hijos compartieron de inmediato su opinión, por lo que muy pronto reanudaron el triste peregrinar sin rumbo fijo, hasta que al fin llegaron a la conclusión de que su único refugio se encontraba en el más lejano y perdido confín del Teneré —«La Nada» en su dialecto— allí donde ni tan siquiera los propios tuaregs habían osado internarse.

—Buscaremos un lugar solitario y seguro en el que

ocultarnos unos cuantos años a la espera de que cambie el gobierno o que el recuerdo de cuanto ha ocurrido se diluya.

Los viejos patriarcas del *Kel-Talgimus* aplaudieron su idea conscientes de que ningún miembro del «Pueblo del Velo» viviría en paz mientras la sombra de los Sayah rondara por los alrededores, por lo que les proporcionaron una veintena de sus más resistentes camellos y dos docenas de ovejas y cabras, así como varios pequeños sacos de sus mejores semillas.

De ese modo, los cinco miembros de la familia y un puñado de fieles siervos emprendieron a comienzos del invierno una sigilosa marcha hacia el sur, en busca de una tierra prometida que podía encontrarse en cualquier lugar del más gigantesco y desolado de los desiertos.

Durante cinco meses vagabundearon de un lado a otro, recorriendo cientos de kilómetros, lejos siempre de toda ruta conocida, evitando en lo posible los pueblos y los oasis, y deteniéndose únicamente en aquellos lugares en los que crecían algunos rastros de vegetación con los que alimentar a su cada vez más exhausto ganado.

Por fin, una bochornosa mañana de comienzos de verano se adentraron en un perdido macizo montañoso de oscuras rocas, desde el que se distinguía un gigantesco anfiteatro abierto hacia las llanuras del sur.

Lo estudiaron largamente con los ojos de la experiencia que tan sólo podía proporcionar toda una vida transcurrida en el desierto, y al fin coincidieron en la opinión de que resultaba factible que en el cauce de una vieja *sekia* que descendía de las montañas, y que al parecer se había secado miles de años atrás pero en la que aún sobrevivían tres polvorientas palmeras, existiera la remota esperanza de una perdida veta de agua.

—Tendrá que ser un pozo muy profundo... —hizo notar Laila.

—Llegaremos hasta donde sea necesario —respondió calmosamente Suleiman que se estaba convirtiendo en un mozarrón de anchas espaldas—. Resultará muy duro, pero si encontramos agua éste parece un lugar perfecto.

Cuenta una vieja tradición que «las palmeras suelen tener la cabeza en el fuego y los pies en el agua», por lo que consideraron que la forma más lógica de llegar hasta ese agua era seguir la ruta que les indicasen las raíces de la mayor de las palmeras.

Fue así como al amanecer del día siguiente comenzaron la tarea de abrirse paso hacia el corazón mismo de la tierra, conscientes de que si no encontraban pronto la ansiada veta su destino sería algo más que incierto, puesto que el pozo más cercano se encontraba a cuatro días de marcha.

Sin embargo, mediada la mañana y en cuanto el inclemente sol se alzó en el horizonte y el calor se volvió asfixiante, se vieron obligados a hacer un alto a la espera de la llegada de las sombras, por lo que muy pronto comprendieron que con tan reducido horario no progresarían lo suficiente, y se hacía necesario trabajar por turnos durante las frías noches.

La boca del pozo tenía poco más de tres metros de diámetro, pero al cabo de dos semanas de cavar sin descanso tan sólo un hombre podía moverse con cierta comodidad en el fondo, sudando a chorros mientras llenaba de arena y piedras grandes cestos que más tarde se extraían a pulso para evitar que rozaran las paredes y provocaran un brusco derrumbe.

El terreno estaba demasiado seco a causa de los cientos de años en los que no había caído sobre él ni la más diminuta gota de lluvia, y debido a ello la arena se deslizaba de tanto en tanto en incontenibles cascadas, lo que los obligaba a transportar desde las cercanas montañas gran cantidad de negras lajas de lisa roca que iban superponiendo con infinita paciencia a todo lo largo de las paredes.

Sin herramientas apropiadas, cemento, o argamasa, el trabajo se convertía en un esfuerzo de auténticos titanes en el que apenas conseguían profundizar medio metro al día, hasta el extremo de que al fin el mayor de los hermanos se vio obligado a admitir que no existía la más remota posibilidad de alcanzar su objetivo —si es que existía— antes de que la sed los fuese aniquilando uno por uno.

—Aún no hemos encontrado ni trazos de humedad, y lo mejor que podemos hacer es ir a buscar agua —dijo—. Dos de nosotros deberán viajar hasta el pozo de *Sidi-Kaufa* para regresar con toda la que puedan contener las *girbas*, puesto que de otro modo corremos el riesgo de no conseguir salir de aquí con vida.

—¿Y el ganado? —quiso saber su madre.

—Lo llevaremos a las montañas para que laman el rocío que se deposita sobre las rocas al amanecer —replicó un no demasiado convencido Gacel—. Con un poco de suerte, los camellos y las cabras resistirán.

—¿Y las ovejas?

—Supongo que perderemos a la mayoría, pero eso es algo que tan sólo depende de la voluntad de Alá y de lo que se tarde en regresar del pozo.

—¿Quién quieres que vaya?

—Los dos mejores jinetes con los seis mejores camellos puesto que no podrán descansar ni un solo instante.

Para nadie de la familia era un secreto que el mejor jinete siempre había sido —casi desde que aprendió a mantenerse sobre una silla— el segundo de los hermanos, Ajamuk, y para nadie era un secreto tampoco, que el único que podía competir con él en habilidad y resistencia era el nieto predilecto del negro Suilem, el gigantesco Rachid.

Media hora más tarde ambos estaban por tanto en marcha conduciendo los más briosos «meharis» del rebaño, y cuando al fin se hubieron perdido de vista rumbo al norte, fue el propio Gacel el que agitó negativamente la cabeza.

—No sé si regresarán a tiempo… —dijo—. Pero me temo que aunque lo hagan, no será éste el último viaje que se vean obligados a realizar.

—¿Qué pretendes decir con eso? —se inquietó Aisha, que estaba a punto de convertirse en una espigada y hermosa mujer—. ¿Crees que aún tardaremos mucho en llegar al agua?

—Me temo que sí… —intervino Suleiman que hasta el momento siempre había evitado manifestarse al respecto—. Mi impresión es que tendremos que profundizar hasta más allá de los treinta metros.

—¡Treinta metros…! —repitió escandalizada la muchacha—. ¿Te das cuenta de lo que significará trabajar a semejante profundidad? ¡Apenas podréis respirar!

—Lo sé… —admitió con naturalidad su hermano—. Si aún no hemos alcanzado ni tan siquiera la mitad, y ya en ocasiones me asalta la sensación de que me asfixio, no quiero ni imaginar lo que será más abajo, pero dime: ¿qué otra cosa podemos hacer?

—Abandonar.

—¿Y volver a la ciudad? —inquirió Gacel en tono despectivo—. ¿O volver a vagabundear como leprosos? Nadie nos quiere en ninguna parte, pequeña. Nadie quiere saber nada de la familia Sayah, y no podemos obligar a la gente a que nos acepte. Pero sí podemos obligar al desierto a que nos acepte, aunque sea profundizando en él hasta que lleguemos a su mismísimo corazón.

—¿Pero y si no llegamos nunca?

—Llegaremos —replicó su hermano mayor con

absoluta firmeza—. Si las palmeras han conseguido llegar, nosotros también.

—¿Cómo puedes estar tan seguro?

—Porque el día que un *imohag* no sea capaz de hacer lo que es capaz de hacer una palmera, nuestra raza estará condenada a desaparecer de la faz de la tierra. Y aún no ha llegado ese momento.

—Pero una palmera tiene raíces y nosotros no.

—Las raíces de nuestro pueblo son más profundas y están más firmemente asentadas en esta tierra que las de la más alta de las palmeras —intervino su madre con voz pausada—. Eso es algo que tu padre me enseñó y que tú tendrás que enseñar a tus hijos. Si no hubiera estado tan seguro de que el desierto jamás le traicionaría, nunca hubiera conseguido vencer a todos los ejércitos que enviaron en su persecución.

El espíritu del indomable *inmouchar* sobrevolaba a todas horas sobre el campamento de su familia, había conseguido asentarse en lo más profundo de su ánimo, y tanto su esposa como sus hijos se habían hecho desde mucho tiempo atrás a la idea de que habían sido elegidos para mantener vivos los principios éticos y morales sobre los que se había asentado toda su existencia.

Vivían convencidos de que desde el paraíso al que había ascendido en el momento mismo de su muerte, los ojos de Gacel Sayah seguían clavados en todos y cada uno de ellos, y que en lugar de limitarse a disfrutar de los mil placeres que el profeta prometía a quien caía en defensa de su fe, su principal preocupación se centraba en transmitir parte de su fuerza a cuantos compartían su sangre.

Si allí, en el cauce de aquella vieja *sekia* y al pie de aquellas mustias palmeras corría tan sólo un esquivo hilo de agua que les permitiera seguir subsistiendo, él hubiera sido capaz de encontrarlo, y por lo tanto sus hijos tenían la ineludible obligación de luchar con el mismo ardor con que Gacel Sayah lo hubiera hecho.

Con la caída del sol reanudaron el trabajo.

Y era en verdad un trabajo ímprobo.

Quien se encontrara en el fondo del pozo debía ir cavando, sin más ayuda que las manos, bajo la última de las lajas de piedra, aunque procurando siempre que no se viniera abajo antes de haber introducido una nueva que soportara todo el peso de la columna que se encontraba sobre ella.

Luego, recomenzaba la labor siempre hacia la derecha, colocaba una nueva cuña, cargaba en un cesto la arena, pedía a gritos que la subieran y le enviaran nuevas piedras con las que continuaba formando un círculo, de tal forma que pasaban horas antes de que hubiera conseguido profundizar tan siquiera una cuarta.

Cuando extenuado y empapado en sudor ascendía al fin hasta la superficie, su hermano ocupaba su lugar, y así seguían paso a paso, centímetro a centímetro, con aquella capacidad de resistencia al calor, a la fatiga y a la sed que tan sólo los de su raza eran capaces de sobrellevar.

Como aquél debía ser en esencia un pozo auténticamente tuareg ninguno de los siervos tenía permiso para descender a su interior, por lo que su única misión se limitaba a subir los escombros o ir hasta las montañas a buscar las lajas de piedra que transportaban luego a lomos de camello.

No obstante llegó un momento en que la prudente Laila tomó unilateralmente la decisión de hacer un alto en el camino, ya que apenas quedaban poco más de tres *girbas* de agua, e incluso un tuareg corría el riesgo de deshidratarse si se veía obligado a trabajar durante horas en tan difíciles circunstancias.

Consideró, con muy acertado criterio, que no podían hacer otra cosa que sentarse a la sombra para conservar las fuerzas.

Sacrificaron a una de las ovejas que estaba a punto

de morir, bebieron su sangre, comieron, casi cruda, su carne, y aguardaron con la vista clavada en el punto por el que harían su aparición los que habían ido a buscar agua al lejano pozo de *Sidi-Kaufa*.

Pero quien hizo su aparición fueron los buitres.

De dónde surgían o qué extraño sexto sentido les permitía adivinar que en aquel perdido rincón del Sahara estaba a punto de desencadenarse una tragedia era un misterio que ni tan siquiera los más experimentados beduinos habían logrado desentrañar, pero lo cierto fue que una mañana comenzaron a trazar círculos sobre los techos de las *jaimas*, con la aparente seguridad de que bajo ellos se había instalado ya la descarnada mujer de la guadaña.

Para un auténtico tuareg, morir de sed no significaba tan sólo la última de las tragedias, sino sobre todo una inaceptable afrenta.

Cuando un tuareg moría de sed estaba aceptando que no había aprendido las enseñanzas de generaciones de antepasados que durante siglos se mantuvieron orgullosamente en pie en el más desolado de los paisajes del planeta, y eso era algo que siempre le echarían en cara en el momento de enfrentarse en el Más Allá todos cuantos le habían precedido.

La guerra era una hermosa y noble forma de morir y la enfermedad un mal enviado por el Todopoderoso y contra el que nadie podía luchar, pero permitir que la sed le derrotara era tanto como reconocer que nunca se había sido un auténtico miembro del «Pueblo del Velo», «la Espada» o «la Lanza».

Transcurrió un nuevo día.

Y luego otro.

Llegaron nuevos buitres.

Y muchos más.

Nada se movía en torno a las tres sucias palmeras, puesto que incluso el viento, la más ligera de las brisas, parecía haber escapado para siempre de aquel maldito lugar.

El sol y el silencio eran los dueños.

La Muerte, la invitada.

Laila repartió el agua que quedaba, un cazo por persona, sin distinción de sexos ni de rangos, y cuando de la manoseada piel de cabra se escurrió la última gota, lanzó un hondo suspiro y musitó:

—¡Alá es grande. Alabado sea! Ahora lo único que queda es esperar.

Y esperaron.

La Muerte, pese a ser tan vieja y descarnada, es ante todo mujer, y por lo tanto, caprichosa.

Demasiado a menudo se regodea llevándose antes de tiempo a criaturas sanas y fuertes a las que aguarda un hermoso futuro, pero en otras ocasiones, y sin razón aparente, remolonea en exceso cuando más fácil se le presenta su trabajo.

Estaba allí, rodeada de hombres y mujeres casi agonizantes, no hubiera tenido más que soplar para apagar el pabilo de tan maltrechas velas, pero se contentó con sentarse a observar como si el agobiante calor y la desidia se hubieran apoderado súbitamente de su ánimo.

¿Cuántos años ha sido capaz de pasar la Muerte sentada a los pies de la cama de un pobre desahuciado?

¿Cuántas veces ha hecho oídos sordos a quienes la reclamaban como la única forma válida de poner fin a tanto sufrimiento?

¿Cuántas veces se ha burlado de un suicida que se le ofrecía en bandeja de plata?

¿Y cuántas más, ¡infinitamente más!, ha arrastrado por la fuerza a quien le aterrorizaba seguirla?

Lo peor de la Muerte es que aborrece por igual a quienes la aman y a quienes la odian.

Lo peor de la Muerte es que persigue al que huye y huye de quien la persigue.

Lo peor de la Muerte es que ningún ser humano ha sabido entender nunca su aberrante sentido del humor.

Pero ¿qué otra cosa se puede esperar de quien debe sentirse demasiado aburrida porque tiene la absoluta seguridad de que al final siempre acaba venciendo?

Gacel Sayah, hijo primogénito de aquel mítico *inmouchar* de quien —según una vieja costumbre familiar— había heredado el nombre y el título desde el momento mismo de su desaparición, permanecía sentado al pie de la mayor de las palmeras, haciéndose a sí mismo parecidas preguntas al tiempo que observaba el vuelo de los buitres.

¿Por qué razón había enviado por delante la Muerte a tantos alados mensajeros si al final decidía no presentarse?

¿A qué esperaba?

De tanto en tanto cerraba los ojos e intentaba adivinar cuál hubiera sido el comportamiento de su padre en aquellos momentos.

Matar a un camello, beber su sangre y masticar cruda la grasa de su giba podría ser sin duda una solución para los hombres, pero tenía muy claro que ni las mujeres, ni los niños, ni mucho menos el anciano Suilem, responderían positivamente a semejante tratamiento de choque.

Tampoco sabía a ciencia cierta si con sus recién cumplidos dieciocho años, o los dieciséis de Suleiman, serían capaces de soportar tan dura prueba.

Tan sólo los guerreros o los cazadores más experimentados conseguían sobreponerse a la falta absoluta de agua cuando la temperatura se aproximaba como en aquellos momentos a los cincuenta grados, y resultaba de todo punto absurdo suponer que la delicada Laila, la adolescente Aisha, o los desnutridos siervos tuvieran la más remota esperanza de salir adelante en semejantes circunstancias.

Como bien había dicho su madre, lo único que podían hacer era confiar en la benevolencia de Alá.

Y esperar.

Con el sol cayendo a plomo, las sombras de los buitres era cuanto se movía en torno al campamento puesto que ni las moscas se sentían con fuerzas para alzar el vuelo y se quedaban donde se habían posado, como despatarradas sobre las secas pieles, a la espera de momentos más propicios para reiniciar la tarea de alimentarse.

Aquel macizo rocoso que probablemente no había figurado jamás en ningún mapa, se alzaba casi en el centro mismo del mayor de los desiertos, y apenas a unas jornadas de marcha de la depresión natural en la que se registraban anualmente las más altas temperaturas del planeta.

Aquél era el lugar más desolado e inhabitable que ser humano alguno pudiera elegir para intentar formar un hogar, pero las circunstancias habían querido que aquél fuese el punto al que había ido a parar la familia del malogrado Gacel Sayah.

Debido a ello no resultaba sorprendente que se encontraran en trance de perecer.

Los buitres se convirtieron en legión.

La sangre en las venas se espesaba como el magma que surge a borbotones de la boca de un volcán, pero que a medida que se desliza pendiente abajo va perdiendo color y fluidez hasta acabar por transformarse en una masa viscosa, oscura y fatigada que se desparrama en grandes charcos que días más tarde no serán más que enormes explanadas de dura roca.

Ya no sudaban.

¡Ni siquiera sudaban!

Oculta en lo más profundo de la mayor de las *jaimas*, Laila cerró los ojos, y evocó una vez más el curtido rostro del hombre al que había amado sobre todas las cosas, al que había sido fiel incluso con el pensamiento, pero al que en aquellos momentos tenía la amarga impresión de estar traicionando.

El día en que su esposo abandonó el campamento rumbo a lo que habría de ser su grandiosa epopeya, le confió a sus hijos, pero resultaba evidente que ella no había sabido cuidar de ellos arrastrándolos durante años de un lado a otro, y ahora estaban allí, justo al borde del desastre, sin que se le ocurriera forma alguna de evitarlo.

Su hombre, el más astuto y valiente de los guerreros, habría sabido hacer frente a tan difícil situación poniendo a salvo a su familia.

Su hombre, el más tierno y apasionado de los amantes, habría sabido protegerla como la protegió mientras conservó un hálito de vida.

Pero ella, que tanto debía haber aprendido de tan extraordinario maestro, lo único que sabía hacer era encogerse en un rincón, inútil e impotente.

No lloró porque su madre le había enseñado que una auténtica targui nunca llora.

No imploró porque generaciones de sangre *imohag* corría por sus venas.

Se limitó a maldecir en silencio su propia estupidez.

Resonó un trueno muy lejano.

Prestó atención.

Le siguió un nuevo trueno.

Corrió a la entrada de la gran tienda de pelo de camello para enfrentarse una vez más a un cielo azul en el que resultaba de todo punto imposible distinguir ni la sombra de una nube.

—¿Son truenos?

Su hijo Gacel negó con un leve gesto de cabeza mientras se aproximaba hasta acariciarle suavemente la mejilla.

—No son truenos —musitó impasible—. Son los

disparos con que Ajamuk anuncia su presencia. Pronto hará su aparición por detrás de aquellas rocas.

A los pocos minutos, dos jinetes y cuatro dromedarios cargados de odres rebosantes de agua surgieron en el punto exacto en que el muchacho había indicado, para iniciar un trote corto y alegre en dirección a quienes les aguardaban alborozados e impacientes.

En su camino se cruzaron con la Muerte que se alejaba rumbo al norte tan aburrida y desganada como siempre.

Los buitres se dispersaron y su sombra fue sustituida por la sombra de Gacel Sayah, el valiente *inmouchar* de eterna memoria.

Al día siguiente sus hijos reanudaron la tarea de construir un pozo en mitad de la nada.

Únicamente un targui sería tan loco como para lanzarse a la aventura de intentar encontrar agua en tan remoto lugar del desierto, pero quizá por ello los tuaregs habían sido, desde que se tenía memoria, dueños y señores de ese desierto.

Centímetro a centímetro horadaron la tierra.

Piedra a piedra completaron los círculos.

Metro a metro siguieron el camino que les marcaban las raíces de las palmeras.

Estaban convencidos, «sabían» por siglos de habitar en tan desoladas regiones, que si aquellas palmeras se mantenían con vida, era porque esa vida les llegaba desde algún perdido lugar del cauce de la *sekia*.

Y si se encontraba allí, fuera donde fuera, darían con ella.

Una noche en que Ajamuk trabajaba a más de veinticinco metros de profundidad, una laja de piedra sometida a excesiva presión se desprendió unos diez metros más arriba, le golpeó en la cabeza, y le dejó inconsciente arrodillado sobre el fondo del pozo con la frente apoyada en el muro.

La arena que surgía por el hueco que había dejado la piedra comenzó a caer como una diminuta cascada que iba en aumento a medida que pasaban los minutos.

En el exterior, el criado encargado de ayudar a quien se encontraba abajo no escuchó el seco golpe ni advirtió nada extraño.

La arena continuó deslizándose como un implacable reloj que marcara el tiempo de vida que le quedaba al infeliz muchacho.

Primero le cubrió las piernas, luego las rodillas, y al fin le alcanzó la cintura.

La Muerte, que tan escaso interés había demostrado cuando todo era fácil, regresó alocadamente porque al parecer era aquélla una inusual tragedia que en verdad le divertía.

Tomó asiento en el borde del pozo y escuchó el débil susurro de la arena que fluía sin prisas por entre las rocas.

Y exactamente al mismo ritmo que escapaba la arena, se escapaba la vida de Ajamuk.

Al poco se encontraba enterrado hasta el pecho.

En esos momentos abrió los ojos y gritó.

El siervo acudió de inmediato, miró hacia abajo pero no descubrió más que la oscuridad.

La pequeña antorcha estaba ya enterrada.

Un casi imperceptible gemido ascendía desde las entrañas de la tierra.

El siervo corrió a despertar a sus amos, y de inmediato Gacel descendió en ayuda de su hermano cuando ya la arena le alcanzaba la barbilla.

Tiró de él intentando aferrarle por debajo de los sobacos con la intención de sacarlo de aquella trampa infernal, pero el aturdido Ajamuk era ya un peso muerto que no conseguía reaccionar mientras la arena continuaba precipitándose sobre ellos de modo inexorable.

A horcajadas sobre el brocal del pozo, la Muerte sonreía.

No todos los días le era dado mostrar su rostro más macabro.

No todos los días podía capturar a su víctima de una forma tan lenta, cruel y sofisticada.

No todos los días se conseguía escapar a la rutina.

En el fondo de un pozo seco en mitad del más caluroso de los desiertos, sin apenas aire, a oscuras y con un chorro de arena derramándose sobre la cabeza, el desesperado Gacel Sayah nada pudo hacer por salvar la vida de su hermano.

Cuando quiso darse cuenta descubrió que ya más de un metro de arena le cubría, y que él mismo corría peligro de quedar enterrado en vida si no escapaba a tiempo de semejante trampa.

Los pozos tuareg suelen llevar el nombre del primer hombre que muere durante su construcción, y si por algún extraño milagro se concluye sin que haya habido accidentes, en agradecimiento se le acostumbra a poner el nombre del santón que esté enterrado más cerca.

Aquél sería de allí en adelante el *pozo Ajamuk*, y casi ningún otro nombre habría podido lucir, puesto que en tan remotas regiones no había sido enterrado jamás ningún santón.

La familia Sayah necesitó más de una semana para tapar la brecha reponiendo la laja de piedra, retirar la arena y recuperar el cuerpo del difunto, al que enterraron en una sencilla ceremonia a la sombra de las palmeras.

Pero cuando se dispusieron a reiniciar una vez más la tarea, llegaron a la conclusión de que el agua que Ajamuk había traído se agotaría antes de tiempo.

—Tenemos que hacer otro viaje… —sentenció Laila—. No sería bueno arriesgarnos de nuevo, esperando hasta el último momento.

—Estoy de acuerdo… —admitió su hijo mayor—. Pero ahora tan sólo somos dos, y si uno de nosotros va a buscar agua, el otro apenas avanzará en la construcción del pozo.

—Yo traeré el agua… —se apresuró a señalar Aisha—. Como jinete no puedo compararme con Ajamuk, pero ahora dispondremos de más tiempo y Rachid conoce el camino.

Gacel Sayah se volvió para observar al gigantón que permanecía en pie junto a la entrada de la *jaima*.

—¿Lo conoces? —se limitó a preguntar.

—Perfectamente, mi amo —admitió el negro.

—¿Y sabrás defender a Aisha?

—Sabré defenderla, mi amo.

—Si no lo haces, los demonios del «gri-gri» te perseguirán aunque te escondas en el confín del universo.

—Lo sé, mi amo.

—En ese caso, los Sayah te confiamos lo más valioso que tenemos, y que Alá te proteja si dentro de diez días no estáis de vuelta aquí, sanos y salvos.

Partieron pues, con los mismos seis camellos, y al ver cómo se alejaba su hija, vestida de hombre y con un pesado fusil terciado sobre las rodillas, Laila no pudo hacer otra cosa que lamentarse por el hecho de que hubieran llegado aquellos terribles tiempos en los que una hermosa muchacha, que debería estar preparando el ajuar para el día de su boda, se veía en la obligación de ocupar el lugar de los guerreros.

La mujer había desempeñado desde siempre un papel destacado en la organización social de los tuaregs, muy alejado del tradicional sometimiento al hombre que por lo general ocupaban el resto de las mujeres árabes, su opinión era tenida en cuenta, disfrutaban de una considerable libertad incluso en lo que se refería a temas sexuales, y jamás ocultaban el rostro con un velo, a diferencia de sus maridos que tan sólo se lo quitaban en privado.

Sin llegar a poder ser considerado un auténtico matriarcado, el mundo de los tuaregs se encontraba normalmente regido por ellas, que solían ser las que decidían cuándo había llegado el momento de sembrar, o cuándo el de levantar el campamento en busca de nuevos pastos.

Para los hombres, todo cuanto no estuviese relacionado con la guerra, el pillaje o la caza debía considerarse «labores domésticas», por lo que, bien mirado, ir a buscar agua, aunque en este caso el pozo se encontrase a cuatro días de distancia, era en realidad una tarea reservada a las mujeres.

Aisha había crecido sobre una silla de montar y sabía disparar mucho mejor que la mayor parte de los piojosos beduinos que pudiese tropezarse en el camino, y a ningún miembro del «Pueblo del Velo», «la Espada» o «la Lanza» se le pasaría siquiera por la mente causar daño a una muchacha de su propia raza.

Por su parte el negro Rachid era un esclavo ashanti, un *akli* que había nacido y se había criado en el seno de la familia, su fidelidad estaba fuera de toda duda, y era un hombre extraordinariamente fuerte y resistente, capaz de hacer frente a cualquier tipo de eventualidad que pudiera presentarse.

Pese a todo ello, Laila no podía por menos que sentirse inquieta al ver cómo su única hija se perdía de vista rumbo al norte

—¡Alá es grande! —musitó para sus adentros—. Él la protegerá.

Más temor experimentaba cada vez que uno de sus hijos descendía al pozo, y tanta era su inquietud que se pasaba las noches en vela, sentada junto al brocal y con el oído atento a cuanto pudiera ocurrir en su interior.

Se avanzaba muy, muy despacio.

Las lajas de piedra de las paredes habían sido revisadas una por una, reforzándolas a golpes de maza, pero aun así el recuerdo del accidente que había costado ya una vida obligaba a los hermanos Sayah a trabajar con el mismo cuidado que si estuvieran alzando un castillo de naipes que amenazara con venirse abajo en el momento menos pensado.

Alcanzaron la cota de los treinta metros, donde la raíz más gruesa de la mayor de las palmeras comenzaba a desviarse hacia el sur.

¿Por qué?

Formaron conciliábulo en torno a la hoguera intentando encontrar una explicación válida a un hecho en apariencia tan absurdo.

Por qué extraña razón una raíz que en buena lógica debería profundizar cada vez más en busca del agua, cambiaba su rumbo de forma tan brusca.

Se aventuraron teorías para todos los gustos, se discutió durante horas, pero al fin se llegó a la que parecía ser la conclusión más lógica: mucho tiempo atrás en aquel punto existió un riachuelo que descendía de las cercanas montañas y que permitió el florecimiento de una cierta vegetación. Más tarde el nivel de las aguas descendió y únicamente las palmeras fueron capaces de alargar lo suficiente sus raíces como para mantenerse vivas. Por último, al secarse definitivamente el cauce, las raíces se encaminaron hacia algún otro punto que presentían que aún conservaba una cierta humedad.

—Está ahí abajo… —sentenció un convencido Suleiman—. Lo que no sabemos es a qué distancia.

—¿Y qué podemos hacer?

—Cavar una galería horizontal siguiendo el camino que marca esa raíz.

—¿Durante cuánto tiempo?

—No tengo ni la menor idea.

—¡Que el Señor nos ayude!

—¡Ya iría siendo hora!

—¡No blasfemes!

—No blasfemo, madre… —puntualizó Suleiman—. Es que desde el maldito día en que nuestro padre brindó hospitalidad a aquel par de moribundos, la desgracia nos ha perseguido dondequiera que vayamos. Nunca nadie pagó tan caro el hecho de cumplir con una vieja costumbre.

—Sabes bien que entre nosotros la hospitalidad no es tan sólo «una vieja costumbre» —le hizo notar Laila—. Es una ley tan antigua como el mundo.

—Pero que nadie más que los *imohag* respeta, y yo diría que ni siquiera entiende. En el tiempo que pasamos en la ciudad ni una sola persona me abrió las puertas de su casa. ¿Cuántas noches tuvimos que pasar al raso pese a que en las casas de aquella gente sobraba espacio?

—Muchas, lo sé.

—¿Por qué entonces debemos ofrecer cuanto poseemos al primer desconocido, si luego no se comportan de igual modo con nosotros?

—Porque tenemos la suerte de ser tuaregs y ellos

no. Es uno de los precios que nos vemos obligados a pagar por el honor que se nos concedió al nacer.

Suleiman Sayah debió llegar a la conclusión de que discutir con la orgullosa esposa del más orgulloso de los *inmouchar* del orgulloso «Pueblo del Velo» resultaba del todo inútil, por lo que optó por encogerse de hombros y limitarse a señalar:

—Esta noche comenzaremos a cavar una galería, y que sea lo que Dios quiera.

Y Dios quiso que dos semanas más tarde la tierra comenzara a humedecerse ante ellos, y un delgado hilo de agua hiciera de improviso su aparición.

Se había producido el milagro.

El eterno milagro de la vida que significaba el agua, allí, en el más remoto confín del Sahara y en un lugar en el que probablemente nadie había puesto el pie en cientos de años.

Rezaron durante todo un día y al anochecer sacrificaron el último de sus corderos.

Comieron hasta reventar, bailaron, cantaron y lo regaron todo con agua del *pozo Ajamuk*.

Al amanecer llenaron un odre con el fin de humedecer la tumba de aquel que había dejado su vida en el empeño.

Ahora, por fin, después de tantas calamidades, trabajos y amarguras, la familia del indomable Gacel Sayah, tenía un hogar.

Su hogar era una infinita extensión de desierto, un macizo rocoso, tres palmeras y un pozo.

Poco para la mayoría de los seres humanos.

Mucho para los tuaregs.

Trajeron del pie de las montañas la mejor tierra y cercaron a la sombra de las palmeras un pequeño huerto.

Luego sembraron una por una, casi ceremoniosamente, las valiosas semillas que Laila conservaba en una bolsa de cuero.

Gacel salía a cazar y de tanto en tanto regresaba con un ónix, una cabra montesa o una gacela.

Las mujeres extraían agua del pozo para ir regando con infinito mimo, casi gota a gota, cada una de las diminutas plantas que habían comenzado a germinar.

Pasó un día, una semana, un mes, un año y muchos más.

El *pozo Ajamuk* era en verdad un pozo avaro.

Nunca, a lo largo de todos los años que siguieron, se mostró dadivoso, aunque lo cierto es que tampoco se negó a proporcionar el agua justa e imprescindible para la supervivencia de quienes lo habían construido.

Laila comenzó a envejecer.

Suleiman se hizo aún más fuerte.

Aisha se convirtió en una espléndida mujer.

Y Gacel Sayah cada día se parecía más, en el físico, pero sobre todo en la firmeza de carácter, a su difunto padre.

El viejo Suilem murió de puro viejo, y pocos días más tarde su nieto pidió respetuosamente permiso para marcharse. Quería dirigirse al sur, al «País de los Ashantis» del que tanto le había hablado su abuelo, con el fin de encontrar una hermosa mujer de su propia raza con la que fundar una familia.

Le dieron su bendición, le regalaron un buen camello, un fusil y una cabra y le concedieron la libertad para él y todos sus descendientes, garantizándole que el «grigri» de los demonios que perseguía hasta la muerte a los esclavos fugitivos nunca le acosaría.

La muerte del anciano y la marcha de Rachid dejó un vacío en la exigua comunidad, y Laila se entristeció profundamente pese a que aceptara y comprendiera que el gigantón tenía derecho a su propia vida después de tantos años de fieles servicios.

Cuando hombre, cabra y camello se perdieron de vista en la vasta llanura que se abría hacia el sur, tuvo la extraña sensación de que la gran familia que su difunto esposo había llegado a constituir se le estaba derritiendo entre los dedos.

De lo que antaño fuera un poderoso clan temido y respetado en «la árida tierra que sólo sirve para cruzarla», no quedaba ya más que un puñado de miembros que malvivían de un mísero pozo que daba menos agua que leche una vieja cabra.

Una tórrida mañana de finales de verano, un extraño rumor surgió llegando desde el sudoeste, fue creciendo muy poco a poco en intensidad, y al fin una blanca avioneta hizo su aparición en el horizonte para ir a cruzar justamente sobre sus cabezas.

Todos corrieron a observarla, y aunque en la ciudad las habían visto con cierta frecuencia, su presencia allí, tan lejos de todo, no pudo por menos que atemorizarles.

La ruidosa máquina trazó cuatro o cinco círculos cada vez más cerrados, sus ocupantes hicieron varias fotografías y les preguntaron algo que no pudieron entender mientras señalaban insistentemente el brocal del pozo, y por último desaparecieron en la misma dirección que habían traído.

En los días que siguieron no pudieron dejar de hablar de otra cosa que no fuera la inesperada visita que sin lugar a dudas constituía un hito en su pequeña historia tan falta de acontecimientos de auténtica relevancia.

¿A qué se debía, y qué diablos se les había perdido a aquellos hombres tan lejos de todo lugar civilizado?

¿Qué era lo que con tanta insistencia preguntaban?

No se trataba de un avión de guerra, de eso estaban seguros, pero por más que se esforzaron y más vueltas que le dieron, no consiguieron encontrar una explicación razonable al hecho de que un aparato de apariencia tan frágil se hubiese aventurado hasta el corazón mismo del Teneré cuando el aeropuerto más próximo se encontraba a cientos de kilómetros de distancia.

De tanto en tanto algún gigantesco reactor surcaba el cielo a alturas inconcebibles dejando a su paso una blanca estela, e infinidad de noches escuchaban el rumor de motores y distinguían luces rojas y blancas parpadeando en dirección al norte.

Sabían que se trataba de aviones comerciales que continuamente cruzaban el continente rumbo a Europa, pero siempre los habían considerado casi como pertenecientes a otra galaxia, puesto que la distancia que los separaba de ellos era sin duda tan difícil de salvar como si en verdad sus pasajeros se encontraran en el mismísimo París.

Sin embargo, aquel pequeño aparato cuyos motores runruneaban como avispas furiosas, y que volaba a tan baja altura que incluso habían podido percatarse de que el piloto lucía una espesa barba entrecana, se convertía de improviso en algo tangible que casi podía tocarse con la mano.

Gracias a su estancia en la ciudad, los Sayah tenían una remota idea de lo que significaban los aventureros empedernidos, los turistas amantes de nuevos horizontes, e incluso los arqueólogos empecinados en encontrar restos de remotos antepasados en los rincones más insólitos, pero también tenían muy claro, que ni arqueólogos, ni turistas, ni viajeros tenían nada que buscar en el lugar en que se encontraban.

Mucho más al norte, en el Macizo del Tassili existían fastuosos paisajes y podían encontrarse curiosas pinturas rupestres que al parecer apasionaban a los investigadores que llegaban incluso desde América, pero allí, al pie de aquellas peladas rocas cuya cima no superaba los doscientos metros, no existían atractivos paisajes y nadie más que ellos había descubierto restos de pasadas culturas.

Tampoco resultaba imaginable que los estuvieran buscando después de tantos años, cuando era ya más que probable que su amarga historia hubiese quedado en el olvido, y por lo tanto llegó un momento en que dejaron de pensar en la avioneta para regresar a lo que consistía su pacífica y en cierto modo monótona existencia.

Hasta que al fin, un tranquilo atardecer idéntico a miles de tranquilos atardeceres, una alta columna de polvo se destacó en el horizonte.

Aisha, que fue la primera en divisarla, acudió de inmediato en busca del mayor de sus hermanos.

—Alguien viene —dijo.

Gacel salió de la *jaima* y observó, desconcertado, cómo la columna de polvo crecía y se aproximaba con vertiginosa rapidez, hasta que al fin pudo distinguir los contornos del rojo vehículo que se aproximaba a una velocidad endiablada.

—Avisa a Suleiman —rogó al tiempo que penetraba en la vivienda para regresar con dos viejos fusiles en la mano, y en cuanto su hermano llegó a su lado le entregó uno indicándole con un gesto que ocupara un estratégico emplazamiento al otro lado del pozo, justo al pie de la mayor de las palmeras.

Luego, la familia al completo aguardó a que el rugiente vehículo llegara hasta donde se encontraban y se detuviera a unos diez metros de la boca del pozo para que descendieran dos jóvenes totalmente cubiertos de polvo.

—*Aselam aleikum!* —saludaron.

—*Metulem, metulem!*

—¡Buenas tardes! —añadieron amablemente en un perfecto francés.

—¡Buenas tardes! —les respondieron de igual modo.

—Venimos en son de paz.

—En son de paz sois recibidos.

—Solicitamos hospitalidad.

—Considérense nuestros huéspedes.

—¿Podemos coger agua?

—¡Naturalmente!

Los recién llegados se aproximaron al pozo, lo observaron, parecieron sorprenderse por su rústico aspecto o su profundidad, pero sin hacer el menor comentario halaron de la vieja cuerda hasta conseguir que la piel de cabra que servía de recipiente hiciera su aparición rezumando por los cuatro costados.

Pero lo que ocurrió entonces dejó perplejos al resto de los presentes, puesto que en lugar de beber, se dedicaron a lavarse cara y manos, y más tarde comenzaron a limpiar cuidadosamente el parabrisas del vehículo.

—¿Es que no tienen sed? —inquirió al fin Aisha sin poder ocultar su desconcierto.

—¡Oh, no! ¡En absoluto! —replicó el conductor con una leve sonrisa—. Aún nos queda suficiente agua en la nevera... —Reparó en la expresión de cuantos le rodeaban, e inquirió en tono de evidente preocupación—: ¿Es que ocurre algo?

—Aquí el agua es muy escasa... —le hizo notar Gacel sin aparente acritud—. La empleamos únicamente para beber y para regar las plantas.

—Pero nos han asegurado que este pozo cuenta con un caudal muy importante durante todo el año... —señaló el otro al que se le notaba un tanto incómodo.

—¿Y quién puede haberlo dicho? Que yo sepa, nadie más que nosotros lo conoce.

—¿Acaso no es él *pozo Sidi-Kaufa*?

—No. Éste es el *pozo Ajamuk*. *Sidi-Kaufa* queda a cuatro días de marcha, al noroeste.

—¡No es posible!

—Les aseguro que lo es.

Podría creerse que a los recién llegados se les caía de improviso el mundo encima, puesto que la amable sonrisa huyó de sus labios, palidecieron e intercambiaron una mirada que casi cabría considerar de terror.

—¡Dios bendito! —exclamó el que había llevado hasta ese momento la voz cantante—. Nos hemos equivocado de ruta. Pero ¿en qué coño estabas pensando?

—¿Yo? —replicó su copiloto al que costaba dar crédito a lo que estaba oyendo—. ¿De qué demonios hablas? Estamos en el lugar exacto.

—¿A cuatro días de marcha de *Sidi-Kaufa*…?

El otro no respondió, se introdujo en el vehículo, consultó con suma atención el panel de instrumentos y regresó con un sobado cuaderno de negras tapas en las manos.

—Éstas son las coordenadas, y según el GPS nos encontramos exactamente aquí con un margen de error de menos de un kilómetro. Y de acuerdo con el «Libro de Rutas», esto es *Sidi-Kaufa*.

—Pues esta buena gente opina otra cosa, y me da la impresión de que llevan viviendo aquí bastante tiempo… ¿O no?

—Unos seis años. Y el pozo lo construimos nosotros.

—¿Te vas enterando? Esto no es el *pozo Sidi-Kaufa* de los cojones. Es el *pozo Ajamuk* y pertenece a estos señores.

El copiloto, que había tomado asiento en el pescante del vehículo y observaba una y otra vez el mapa como si lo viera por primera vez, alzó el rostro y sus ojos mostraban la magnitud de su desolación.

—Pues en ese caso es el mapa el que está equivocado… —masculló al fin—. Esas montañas de enfrente no aparecen por ninguna parte y hace una hora deberíamos haber cruzado un campo de dunas que tampoco hemos visto… ¡La madre que los parió! ¡Si serán imbéciles! ¿Qué vamos a hacer ahora?

—No tengo ni la más mínima idea.

—Pronto oscurecerá.

—Ya me había dado cuenta.

—¿Y…?

—¿Qué quieres que te diga? —El atribulado conductor se volvió una vez más a Gacel Sayah para inquirir en tono casi suplicante—: ¿Sabría indicarnos el camino para llegar a *Sidi-Kaufa*?

El aludido asintió seguro de lo que decía:

—Rodeando aquellas rocas siempre hacia el noroeste, pero si lo intentan de noche se enterrarán hasta el cuello. Por allí siempre sopla viento del norte y las dunas son jóvenes e inestables… Mi consejo es que esperen a que amanezca.

—¡Joder!

—Nos sentiremos muy honrados permitiéndoles dormir en una de nuestras *jaimas*.

—Lo sé… —admitió su interlocutor esforzándose en sonreír nuevamente—. Conozco bien el sentido de la hospitalidad de los tuaregs… Porque son tuaregs, ¿verdad?

—¡Naturalmente! ¿Qué otra cosa podíamos ser?

—Esquimales no, desde luego… ¡Bien! A mal tiempo buena cara. ¿Qué le vamos a hacer? Perdidos pero contentos… Y a todas éstas aún no nos hemos presentado: me llamo Marcel Charriere, y mi compañero Alain Guitay.

—Ésta es mi madre, y éstos mis hermanos. Todo cuanto tenemos está a su disposición. ¿Tienen hambre?

—De lobo, pero en el coche llevamos siempre provisiones por si se nos presenta una emergencia y me da la impresión de que por estos lugares los supermercados escasean. ¿No se ofenderían si nos permitieran invitarlos? Presumo de ser un excelente cocinero.

—No es la costumbre.

—Tampoco es mi costumbre perderme en mitad del desierto… ¡Por favor…!

Gacel consultó a su madre con la mirada, ésta dudó, pero al fin acabó por encogerse de hombros.

—La verdad es que hace años que no probamos la comida de los franceses. Veamos si es tan buen cocinero como dice…

Marcel Charriere demostró ser, en efecto, un cocinero más que aceptable, y en menos de una hora había preparado una gigantesca fuente de sabrosos espaguetis con salsa picante a los que siguió una generosa ración de muslos de pato a la brasa, en lo que constituía un auténtico banquete para unos pobres beduinos que llevaban años comiendo siempre lo mismo.

Incluso preparó un magnífico café muy cargado y obsequió a los hombres con auténticos habanos que obligaron a toser al forzudo Suleiman, que cambió de color y tuvo que acabar por apagarlo puesto que comenzaba a marearse.

—¿Y ahora díganme…? —inquirió por fin Gacel Sayah que se había esforzado por mostrarse prudente, pero al que la curiosidad reconcomía—. ¿Adónde se dirigen con tanta prisa por mitad del desierto?

—A El Cairo.

Se hizo un pesado silencio puesto que la incredulidad se había apoderado de todos los presentes exceptuando, naturalmente, los dos franceses.

—¿A El Cairo…? —repitió al fin Aisha casi con un hilo de voz—. Pero ¿El Cairo no es una gran ciudad que está muy lejos, en el extranjero?

—En efecto. Es la capital de Egipto.

—¿Y van en coche hasta allí?

—¡Exactamente!

—Pero eso debe de estar…

—A unos siete mil kilómetros, poco más o menos.

—¡Bromea!

—En absoluto. Hace cinco días que salimos de Mauritania y nos dirigimos directamente a Egipto... En total son poco más de once mil kilómetros de viaje.

—¿Y no les hubiera resultado más cómodo, más barato y más rápido hacerlo en avión?

—¡Naturalmente! Pero es que se trata de un rally.

—¿Un qué...?

—Un rally... Una carrera.

—¿Una carrera...? —repitió ahora como un eco Suleiman—. ¿Qué quiere decir con eso de una carrera?

—Lo que he dicho: una carrera. En estos momentos hay cientos de personas corriendo en coches, motos y camiones en dirección a El Cairo. —Lanzó una columna de humo con gesto de suprema satisfacción—. Y nosotros vamos los primeros.

—Y ¿por qué?

—Porque está claro que los demás vienen detrás.

—No me refiero a eso... —le hizo notar Gacel que era quien había hecho la última pregunta—. Me refiero a por qué corren hacia El Cairo.

Se diría que ahora era Marcel Charriere el desconcertado, ya que tardó en responder y cuando lo hizo se limitó a encogerse de hombros.

—Ya le he dicho que se trata de una carrera deportiva.

—¿Pretende hacerme creer que cientos de personas están atravesando África de lado a lado, tragando polvo y pasando calor, sólo por deporte?

—¡Naturalmente!

—¡Qué estupidez!

—¿Cómo ha dicho?

—¡Perdón! No he pretendido ofenderle, pero es que me cuesta admitir que nadie pueda derrochar su tiempo, su dinero y su energía en un empeño semejante. Ese desierto es muy peligroso.

—Lo sé por experiencia. Mi mejor amigo murió hace tres años cuando su coche se incendió de improviso.

—Dios no nos ha concedido el don de la vida para que nos la juguemos de una forma tan absurda... —intervino Laila que escuchaba con especial atención cuanto se decía—. Imagino que del mismo modo que niega la entrada al paraíso a quien le ofende suicidándose, se la impedirá a quien muere en un empeño tan inútil, que no es, a mi modo de ver, más que otra forma de suicidio.

—Tampoco hay que exagerar convirtiendo en pecado una sencilla diversión.

—No se trata de ninguna exageración... —insistió ella sin inmutarse—. Si no hubiéramos construido ese pozo, estarían perdidos, por lo que resulta más que probable que hubieran muerto de sed en mitad de la llanura.

—Si ustedes no hubieran construido ese pozo, los cretinos que dibujaron nuestros mapas hubieran acabado por encontrar y señalar correctamente el de *Sidi-Kaufa* —puntualizó Alain Guitay que al parecer no era demasiado aficionado a hablar, pero que ahora se decidía a hacerlo puesto que el tema estaba directamente relacionado con su trabajo—. Y eso quiere decir que nunca hubiéramos equivocado el rumbo puesto que nuestros instrumentos nos permiten determinar vía satélite y con un margen de error casi inapreciable el punto del mundo en que nos encontramos.

Laila, Aisha, Gacel y Suleiman se miraron.

Resultó evidente que, o no habían entendido lo que el francés acababa de decir pese a que hablaran su idioma con bastante soltura, o se les antojó tan absurdo que decidieron pasarlo por alto.

«El Pueblo del Velo» había pasado casi cien años bajo su dominio colonial, y por lo tanto sus miembros aceptaban sin ningún tipo de reservas que la francesa era una cultura técnicamente muy avanzada, capaz de conseguir que los vehículos avanzaran sin tracción animal, gigantescos aviones volaran, e incluso que en una pequeña pantalla apareciesen imágenes de hechos que estaban ocurriendo en aquellos mismos instantes muy lejos de allí, pero de ahí a que un instrumento les permitiera saber en qué punto exacto del mundo se encontraban, podía mediar un abismo o tan sólo un pequeño paso, y eso era algo que no se sentían capaces de dilucidar.

Los momentos que siguieron resultaron por tanto en cierto modo incómodos, hasta que al fin Marcel Charriere rompió el pesado silencio inclinándose para servirse una nueva taza de café al tiempo que señalaba:

—Ustedes se sorprenden por lo que hacemos, y sin embargo, mucho más sorprendente resulta, a mi modo de ver, que hayan elegido este desolado rincón del planeta para vivir. ¿Por qué? ¿Qué les ha impulsado a instalarse en semejante lugar?

—Aquí estamos bien.

—¿Bien…? Y ¿de qué viven?

—De la leche, de la caza, de los dátiles y de lo que cultivamos —señaló Aisha con naturalidad—. El pozo no es rico, pero proporciona agua suficiente para cubrir nuestras necesidades.

—Sentimos haberla desperdiciado de una forma tan estúpida. Ni siquiera se nos pasó por la mente que…

—Eso carece ya de importancia… —le interrumpió Gacel haciendo un leve gesto con la mano—. No tenían forma de saberlo.

—Gracias, pero dígame… ¿Cómo se las arreglan para conseguir las provisiones imprescindibles: la sal, la ropa, las municiones, o ese té, sin el cual se diría que un tuareg no puede vivir…?

—Cada año, con la primera luna de primavera, la mayor parte de los nómadas de la región acuden a un gigantesco zoco que se organiza en Al-Raia a unos siete días de marcha hacia el oeste. Allí se reúnen pastores, cazadores, traficantes de ganado y comerciantes, intercambiando animales y pieles por sal, té, azúcar, semillas, libros o balas. Nosotros solemos ir cuando tenemos camellos que vender, y con eso nos aprovisionamos. Una vez incluso bajamos al mercado de Kano, pero eso queda ya demasiado lejos.

—¿Cómo de lejos?

—Unas tres semanas de viaje.

—No me imagino a un europeo viajando durante tres semanas para ir al mercado, y lo cierto es que aún no ha respondido a mi pregunta: ¿por qué eligieron un lugar tan apartado?

—No creo que lo entendiera —fue la respuesta.

—Me esfuerzo por entender las cosas que veo, y me gusta conocer a las personas que encuentro en mi camino.

—En ese caso le aclararé que estamos aquí por motivos políticos.

—¿Motivos políticos? —masculló perplejo y probablemente incrédulo Alain Guitay—. Siempre había creído que los tuaregs son hombres libres que se limitan a nomadear. No me diga que la jodida política llega hasta el último rincón del desierto.

—Es una larga historia.

—¡Me encantan las historias a la luz de la hoguera en mitad del desierto! —señaló Marcel Charriere al tiempo que se agitaba inquieto en su asiento como si se sintiera tan nervioso como ante el inicio de un hermoso espectáculo—. ¿Qué pasó?

—¿De verdad le interesa?

—¡Naturalmente!

Gacel Sayah lo observó como pretendiendo calibrar su grado de sinceridad, se volvió luego a su madre solicitando su parecer o pidiéndole permiso, y ante el leve gesto de asentimiento, comenzó:

—Mi padre, que en gloria esté y del cual heredé el nombre, estaba considerado el más valiente de los tuaregs, ya que era el único que había sido capaz de atravesar por dos veces «La Tierra Vacía de Tikdabra». Todo el mundo le admiraba y respetaba, pero un día, de esto hace ya más de veinte años, dos viajeros casi moribundos que se habían perdido en el desierto aparecieron de pronto en nuestro campamento. Lógicamente, les brindó hospitalidad y los atendió lo mejor que pudo, pero a los pocos días hizo su aparición una patrulla del ejército que de inmediato mató a uno de ellos, allí mismo, en nuestra propia *jaima*, y se llevó al otro.

—¿Y eso…?

—El que se llevaron era Abdul-el-Kebir, el único presidente elegido democráticamente en toda la historia de nuestro país, y el otro, el que mataron, un guardián que le había ayudado a escapar del fuerte militar en que le había confinado la dictadura, y que por desgracia se encontraba relativamente cerca de donde habíamos montado durante aquellos días nuestro campamento.

—Entiendo… Los soldados quebrantaron la sagrada «Ley de la Hospitalidad» de los tuaregs.

—Usted lo ha dicho. Ensuciaron de sangre nuestro hogar y se llevaron por la fuerza a un pobre viejo a quien habíamos brindado protección. Eso era mucho más de lo que mi padre podía permitir, por lo que juró que mataría a los que le habían deshonrado y no descansaría hasta que Abdul-el-Kebir fuera de nuevo tan libre como el día en que solicitó hospitalidad.

—¿No se hizo una película con ese argumento? —inquirió de improviso Alain Guitay—. A mí esa historia me suena.

—Por aquel tiempo se habló mucho de mi padre, e incluso se escribió un libro, pero no sé nada acerca de una película.

—¡Pues recuerdo haberla visto!— insistió el copiloto—. No era buena porque convirtieron al protagonista en una especie de «Rambo», pero el hecho de saber que estaba basada en un hecho real me impresionó.

—Pero ¿qué pasó? —inquirió Marcel Charriere visiblemente impaciente.

—Que mi padre ejecutó a los asesinos y liberó al presidente pasando a cuchillo a la guarnición del fuerte en que le habían vuelto a encerrar.

—¿Me está diciendo que pasó a cuchillo a «toda la guarnición»?

—No dejó a nadie vivo.

—¿Él solo?

—Completamente solo.

—Pero ¿cómo pudo hacerlo?

—Era un guerrero *imohag*... —fue la sencilla respuesta—. Los degolló sin que se enteraran. Mi padre podía hacer eso y mucho más. De hecho condujo a Abdul-el-Kebir hasta el otro lado de la frontera atravesando «La Tierra Vacía» aunque le perseguía todo el ejército.

—¿Y qué pasó luego?

—Que como no podían atraparle, los militares nos secuestraron con intención de ofrecernos a cambio de Abdul-el-Kebir. Al enterarse, mi padre montó en cólera y juró que mataría al que consideraba el máximo responsable, es decir, al presidente impuesto por los militares.

—¿Y cumplió su promesa?

—En cierto modo sí, y en cierto modo no.

—¿Y eso qué significa?

—Que emprendió un larguísimo viaje hasta la capital, se escondió en las afueras, esperó a que la comitiva del presidente saliera de palacio y lo mató.

—¡Caray!

—Lo malo fue que, entre tanta confusión, no se dio

cuenta de que el hombre contra el que disparaba era aquel al que había puesto en libertad.

—¿Abdul-el-Kebir?

—Él mismo.

—Pero ¿cómo es posible que cometiera semejante error?

—Porque se trataba de un Abdul-el-Kebir, afeitado, limpio y vestido de gala, que en nada se parecía al sucio, barbudo y andrajoso prisionero que mi padre había arrastrado durante semanas a través del desierto.

—¡Dios bendito! —se horrorizó su interlocutor—. Y ¿cómo es que Addul-el-Kebir estaba allí?

—Porque una revuelta popular había derrocado a la dictadura, devolviéndole la presidencia, pero eso mi padre no podía saberlo.

—¡Joder qué historia! ¿Cómo acabó?

—Trágicamente, ya que en ese mismo momento los guardaespaldas de Abdul-el-Kebir mataron a mi padre, y nunca hemos sabido si tuvo o no tiempo de darse cuenta de su error.

—Como hijo preferiría que no se hubiera dado cuenta... ¿No es cierto?

—Lógico, ¿no le parece? Sufrió todas las penas del infierno por una causa que consideraba justa según las más antiguas tradiciones de nuestro pueblo. Morir en el momento de acabar con un dictador que no respetaba ni tan siquiera las leyes más sagradas de sus súbditos era un honor. Morir por culpa de un absurdo error, una burla del destino. Y yo siempre he querido creer que murió sabiendo que su honor seguía intacto.

—¿Y el honor sigue siendo lo más importante para los tuaregs?

—Se puede vivir rico o pobre, sano o enfermo, humilde o poderoso, odiado o amado, pero no se puede vivir sin honor —fue la decidida respuesta—. Y se puede entrar en el paraíso pobre, enfermo, humilde y sin esposas, puesto que allí reina la abundancia y todo te será concedido, pero no se puede entrar en el paraíso sin honor. Es lo único que tienes que aportar por ti mismo.

—Nunca se me había ocurrido verlo desde ese ángulo —admitió el francés—. Pero resulta evidente que al más allá no te puedes llevar dinero, poder, ni mucho menos las enfermedades, mientras que sí te llevas el concepto que tengas de tu propia valía y de lo que hayas sido capaz de hacer a lo largo de tu vida.

—Mi padre hizo grandes cosas, defendió los principios de nuestra fe y nuestra cultura, y por lo tanto debió morir en paz consigo mismo. Cualquier tuareg se conformaría con vivir y morir de idéntica manera.

—¿Los tuaregs creen realmente en la existencia del paraíso? —inquirió de improviso Alain Guitay al que parecía costarle un gran esfuerzo entrar en la conversación—. ¿Están convencidos de que existe un lugar repleto de comida, música y mujeres hermosas, tal como aseguró Mahoma?

—Sí y no... —fue la desconcertante respuesta de Gacel Sayah.

—¿Qué quieres decir con eso?

—Que al igual que el infierno, el paraíso que nos prometió Mahoma existe y no existe.

—No logro entenderlo.

—Existe para los que creen en él.

—¿Y para los que no creen en él?

—No existe.

—¿Y el infierno tampoco?

—Tampoco.

—¿Cómo es posible?

—Muy sencillo... —puntualizó el targui—. Si eres creyente y cumples con las leyes de Alá, tu alma va al paraíso. Si eres creyente, pero no cumples con las leyes de Alá, tu alma va al infierno. —Hizo una corta pausa como para remarcar lo que iba a añadir—: Pero si no eres creyente, cuando mueres tu alma no va a ninguna parte. Simplemente te mueres.

—¿Y para el no creyente no existe el Más Allá?

—No, de la misma manera que no existe para los camellos, los perros o las cabras, ya que quien habiendo nacido humano no cree en la existencia de un ser superior que lo creó, desciende al nivel de las bestias y por lo tanto su destino es el mismo: convertirse en simple despojo.

—¿Sin recibir un premio o sufrir un castigo según cuál haya sido su comportamiento?

—Bastante castigo significa compartir el destino de las bestias… —intervino Laila en un tono de absoluta serenidad—. Y resultaría injusto castigar a alguien por no cumplir los mandatos divinos, cuando no cree en Dios. Sería como castigarle por infringir una ley cuya existencia desconoce. De lo que sí podemos estar seguros es de que incluso el infierno en el que se purgan los pecados, y en el que tal vez algún día seamos redimidos, es mil veces mejor que la nada.

—¡Curiosa forma de ver la vida!

—Más bien la muerte.

—En efecto, más bien la muerte… —admitió Marcel Charriere—. Y creo que ha llegado el momento de que nos dejemos de disquisiciones metafísicas que a nada conducen, porque aún nos quedan siete mil kilómetros de viaje, y en cuanto amanezca tenemos que ponernos en marcha…

Con la primera claridad del nuevo día el rojo vehículo había desaparecido tras las oscuras rocas, y Gacel Sayah observaba la soledad de la llanura sentado a la puerta de su *jaima*.

Meditaba.

Antes de que el alba hiciera intención de anunciarse en el horizonte, estaba ya en pie despidiendo a sus huéspedes, y ahora no podía menos que permanecer allí inmóvil, preguntándose qué extraña vida era la de aquellos seres que se lanzaban a una aventura tan disparatada, y qué extraña vida era la suya, que permanecía allí, anclado en el pasado cuando el mundo se movía con tan sorprendente rapidez.

Gacel no tenía demasiados estudios, pero había heredado la aguda inteligencia de su padre, y la vida le había enseñado muchas cosas que no habían caído en saco roto.

El muchacho que llegó hasta allí huyendo y que dedicó todos sus esfuerzos a construir un pozo se había convertido en un hombre que empezaba a preguntarse por el difícil futuro que aguardaba a su exigua familia.

Los esclavos habían sido liberados, los siervos se habían ido marchando uno tras otro, y no quedaban en el campamento más que su madre y sus hermanos, que escasas posibilidades tenían de constituir un clan digno de tal nombre.

Aisha estaba ya en edad de casarse, y tanto él mismo como Suleiman echaban de menos una mujer que compartiera cada noche su lecho, pero sabía a ciencia cierta que pocas posibilidades tenían de conseguir pareja cuando todo lo que podían ofrecer se limitaba a un triste pozo, un huerto, tres palmeras y una docena de cabras y camellos.

La miseria suele ser tanto más miserable cuando se compara con la riqueza, y aquella noche, viendo cómo los franceses extraían de su sorprendente automóvil latas y más latas de exóticos productos, admirando el lujo de sus ropajes y sus botas, y asombrándose ante el derroche de medios materiales de que disponían, llegó a la conclusión de que su forma de vivir era en verdad auténticamente miserable.

Pero ¿qué podía hacer?

¿Adónde ir, aun en el caso de que el mundo se hubiera olvidado de la familia Sayah y de cuanto su padre había hecho tantos años atrás?

Fueran donde fueran seguirían sido unos parias sin oficio ni beneficio, buenos tan sólo para cuidar ganado o cargar ladrillos, sin la más mínima preparación para abrirse camino allí donde las gentes sabían pilotar aviones, conducir vehículos que parecían volar sobre el desierto, o manejar sofisticados aparatos.

Su raza había quedado demasiado atrás en el tiempo, y ese tiempo cada día se aceleraba más y más.

El abismo que separaba al «Pueblo del Velo» de los restantes pueblos del planeta se ensanchaba por momentos, y estaba convencido de que intentar dar el salto que le condujera al otro lado significaría tanto como lanzarse de cabeza al vacío.

A la nación tuareg no le quedaba otro remedio que permanecer para siempre en la vieja orilla hasta que acabara por desaparecer como forma de entender la existencia, pero a Gacel Sayah le dolía admitir que pertenecía a una generación que se veía obligada reconocer que aquélla era una verdad incuestionable.

Gigantescos camiones malolientes atravesaban el Sahara de norte a sur y de este a oeste, y cada uno de ellos transportaba la carga de treinta camellos, por lo que las lentas caravanas comenzaban a desaparecer del horizonte de dunas.

Sorprendentes instrumentos conectados con satélites artificiales que giraban por encima de las nubes determinaban en qué punto se encontraba un vehículo con una precisión imposible de determinar ni aún para el más experimentado de los guías beduinos.

Frágiles avionetas recorrían en una hora lo que él mismo tardaría una semana en recorrer, y todo cuanto había aprendido de la experiencia de generaciones de sus antepasados cabía en cuatro páginas de cualquiera de los miles de libros que se encontraban al alcance de cualquier muchacho europeo.

En el zoco de *Al-Raia* conseguía de vez en cuando viejos libros que leía y releía con avidez, y cuantos más leía más se descorazonaba puesto que comprendía que no existía forma alguna de integrarse al nuevo mundo que se abría más allá de aquellas oscuras rocas y aquella interminable llanura pedregosa.

Y el simple hecho de aceptar que se había convertido en una especie de fósil viviente, tan inútil como los moluscos petrificados que de tanto en tanto encontraba en las montañas, le sumía en la más profunda depresión.

Veinte años atrás su padre aún era un *inmouchar* orgulloso de su estirpe y de la sangre que corría por sus venas.

En el transcurso de una única generación los Sayah se habían convertido en una diminuta familia de vagabundos andrajosos.

Al menos su padre había sabido morir en plena gloria y en el mejor momento, dejando en la memoria de todos una de las páginas más brillantes de la historia de su pueblo.

A él no le aguardaba más que un amargo silencio.

Prestó atención.

Su instinto de hombre de las llanuras se mantenía por fortuna intacto.

Aguzó la vista, y allí, en el horizonte, en el punto exacto por el que había hecho su aparición la tarde anterior el coche de Marcel Charriere, pudo distinguir una diminuta columna de polvo.

El vehículo, azul y blanco, avanzaba como si quisiera comerse el mundo, siguiendo exactamente las nítidas rodadas de quienes les habían precedido.

Minutos después el rugir de su potente motor fue ya claramente audible, y cuando se aproximó al campamento, todos sus miembros aguardaban expectantes.

Se detuvo casi en el punto exacto en que lo había hecho Marcel Charriere, y el hombre que lo conducía abrió la puerta para inquirir en tono apremiante:

—¿Cuánto tiempo hace que se fueron? —masculló en un pésimo francés.

Gacel Sayah lo observó un tanto desconcertado, se volvió a sus hermanos como si alguno de ellos pudiera aclararle las razones por las que un recién llegado ni siquiera se tomaba la molestia de saludar, y por último replicó de mala gana:

—Partieron al amanecer.

El hombre salió del vehículo, se despojó del casco y lo arrojó al suelo con mal contenida rabia al tiempo que exclamaba:

—¡La puta que los parió! Nos llevan dos horas de ventaja. ¿Qué número tenía?

El targui le observó sin comprender.

—¿Cómo ha dicho? —quiso saber.

—¿Que qué número tenía el coche? ¡Como éste! ¡Aquí! ¿Qué número tenía?

—No lo sé.

—¿No lo sabes? ¿Cómo que no lo sabes?

—Nunca me han importado los números.

—Entiendo… ¿Y los colores? ¿Te importan los colores?

—A veces.

—¿Y qué color tenía?

—No me acuerdo.

El copiloto, que había descendido a su vez y lo observaba todo con atención, se volvió a su compañero para indicar también en francés, pero con un marcadísimo acento extranjero:

—No te esfuerces. Sea quien sea ya está lejos, y lo mejor que podemos hacer es salir arreando. ¡Ayúdame a sacar agua!

Se pusieron a la tarea de tirar del cabo, pero de inmediato Gacel avanzó un paso para inquirir con naturalidad aunque resultaba evidente que se esforzaba por mantener la calma:

—¿Es para beber?

El conductor le observó de reojo al tiempo que replicaba con manifiesta acritud:

—¿Para beber? ¿Esta agua? ¿Es que crees que quiero ir cagándome patas abajo el resto del viaje? No. No es para beber. Es para el radiador al que una piedra ha producido una pequeña grieta y tenemos que ir reponiéndola continuamente.

—En ese caso, es mejor que la deje donde está.

—¿Por qué?

—Porque este agua es únicamente para beber. Si pretenden echársela al coche tendrán que buscar otro pozo.

—¿Quién lo ha dicho?

—Yo.

—¿Y a mí qué me importa lo que digas? Este pozo es público.

—Se equivoca. Este pozo es privado. Lo perforamos nosotros, y por lo tanto es nuestro. El pozo público está muy lejos de aquí.

—¡Pero esto es *Sidi-Kaufa*!

—No. Esto no es *Sidi-Kaufa*.

—¡No es posible!

—Lo es. El otro coche cometió el mismo error. Al parecer los mapas que les proporcionaron están equivocados.

—¡Mierda! ¡Hatajo de inútiles!

Los recién llegados se observaron y sin mediar palabra parecieron llegar a la conclusión de que se habían colocado en una situación harto delicada, por lo que el copiloto se esforzó por mostrarse conciliador.

—¡Bien! —musitó—. Supongo que tienen razón y en efecto esto no es *Sidi-Kaufa*, ya que según el «Libro de Rutas» allí existe un oasis con más de cincuenta palmeras… ¿Cuánto quieres por el agua?

—Para beber, nada.

—¿Y si no es para beber?

—No está en venta.

—¿Cómo que no está en venta? —se asombró el conductor—. ¿Algún precio tendrá?

—Aquí el agua es la diferencia entre la vida y la muerte, y por lo tanto no tiene precio.

—¿Quinientos francos por diez litros?

—¿Realmente cree que podemos bebernos quinientos francos?

—¿Y mil?

—Tampoco quitan la sed.

—¡Pero bueno! —estalló el otro—. ¿Qué es lo que pretende? Le estoy ofreciendo una fortuna por un poco de agua.

—Yo no pretendo nada —le hizo notar Gacel—. Ni

mil, ni diez mil, ni un millón de francos sirven de mucho si falta el agua. Si quieren beber, beban. En caso contrario es mejor que sigan su camino, porque ni tan siquiera han tenido la delicadeza de solicitar nuestra hospitalidad y ya es demasiado tarde para hacerlo.

—Pero es que si no le echamos agua al radiador el motor reventará en mitad del desierto —protestó su oponente.

—Ése es su problema, no el nuestro. Cuando decidieron tomar parte en una carrera tan estúpida debieron imaginar que algo así podía suceder. —El targui hizo un significativo gesto con la mano al añadir—: Y ahora es mejor que se vayan.

El conductor meditó unos instantes, asintió con la cabeza, recogió su casco y penetró en el vehículo, pero de inmediato surgió de nuevo empuñando un pesado revólver con el que apuntó directamente a la cabeza de Gacel Sayah.

—¿Y ahora qué dices, moro piojoso? —exclamó—. ¿Me vas a dar ese agua, o no me vas a dar ese agua?

—¡Pero qué coño haces! —se horrorizó su acompañante—. ¿Es que te has vuelto loco? ¡Guarda ese arma!

—¡Y una mierda! —fue la airada respuesta—. Sin ella nos quedaremos tirados en mitad del desierto.

—¡Pero eso no son maneras…! Avisaremos por radio y vendrán a buscarnos.

—¿Cuándo? ¿Dentro de seis horas, o quizá dentro de un día? Seguro que quienquiera que sea el que va por delante, le ha pagado a estos cerdos para que nos impidan alcanzarles, y no estoy dispuesto a consentirlo. ¡Saca ese agua!

—¡Pero Marc…!

—¡Calla y haz lo que te digo! Cada minuto cuenta.

—Nos pueden descalificar por esto.

—¿Y cómo van a saberlo? ¿Acaso piensas contárselo?

—No, pero...

—¡No hay peros que valgan...! —El llamado Marc era en verdad un hombre irascible al que se le advertía cada vez más nervioso puesto que agitaba el arma de tal modo que su cañón pasaba alternativamente de uno a otro de los presentes—. Son esos inútiles los que se han equivocado en los mapas, y ya nos aclararon que cuando surgiera un contratiempo nos las apañáramos como pudiéramos. Así que acabemos con esto de una vez.

El otro dudó y resultaba evidente que no deseaba involucrarse en tan desagradable incidente, pero pareció llegar a la conclusión de que no se le ofrecían demasiadas opciones, por lo que acabó por sacar agua del pozo y llenar con ella primero el radiador del automóvil y luego un pequeño bidón.

—¡Lo siento! —murmuró al concluir.

—¿Qué es lo que sientes? —le espetó ásperamente su compañero que se iba enfureciendo más a cada minuto que pasaba—. ¿Suponías que esto iba a ser un paseo por los Campos Elíseos? Te advertí que probablemente tropezaríamos con bandidos y salteadores de caminos y aceptaste, así que no me vengas con puñetas.

—Pero es que no son bandidos.

—Quien pretende cobrar más de mil francos por diez litros de agua es un bandido aquí y en la China... ¡Sube al coche de una puta vez o te dejo en tierra!

Aguardó a que lo hubiera hecho y a continuación fue hasta la parte posterior del pesado todoterreno, abrió la puerta, extrajo una lata de aceite, y con ella en la mano se aproximó al brocal del pozo.

Sin apartar la vista del rostro de Gacel y con el arma ahora amartillada, desenroscó el tapón y comenzó a dejar caer un chorro de aceite que resonó sordamente treinta metros más abajo.

—¡Mira lo que hago con tu mierda de agua! —dijo—. Vas a estar un mes cagando aceite.

Abrió la mano para que la lata que aún se encontraba más que mediada se fuera al fondo, dedicó a los presentes un sonoro, barriobajero y expresivo «corte de mangas» y subiendo al vehículo lo puso en marcha al tiempo que gritaba:

—¡Que te jodan!

—¡Estás loco…! —musitó amargamente su copiloto, al que se le diría que estaban a punto de saltársele las lágrimas—. Y más loco estoy yo por aceptar meterme en esto conociéndote como te conozco…

—¡Que te jodan a ti también!

La familia Sayah se había quedado como petrificada, asombrada e incrédula, a todas luces incapaz de aceptar que lo que acababa de ocurrir pudiera ser algo más que una amarga pesadilla, y en cuanto el coche que se había alejado siguiendo las rodadas de su predecesor desapareció de su vista, Gacel se aproximó a una de las palmeras, apoyó en ella la frente y permaneció muy quieto, esforzándose por dominar la ira que se había adueñado de su ánimo.

Invocó a Alá pidiendo templanza, consciente de que se sentía incapaz de ordenar sus pensamientos, o tal vez exigiendo que le aclarara por qué extraño capricho había permitido que algo así sucediese.

Él era un hombre justo, y su familia una familia honrada que había respetado escrupulosamente los mandatos divinos, y por lo tanto no concebía la razón por la que el destino se esforzaba en perseguirles hasta en el mismísimo corazón del desierto.

Si su padre había cometido algún pecado, bastante había hecho al pagarlo con la vida, y ellos, sus hijos, inocentes de toda culpa, habían sido acosados y escarnecidos como si de auténticos criminales se tratase.

Habían luchado con uñas y dientes para sobrevivir, habían dejado incluso parte de su sangre en aquel triste pozo que apenas les permitía subsistir, y ahora, además, les enviaba aquella nueva y desconcertante maldición en forma de hombres llegados de muy lejanos países y que nada respetaban.

—¿Qué vamos a hacer?

Se volvió a observar el desencajado rostro de su hermana en cuyos enormes ojos oscuros podía leerse claramente el temor.

—No lo sé.

—¿Cómo sobreviviremos sin agua?

—Tampoco lo sé.

—Van a ser cuatro días muy duros hasta llegar a *Sidi-Kaufa.*

—¿Queda algo en las *girbas*?

—Ni una gota.

—¡Señor, Señor…! Aunque consiguiéramos llegar hasta allí la mayor parte del ganado moriría por el camino.

—¿Qué crees que pasaría si bebiéramos de ese agua?

—No tengo ni idea. Es aceite de máquina y siempre he oído decir que enferma a la gente y la deja ciega.

—¿Ciega? —repitió la muchacha horrorizada.

—Ciega o paralítica, ¿qué más da?

—Pero el aceite flota en el agua. ¡Tal vez si…!

—No podemos arriesgarnos… —le interrumpió su hermano—. No tenemos forma de saber qué cantidad de ese aceite basta para enfermar a una persona, ni qué clase de remedios existen para ese tipo de enfermedades. Quizá sea un veneno que mata en el acto, o quizá se te quede dentro para ir debilitándote poco a poco…

Laila y Suleiman, que se habían aproximado, permanecían en silencio, escuchando a Gacel y dando por sentado que debía ser él, como cabeza de familia, quien tomara una decisión de la que sin duda dependía la vida de todos.

Por su parte éste se volvió a observarlos, como si

estuviera intentando leer sus pensamientos, aunque de igual modo consciente de que el peso de la responsabilidad descansaba únicamente sobre sus hombros.

Cualquiera que fuese su parecer sería aceptado, puesto que para eso se había convertido en el *inmouchar* del exiguo clan y para eso le había sido impuesto el glorioso nombre de su padre.

Tomó asiento a la sombra de la palmera, jugueteó con la arena, contempló largamente el pozo, los corrales y las *jaimas*, lanzó un hondo suspiro y por último señaló:

—Debemos apresurarnos a cargarlo todo. Cuanto antes nos vayamos, antes llegaremos a *Sidi-Kaufa*.

—¿Cargarlo todo? —repitió su madre con marcada intención—. ¿Significa que levantamos el campamento? —Ante el mudo gesto de asentimiento, añadió—: ¿Nos vamos para siempre?

—¿Y qué otra cosa podemos hacer? —fue la amarga respuesta—. El agua de ese pozo estará envenenada durante meses, y quizá haya llegado el momento de que abandonemos definitivamente este destierro. Con un poco de suerte es posible que a estas alturas ya se hayan olvidado de nosotros.

—Hace años que la suerte no se digna cruzar frente al umbral de nuestra *jaima* —le hizo notar Suleiman—. Desde el aciago día en que Abdul-el-Kebir nos pidió asilo, la suerte parece haberse convertido en nuestra peor enemiga.

—Sabido es que la suerte no suele ser amiga de los honrados y los justos —le replicó su hermano—. Pero sabido es, también, que los honrados y los justos acaban por tener al Señor como aliado. Y un auténtico creyente debe preferir siempre la mano de Alá, que la de una suerte que al igual que te persigue, te abandona. ¡Ve a buscar los camellos!

Se pusieron de inmediato a la tarea de desmontar el

mísero campamento y empaquetar sus parcas pertenencias, pero no habían cargado aún a la primera de las bestias, cuando Aisha alzó de improviso el rostro para anunciar con sorprendente calma:

—¡Ahí viene otro!

En el mismo punto, siguiendo fielmente las rodadas de quienes les habían precedido, un nuevo vehículo seguido como siempre de su inevitable nube de polvo, había hecho su aparición en la distancia.

—Al parecer todos disponen del mismo mapa, y por lo tanto todos están cometiendo idéntico error... —comentó un meditabundo Gacel al tiempo que se rascaba la negra barba—. Eso quiere decir que podemos conseguir que las cosas se arreglen.

—¿Cómo?

—Aceptando que quien nos ha causado el daño no es solamente ese hijo de puta, sino todos cuantos participan en la carrera. Si están juntos en esto, tienen que responder juntos por esto.

—Pero los otros, los que llegaron ayer, se comportaron correctamente y parecían incapaces de hacer daño a nadie —le hizo notar su madre.

—¡Es posible...! —admitió Gacel—. Pero cuando nos hemos enfrentado a otras tribus, nunca nos hemos detenido a pensar en que entre los miembros de esa tribu podía haber buenas personas. Eran el enemigo, y como tal debíamos combatirlos.

—¡Eso es muy cierto! —admitió su hermano—. Según las antiguas costumbres, si un guerrero del «Pueblo de la Lanza» nos hubiera ofendido y humillado hasta el punto en que ese hombre lo ha hecho, el «Pueblo de la Lanza» tendría la obligación de entregárnoslo con el fin de evitar una guerra.

—¿Estás de acuerdo con eso, madre?

—Son leyes muy viejas, hijo, ¡muy, muy viejas!, pero por eso mismo considero que deben seguir vigentes mientras el desierto continúe siendo el desierto, y los tuaregs continuemos siendo tuaregs… Quien comete un delito debe pagar por ello.

—¡Que así sea!

Los dos hombres detuvieron su vehículo junto al pozo, descendieron sudorosos y agotados, se despojaron de los pesados cascos, y ni siquiera se sintieron con fuerzas para reaccionar cuando se enfrentaron a las oscuras bocas de sendos fusiles que les apuntaban directamente a los ojos.

—¿Qué significa esto? —acertó a balbucear uno de ellos.

—Significa que se han convertido en nuestros prisioneros —replicó con absoluta calma Gacel Sayah.

—¿Prisioneros? ¿Qué quiere decir con eso de «prisioneros»? ¿A qué clase de prisioneros se refiere?

—A prisioneros de guerra.

—¿Es que se ha vuelto loco? No estamos en guerra con nadie.

—Pero nosotros sí.

—¿Con quién?

—Con todos los que recorren el desierto creyendo que es suyo… —Gacel se volvió a su hermano para ordenar secamente—: ¡Átalos!

Veinte minutos más tarde, y acomodados en el interior de la única *jaima* que aún no había sido desmontada, los dos desconcertados «prisioneros» contemplaban a sus captores como si en verdad se tratara de seres de otra galaxia.

—¿Y nosotros qué tenemos que ver con todo eso? —inquirió al fin el que parecía llevar la voz cantante—. Ni siquiera conocemos a ese tal Marc, y no nos pueden culpar de haber envenenado su pozo cuando aún nos encontrábamos a cincuenta kilómetros de aquí.

—Y no les culpo —le hizo notar con toda naturalidad Gacel, que había tomado asiento frente a ellos—. Si les culpara ya estarían muertos.

—¿Entonces?

—Comprenderán que con nuestros pobres camellos jamás conseguiríamos atrapar al auténtico culpable, que a esas horas ya debe estar cerca de *Sidi-Kaufa*... Pero hasta que ese malnacido regrese, pida perdón y reciba el castigo que merece, ustedes se quedarán aquí.

—¿Cómo ha dicho?

—Que serán nuestros huéspedes, hasta que el culpable regrese.

—¿Huéspedes o rehenes?

—Llámelo como quiera.

—¡Pero esto es una locura! —protestó el copiloto que al parecer no entendía demasiado bien el francés y hacía un notable esfuerzo con el fin de captar el sentido de cuanto se estaba diciendo—. ¡Una auténtica locura!

—La auténtica locura estriba en correr como posesos a través de los pedregales y las dunas, sin respetar la propia vida ni la de cuantos encuentran en su camino. Locura es robar y envenenar un agua sin la que estamos condenados a morir, o amenazar con un arma a quien te ha recibido con los brazos abiertos. Y si ha aceptado tomar parte en semejante estupidez, debe aceptar que en un momento determinado su estupidez les arrastre.

—Pero ¿qué piensa conseguir secuestrándonos? —quiso saber el otro—. Dudo que un cabrón capaz de hacer lo que ha hecho reconozca su error y acepte volver a pedir perdón.

—En ese caso lo sentiré por ustedes.

—¿Quiere decir que está dispuesto a matarnos?

—Ése es el fin que aguarda a los rehenes cuando no se cumplen las exigencias de quienes les retienen, y…

—Viene otro coche.

Gacel se volvió a su hermano que era quien le había interrumpido, y que permanecía en pie junto a la entrada, limitándose a hacer un leve gesto de asentimiento al señalar:

—Esto parece haberse convertido en un zoco… ¿Cuántos crees que necesitaremos?

—Cuantos más mejor.

—Con cinco o seis bastará. Demasiados nos causarían problemas.

A media tarde, cuando los termómetros se aproximaban a los cincuenta grados y el aire se volvía casi irrespirable, siete sudorosos cautivos, uno de los cuales había llegado a bordo de una motocicleta, se apretujaban en el fondo de la enorme tienda de pelo de camello.

Las dos mujeres se habían preocupado de recoger el agua que quedaba en los vehículos, así como todas las provisiones disponibles, y comenzaba a atardecer cuando ya los animales aparecían cargados y listos para ponerse en marcha.

Gacel se acuclilló frente al motorista, un austriaco taciturno que hablaba un francés deleznable pero que parecía entenderlo a la perfección, para apuntarle directamente con el dedo:

—Vas a regresar por donde has venido —le dijo—. Y te ocuparás de detener a todos los que intenten aproximarse. Explícales la situación; que entiendan que a tus compañeros los voy a enviar a un lugar en el que jamás podrán encontrarlos. Yo me quedaré aquí esperando, y hasta que ése al que llaman Marc, no se presente ante mí, estos seis permanecerán en poder de mi familia… ¿Has comprendido?

—Perfectamente.

—¿Alguna duda?

—Sólo una. ¿Piensa matarlos?

—Si no queda otro remedio, sí.

—¿Por un poco de agua?

—¿Tienes sed?

—Mucha.

—Pues si te dejara aquí y nadie viniera a buscarte, mañana matarías a tu madre por un poco de agua… —Extrajo de la funda la afilada gumía que siempre llevaba a la cintura y cortó con ella las gruesas correas que le maniataban—. ¡Y ahora vete! —dijo.

—¿Puedo beber algo?

—No.

—¡Pero es que estoy casi deshidratado!

—Eso te permitirá comprender mejor nuestra situación, y hasta qué punto tu amigo ha cometido un delito imperdonable.

—¡No es mi amigo! —protestó ruidosamente el otro—. Jamás lo he visto.

—Un grave error por tu parte… —sentenció el *imohag*—. Lanzarte a la aventura de atravesar un continente sin saber qué clase de gente viaja contigo te puede conducir a situaciones como ésta… ¿Te vas ya o mando a otro?

—¡Me voy, me voy…! —se apresuró a replicar el austriaco, pero casi de inmediato se volvió al resto de los cautivos—. ¡Tranquilos! —dijo—. En un par de días todo se habrá solucionado.

—Procura que así sea. Y por favor, que avisen a nuestras familias.

—Me ocuparé de ello… —Lanzó un reniego—. ¡La puta que parió a ese cabrón! ¡Mira que la que ha organizado!

Trepó a su frágil máquina aún maldiciendo, la puso en marcha y a los pocos instantes volaba por la llanura siguiendo lo que comenzaba ya a ser un camino casi perfectamente delimitado.

Gacel y Suleiman le estuvieron observando largo rato, y al fin el segundo señaló:

—Será mejor que nos pongamos en marcha. Quiero estar en la cueva antes de que amanezca porque si aparece uno de esos aviones nos localizará fácilmente.

—Ten cuidado en las montañas.

—Sabes que lo tendré.

Media hora más tarde, una pequeña caravana se disponía a abandonar el *pozo Ajamuk* en dirección al norte.

La componían tres camellos montados por Laila, Aisha y Suleiman, otros cuatro cargados con la mayor parte de las pertenencias de la familia, y una cuerda de cautivos cuyos rostros mostraban a las claras el horror que les producía la sola idea de tener que avanzar a pie a través del desierto.

—¿Adónde nos llevan? —inquirió uno de ellos con apenas un hilo de voz.

—A un lugar seguro… —fue la respuesta—. Pero no se preocupe, no somos bandidos. En cuanto se repare el daño que nos han causado volverán a sus casas sanos y salvos.

—Pero es que podemos repararlo aquí y ahora —replicó el pobre hombre—. En el coche guardo cien mil francos para casos de emergencia. Y estoy seguro de que en los otros dos había casi otro tanto. ¡Son suyos, pero no nos obligue a caminar con semejante calor!

—Puede estar seguro de que cuando vuelvan su dinero continuará en el mismo sitio —le hizo notar el targui—. Aquí no sirve más que para encender fuego. Lo que tiene que hacer es rezar para que quien causó tanto quebranto se presente ante mí.

—¿Y si no lo hace?

—Mi hermano los matará.

—¡Que Dios nos ayude! —sollozó el otro.

—Él es siempre el último consuelo…

Cuando el grupo de hombres y bestias hubo desaparecido más allá de las rocas que protegían el campamento del temido *harmattan* que a menudo soplaba durante varias semanas, Gacel Sayah tomó asiento al pie de su palmera predilecta y se dispuso a esperar con la paciencia que tan sólo los hombres habituados a la caza en las arenas y las llanuras pedregosas son capaces de desarrollar.

De niño, su padre, el gran *inmouchar* al que todos llamaban *el Cazador* le había enseñado a permanecer enterrado durante todo un día sin dejar al descubierto más que la nariz y los ojos, oculto bajo un matojo, a la espera de una gacela, un antílope o un avestruz que tal vez jamás haría su aparición.

El tiempo que tuviera que permanecer bajo un sol abrasador carecía de importancia.

El calor, la sed, los alacranes y las serpientes también.

Lo único que importaba en aquellos momentos era convertirse en piedra, no mover un músculo y evitar que la aguda vista o el fino oído de los habitantes de la llanura les pusiera sobre aviso.

Se hacía necesario permitir que la pieza se fuera aproximando paso a paso y que ramoneara aquí y allá moviéndose a su antojo, puesto que en semejantes soledades una bala era un preciado tesoro que jamás se debía desaprovechar, y un buen cazador nunca apretaba el gatillo hasta estar absolutamente seguro de que no iba a fallar el tiro.

La paciencia era como una segunda piel en la que los tuaregs se embutían en cuanto tenían uso de razón.

La paciencia era el arma con la que habían logrado sobrevivir allí donde tantos otros pueblos habían perecido, y la paciencia era como un gen añadido a los genes de su raza, tan distinta a otras razas como si en verdad el color de su piel fuera de un azul-añil intenso.

Ahora, sentado allí, contemplando lo poco que quedaba de lo que había sido su hogar, Gacel Sayah demostraba una vez más que para los de su estirpe el tiempo carecía de importancia, ya que pese a que permaneciera muy quieto y como ausente, su mente se agitaba como las ramas de una acacia bajo un violento vendaval.

Tenía conciencia de que el camino que había elegido resultaría a la larga absolutamente intransitable.

Tenía conciencia de que no podía enfrentarse, sin más armas que su cochambroso fusil y su fuerza de voluntad, a las sorprendentes máquinas que los temidos europeos eran capaces de desarrollar, pero tenía conciencia, también, de que si no se comportaba tal como lo estaba haciendo, los huesos de su padre se removerían en la tumba y generaciones de sus antepasados le maldecirían por no haber sabido defender el honor del más glorioso de los pueblos: el del *Kel-Talgimus*.

—Haber nacido en el seno del «Pueblo del Velo» nos hace diferentes del resto del mundo, en lo bueno y en lo malo —le había dicho muchos años atrás su madre cuando le preguntó la razón por la que su padre se había lanzado a la imposible aventura de enfrentarse a un ejército—. Se nos otorga un gran honor, pero en compensación se nos penaliza con una pesada carga: la de tener que ofrecer incluso la vida por mantener aquellos principios que nos diferencian del resto de los mortales. Morir por defender a quienes hemos ofrecido nuestra amistad o nuestra protección es tan importante como morir por exterminar a quienes nos ofenden o desprecian. Cuentan que en las verdes llanuras del paraíso tan sólo existe una montaña y que está reservada a los tuaregs. Por eso los tuaregs tienen que hacer más méritos que los demás para conseguir sentarse en la cima.

—¿Quién la ha visto?

—Cierra los ojos y la verás.

A menudo, cuando la soledad o la tristeza le invadían, Gacel cerraba los ojos para que su mente volara una vez más a la cima de aquella montaña, en cuya cúspide, sentado junto a su fiel camello *R'Orab*, su padre disfrutaba, más que ningún otro, de la proximidad de aquel que había sido capaz de crear al mismo tiempo la aridez del desierto y el esplendor del paraíso.

Nacido en el seno de una nación de héroes, su padre se había hecho famoso por sus heroicidades, y por lo tanto, quien llevara su sangre tenía que dar claras muestras de que esa sangre seguía conservando toda su fuerza.

Llegaron las sombras, cerró la noche, aullaron las hienas y una luna inmensa hizo su aparición en el horizonte.

La luna llena en el desierto nace de un rojo intenso y tan enorme que se diría que está a punto de abrasar la tierra como si en realidad se tratara de un nuevo sol que se ha aproximado en exceso.

Luego, a medida que se eleva disminuye de tamaño y cambia de color pasando en cuestión de minutos del amarillo al azul metálico y más tarde a un blanco luminoso.

A qué se debían dichos cambios de color y por qué extraña razón se empequeñecía cuando estaba en lo más alto para volver a crecer cuando se aproximaba de nuevo al horizonte era un misterio para el que los beduinos jamás habían tenido explicación.

—Sube mucho y se aleja… —aseguraban algunos—. Luego vuelve a descender y se aproxima.

—Es como un inmenso buche de cabra que allá arriba se deshincha porque no encuentra suficiente aire… —aventuraban otros—. Al descender vuelve a encontrarlo.

—Se trata simplemente de un fenómeno óptico —aseguraban los franceses—. Su tamaño y su distancia nunca varían; es el hecho de tener o no la referencia de la línea del horizonte lo que lleva a nuestra mente la falsa impresión de que aumenta o disminuye.

Fuera como fuera, allí estaba, trocando las tétricas tinieblas en hermosa claridad, obligando a las hojas de las palmeras a dar sombra una vez más, y permitiéndole incluso distinguir la dentada silueta de las montañas en las que los miembros de su corta familia debía haber encontrado ya refugio.

Allí, en aquel complejo laberinto de picachos y barrancas que tantas veces habían recorrido siguiendo el rastro de una cabra salvaje, su difunto hermano Ajamuk había descubierto, por pura casualidad, la diminuta entrada de una enorme gruta cuyo interior aparecía adornado con infinidad de delicadas pinturas de antílopes y gacelas, y que al parecer llevaban allí miles de años.

Tan alta y espaciosa como la mayor de las mezquitas en que hubieran rezado nunca, oscura y fresca, debió servir de seguro refugio a una numerosa tribu en los lejanos tiempos en los que por aquellos parajes aún corría un caudaloso río que por alguna desconocida razón se cansó de lamer las faldas de las montañas.

Se fue el agua, murió la tierra, se alejó la caza, emigraron los hombres, y como recuerdo de los hermosos tiempos tan sólo permanecieron la cueva, las pinturas y algunos restos de huesos y cornamentas.

Disimulada tras dos rocas, ni aun los sofisticados instrumentos que tan capaces eran de inventar los europeos conseguirían localizar su entrada, y debido a ello Gacel Sayah alimentaba la remota esperanza de que tal vez tenía una oportunidad de vencer en la desequilibrada guerra que acababa de declarar a unos enemigos a los que reconocía infinitamente superiores.

Le vino a la mente una frase que en dos ocasiones muy diferentes le había repetido su padre:

«Un tuareg nunca debe luchar contra un enemigo más débil puesto que eso es a todas luces indigno. Tampoco debe luchar contra un igual, a no ser que también sea tuareg, pero en ese caso únicamente la suerte decidirá el resultado, por lo que la victoria carece de mérito. Eso quiere decir que un auténtico *inmouchar* tuareg tan sólo debe enfrentarse a quien sea más fuerte que él con el fin de que pueda sentirse justamente orgulloso de su triunfo.»

Pese a que aquella simple frase mostrara a las claras hasta qué punto los *imohag* se sentían superiores al resto de los hombres, Gacel Sayah había vivido durante suficiente tiempo en una gran ciudad como para saber que cuanto le dijera su padre podría aplicarse a una época en la que se luchaba en el desierto y espada en mano, pero no cuando gigantescos misiles surcaban el cielo y veloces tanques atravesaban los campos.

Durante su estancia en aquella horrenda ciudad había vagabundeado por muy diversas calles, y había pasado largas horas plantado frente a muy diversos escaparates en los que infinidad de pantallas de televisión mostraban sorprendentes imágenes de lugares y gentes de los que jamás sospechó siquiera la existencia.

Había asistido incluso a la retransmisión en directo de una feroz guerra en el desierto, y había podido asombrarse ante la eficacia con que los proyectiles destruían sus objetivos en plena noche.

¿Qué se podía hacer frente a eso cuando no se contaba más que con un herrumbroso Mauser heredado de su abuelo y para el que no le quedaban más que un puñado de balas?

¿Qué se podía hacer cuando el más veloz y resistente de sus camellos tan sólo podía recorrer en un día la centésima parte de camino que recorría sin fatigarse uno de aquellos pestilentes vehículos?

Giró el rostro hacia los tres pesados todoterrenos cubiertos de polvo pero cuyos cristales devolvían multiplicado el reflejo de la luna, para detenerse a comparar el grosor de sus gigantescas ruedas con la fragilidad de las patas de su «mehari» predilecto.

No pudo evitar que se le escapara una leve sonrisa, como si en realidad estuviera riéndose de sí mismo, ya que se le antojaba que la suya era la tragicómica historia de la hormiga que intentaba violar a un elefante.

¿Adónde pretendía llegar?

¿En qué demonios estaba pensando cuando se le ocurrió la peregrina idea de desafiar a quienes podían permitirse el lujo de despilfarrar tanto dinero y tanto esfuerzo en un empeño tan ridículo como atravesar África de lado a lado por el simple capricho de llegar en primer lugar a El Cairo?

La luna estaba en lo alto, justo sobre su cabeza y más pequeña que nunca cuando cerró los ojos, pero rozaba ya de nuevo el horizonte, ahora más grande, cuando la risa de una hiena le despertó.

Calculó el tiempo que faltaba para el amanecer, y calculó también el tiempo que faltaría a los suyos para alcanzar la entrada de la que tiempo atrás habían bautizado como «La Cueva de las Gacelas».

El nuevo día sería sin duda un día muy duro.

El alba comenzaba a anunciar su presencia por levante cuando se puso pesadamente en pie, se encaminó a un grupo de matojos que crecían en el borde mismo de la viaja *sekia*, y súbitamente desapareció.

Fue como si se lo hubiera tragado la tierra, y de hecho así era.

Allí, perfectamente disimulado entre los arbustos, sus hermanos y él habían cavado un seguro refugio capaz para una docena de personas en el que en caso de peligro podían ocultarse las mujeres y los niños.

Era ésa una vieja costumbre beduina nacida de la

necesidad de proteger a los más débiles en una época en la que los enfrentamientos tribales y los asaltos de los bandidos solían estar a la orden del día.

«La Madriguera del Fenec» se le llamaba, puesto que su configuración copiaba punto por punto el escondite de los pequeños zorros del desierto, con una entrada muy angosta, un amplio espacio interior a gran profundidad, y una salida de emergencia que tan sólo podía terminarse desde dentro y siempre en el último momento.

Una vez cerrada resultaba imposible localizarla, pero una angosta mirilla permitía atisbar cuanto ocurría en el exterior.

El calor resultaba agobiante y el aire casi irrespirable, pero eso era algo a lo que un saharaui estaba acostumbrado desde niño.

Se sentó a esperar.

Una vez más la paciencia se adueñó de su ánimo.

El sol alumbró la inquietante desolación del campamento.

Pasaron, sin prisas, largas horas.

El calor iba en aumento.

Al fin percibió un lejano zumbido.

Llegaba del sudeste, pero por más que aguzó la vista no advirtió la presencia de vehículos ni de nubes de polvo.

Por último comprendió que lo que se aproximaba era un helicóptero de mediano tamaño que se mantuvo durante unos cuantos minutos justo sobre la vertical del pozo.

Al poco fue a posarse a unos cien metros de distancia y de él descendieron dos hombres, mientras que un tercero permanecía sentado ante los mandos.

Los que se habían apeado no eran militares.

Ni policías, ni militares, y al menos uno de ellos, rubio y delgado, no podía ocultar su procedencia europea.

El otro, cetrino y de cabello rizado, podía muy bien ser norteafricano.

Estudió atentamente sus gestos, observó cómo se aproximaban a comprobar que no había nadie en los coches, cómo se asomaban más tarde al pozo, y cómo acababan por extraer agua para olerla y probarla mojando la punta de un dedo al tiempo que hacían un gesto de desagrado.

El moreno lanzó un reniego y comenzó a hablar agitadamente.

Luego se dirigieron a la mayor de las *jaimas* para desaparecer en su interior.

Gacel se cercioró de que el piloto no estaba mirando hacia donde él se encontraba, se deslizó fuera de su escondite y corrió para buscar un ángulo desde el que tampoco pudiera verle.

Trazó un amplio rodeo por detrás de la tumba de Ajamuk, se aproximó por la cola del helicóptero y tras cubrirse el rostro con el velo abrió la portezuela y ordenó secamente:

—¡Baja!

El pobre hombre dio un respingo, pero obedeció sin rechistar y sin demostrar temor alguno:

—*Aselam aleikum!* —saludó.

—*Metulem metulem!* —replicó Gacel prefiriendo utilizar como siempre el saludo targui al tiempo que indicaba hacia la *jaima*—. ¿Quiénes son?

—Miembros de la organización del rally. Yo me limito a pilotar este trasto.

—¿Van armados?

—¿Armados? —repitió el otro con sincera sorpresa—. ¡En absoluto! ¿A quién se le ocurriría entrar armado en un campamento tuareg?

—A uno de los suyos se le ocurrió.

—Imbéciles hay en todas partes. Y en esta carrera más que en ninguna otra.

Avanzaron en dirección al pozo y cuando se encontraban a menos de diez metros de la entrada los dos recién llegados hicieron su aparición en la puerta de la tienda de pelo de camello, e inmediatamente abrieron las manos como para dejar muy claro que venían en son de paz.

—*Aselam aleikum!* —exclamó en árabe el más moreno—. Respetuosamente solicitamos tu hospitalidad.

—Concedida está si habéis acudido en son de paz.

—En son de paz acudimos —aseguró el rubio en un exquisito francés—. Me llamo Yves Clos, y éstos son los señores Amed Habaja y Nené Dupré. Lo único que pretendemos es solucionar cuanto antes este desagradable incidente.

—En ese caso será mejor que nos sentemos dentro. ¿Tienen agua?

—¡Naturalmente!

—¡Tráiganla!

El rubio, que demostraba ser desde el primer momento el jefe del grupo, hizo un leve gesto al piloto que corrió hacia al helicóptero, pero que una vez en la puerta se volvió para gritar:

—¿Llevo también café?

Gacel asintió y al poco el hombre regresó con una cantimplora, un termo y varios vasos de plástico.

Tomaron asiento en el interior de la *jaima*, los extranjeros en el fondo y el targui frente a ellos con el arma sobre las rodillas, y se observaron como si cada uno de ellos esperara que fuera el otro quien iniciara la conversación.

—¿Y bien? —se decidió al fin Yves Clos—. ¿Qué es lo que pretende reteniendo a esos hombres?

—Que se haga justicia.

—Lo entiendo y me parece lógico, aunque no me parezca correcta la forma de conseguirlo. El secuestro es un delito muy grave.

—¿Tan grave como amenazar con un arma a gente de paz en su propia casa y envenenar el único pozo que existe en la región?

—No lo sé, pero quiero suponer que igual de grave.

—¿Qué le hubiera ocurrido a mi familia si esos coches no aparecen? Nuestras posibilidades de llegar con vida al pozo más cercano eran muy escasas.

—Lo imagino, y me congratulo de que no les haya sucedido nada, pero esos a los que han retenido no tienen culpa de lo ocurrido.

—Lo sé, y por ello tienen mi palabra que si se cumplen mis condiciones no sufrirán el más mínimo daño.

—¿Y cuáles son esas condiciones?

—Únicamente tres.

—¿A saber…?

—La primera que vacíen el pozo, lo limpien y lo llenen de agua hasta los bordes.

—No hay problema. ¿La segunda?

—Que ni coches ni motos vuelvan a pasar nunca por aquí.

—Tampoco veo problemas a eso. ¿Y la tercera?

—Que me traigan a los culpables para que pueda aplicarles la ley tuareg.

—¿Y qué dicta esa ley?

—Que a uno de ellos, el que no quería tomar parte, pero se comportó como un cobarde, se le propinen treinta latigazos.

—¡Dios bendito! ¡Qué barbaridad!

—Es la ley.

—¿Y qué le harán al otro?

—Recibirá cincuenta latigazos por envenenar el agua y se le cortará la mano derecha por haber amenazado con un arma a quienes les habían recibido pacíficamente.

—¡Cortarle la mano derecha! —se escandalizó el rubio que no pudo evitar volverse a sus compañeros que mostraban idéntico horror—. ¿Se da cuenta de lo que está pidiendo?

—Tan sólo estoy pidiendo que se cumpla la ley.

—Pero ésa es una ley de salvajes.

—Salvaje es quien no respeta el hogar ajeno y quien antepone una estúpida prueba deportiva a cuatro vidas humanas. ¡«Ése» es un salvaje! Yo tan sólo soy un pacífico tuareg que no se había metido con nadie hasta que ustedes aparecieron por aquí.

Se hizo un largo silencio.

Se diría que una pesada losa había caído de improviso sobre las espaldas de los recién llegados, que probablemente no se esperaban, ni por lo más remoto, semejante demanda.

Por fin tras rascarse nerviosamente la rubia cabellera que le caía casi hasta los ojos, el llamado Yves Clos señaló:

—Entienda que va a resultar prácticamente imposible convencer a ese individuo para que venga hasta aquí con el fin de que le propinen cincuenta latigazos y le corten una mano.

—Me lo imagino.

—¿Entonces?

—Son ustedes los que tienen que resolver este asunto, no yo. Pero de lo que pueden estar seguros es de que si no lo traen jamás volverán a ver a los otros.

—No creo que sea capaz de matar inocentes… —intervino el egipcio Amed Habaja que hasta ese momento apenas había abierto la boca más que para saludar—. Es algo que va contra nuestras creencias. El Corán ordena que…

—Sé muy bien lo que ordena el Corán… —replicó Gacel con acritud—. Aquí no hay mucho que hacer y por lo tanto lo he leído una docena de veces. Pero los tuaregs tenemos leyes muy anteriores a la aparición del Corán, y a ellas me atengo.

—No me parece justo.

—La justicia varía con los lugares, con los tiempos, e incluso con las personas —sentenció su interlocutor—. Ese canalla no dudó a la hora de abandonar a cuatro seres humanos para que murieran de sed en el desierto, y si no está dispuesto a pagar por ello abandonaré a otros cuatro para que mueran de sed en el desierto. Y pueden estar seguros de que esas muertes caerán sobre su cabeza, no sobre la mía.

—¡Santo Cielo! —se lamentó Yves Clos—. ¿Es que no sabe lo que significa la compasión?

El *inmouchar* hizo un amplio gesto con la mano indicando el exterior de su mísero campamento:

—¡Mire a su alrededor! —pidió—. Observe hasta qué extremos nos ha llevado la falta de compasión del mundo que nos rodea, y explíqueme por qué razón debo ser yo, que apenas consigo alimentar a mi familia, el que debe mostrarse compasivo con alguien que antepone el capricho de llegar el primero en una carrera sin sentido, a la vida de cuatro seres humanos.

—Quiero creer que en esos momentos no tomó conciencia de lo que estaba haciendo.

—Sabía muy bien lo que hacía… —le contradijo el targui—. Lo que ocurre es que para él, nosotros, pobres parias del desierto, apenas éramos algo más que los perros que suelen atropellar a su paso.

—Pero ¿cómo puede decir eso? —se escandalizó Amed Habaja.

—¡Diciéndolo…! ¿Cuánta gente ha muerto desde que iniciaron esos rallies africanos? ¿Conoce la cifra?

—Entre participantes y no participantes unos cuarenta.

—¿Y heridos?

—Lo ignoro. Cientos… Tal vez miles. Eso sí que resulta imposible de calcular.

—¿Entiende lo que le digo? Cuarenta muertos y

cientos, o tal vez miles de heridos, para nada… —Gacel agitó negativamente la cabeza al añadir—: Ya va siendo hora de acabar con esto y creo que ha llegado el momento de que alguien les haga comprender que no se puede ir por el mundo atropellando impunemente a tanto desgraciado.

—La mayoría de los que participan lo hacen de buena fe… —se atrevió a intervenir con cierta timidez el piloto del helicóptero—. Suelen ser gente joven que tan sólo buscan un poco de emoción y aventura.

—¿Emoción y aventura? —repitió el tuareg con un leve gesto de socarronería—. ¡De acuerdo! Ahora esos seis van a saber lo que son auténticas emociones y aventuras. Van a saber lo que es la sed, el hambre, el miedo, la fatiga y la incertidumbre sobre si van a morir, cuántos van a morir, cómo van a morir y cuándo van a morir.

De nuevo se hizo un largo silencio, porque de nuevo los tres «negociadores» parecían necesitar un tiempo para asimilar el hecho de que dicha negociación parecía abocada al más absoluto de los fracasos, visto que una de las partes se mostraba a todas luces inflexible.

Por último Yves Clos extrajo del bolsillo superior de su sahariana una corta cachimba y la mostró a su huésped:

—¿Le importa que fume? —inquirió—. Me ayuda a pensar.

Gacel Sayah se limitó a encogerse de hombros y el rubio se concentró en la tarea de cargar la pipa al tiempo que mascullaba como si estuviera hablando para sus adentros:

—La cosa está jodida… —comenzó—. Muy jodida, porque a mi modo de ver tanto unos como otros tienen parte de razón. Incluso ese gilipollas que alega que quiso pagar el agua y únicamente se enfureció cuando comprendió que le estaban discriminando, ya que a los que habían llegado en primer lugar sí que les permitieron utilizarla…

—En esos momentos no podíamos imaginar que por nuestro campamento iban a pasar todos los locos de medio mundo. El agua de un pozo como éste no puede malgastarse estúpidamente.

—Me parece lógico, y por eso entiendo que también tiene razón, del mismo modo que la tienen los que ahora se encuentran retenidos sin haber tomado parte en el incidente…

—Todo eso ya lo ha dicho… —le hizo notar con cierta impaciencia Gacel—. La situación ha estado muy clara desde el primer momento, y lo único que necesito saber es si le cortaré la mano a uno o mataré a cuatro. ¡Decídase de una vez!

Su interlocutor le miró como si no pudiera dar crédito —y en realidad no podía— a lo que estaba oyendo.

—¡Pero cómo pretende que tome una decisión sobre un tema tan delicado! —explotó—. No soy juez, fiscal, político ni nada por el estilo. No soy más que el encargado de las relaciones públicas de una organización deportiva, y lo que pretendo es hacerme una idea sobre la auténtica dimensión del problema. Mi obligación es informar de cuál es la situación exacta a mis superiores y a las autoridades locales.

—¿Y cuánto tiempo le va a llevar?

—Informar muy poco tiempo, pero me temo que tomar decisiones exigirá por lo menos una semana.

—¿Una semana…? —repitió el nómada con una mezcla de burla e incredulidad—. ¿Me está acusando de salvaje cuando piensa tener a esa gente una semana sin beber? —Hizo un significativo gesto encogiéndose de hombros como si para él aquello careciese de importancia—. Usted verá lo que hace, pero le garantizo que mi familia no va a compartir la poca agua de que disponemos con alguien que probablemente vivirá muy poco tiempo.

—¿No tienen agua? —se escandalizó el piloto visiblemente impresionado.

—Ya le he dicho que envenenaron el pozo, y la que encontramos en los coches no da para mucho. ¿Tanto les cuesta entender el problema?

—¡Mañana mismo puedo traer el agua que necesiten! —se apresuró a señalar el pobre hombre al que se le advertía más que preocupado—. Incluso esta misma noche si fuese necesario.

Gacel le observó a través de la estrecha rendija que le dejaba el velo que cubría su rostro, se diría que sus ojos sonreían levemente, y por último hizo un leve gesto de asentimiento:

—¡De acuerdo! —admitió—. Me fío de usted. Mañana traiga todo lo que sus amigos puedan necesitar para una semana de cautiverio. ¡Pero venga solo...! —Luego se volvió a Yves Clos—. ¡Una semana! —repitió—. Ése es mi plazo.

—¿Y qué hará luego? —intervino Amed Habaja que daba claras muestras de ser el menos paciente y comprensivo de los tres—. ¿Qué hará una vez que los haya matado? Estamos dispuestos a ofrecerle cuanto quiera para que pueda iniciar una nueva vida con toda su familia en el lugar que elija, y sin embargo se está arriesgando a ir a parar a la cárcel o algo peor.

—Para un auténtico *imohag*, aceptar una ofensa semejante sería como ir a la cárcel «o algo peor».

—¡Pero bueno...! —fingió escandalizarse el egipcio—. ¡Estamos en el tercer milenio y aún pretende aplicar leyes y costumbres que pertenecen al pasado! Recuerdo que una vez un tuareg puso en jaque al ejército, depuso a un presidente y mató a otro, pero eso ocurrió hace ya mucho tiempo, y por fortuna el modo de ver las cosas ha cambiado incluso para los de su pueblo.

—Era mi padre.

—¿Cómo ha dicho?

—Que el tuareg al que se refiere, el que derrotó al ejército, liberó al presidente Abdul-el-Kebir y más tarde lo mató por error, era mi padre.

Se hizo un largo silencio, tan helado, que por unos instantes podría creerse que en lugar de en una calurosa *jaima* del desierto se encontraban en una frágil tienda de campaña plantada en mitad de la Antártida.

—¿Su padre…? —acertó a balbucear al fin un estupefacto Amed Habaja.

—Eso he dicho.

—¿Gacel Sayah, el mítico Gacel Sayah, *el Cazador*, era su padre?

—¿Cuántas veces quiere que se lo repita? —se impacientó el targui—. Era mi padre y yo llevo su mismo nombre: Gacel Sayah. ¿Por qué cree que nos hemos visto obligados a escondernos en el confín del universo…?

—¡Bendito sea Dios! —se lamentó el otro—. ¡Su padre…! ¡Ahora sí que la hemos jodido!

—Bastará con que tenga la décima parte del valor, y la cuarta parte de los conocimientos que tenía su padre, para conseguir lo que se propone porque el desierto es su aliado y ahí sí que no tenemos nada que hacer.

—Llevo años enfrentándome al desierto.

Yves Clos y Amed Habaja observaron al hombretón que se sentaba al otro lado de la mesa en la amplia y lujosa carpa blanca dotada de aire acondicionado y todas las comodidades que se pudieran imaginar en pleno Sahara, y el primero de ellos hizo un gesto hacia el enorme mapa que cubría toda una pared lateral, y en el que aparecían clavadas infinidad de banderitas de muy distintos colores.

—Ya sé que llevas años enfrentándote al desierto… —admitió—. Y con notable éxito, puesto que hasta el presente «sólo se han contabilizado cuarenta y tres bajas mortales». Pero tengo la impresión de que ahora no nos enfrentamos al desierto; nos enfrentamos a alguien que significa el espíritu y la esencia de ese desierto.

—¡Tonterías! —replicó despectivamente Alex Fawcett tras dedicarle una leve ojeada al mapa—. Hace dos años también nos asaltaron los beduinos y conseguí solucionarlo.

—Con dinero.

—Todo se soluciona con dinero.

—No con los tuaregs.

—Aquéllos también eran tuaregs.

—¡No exactamente! —puntualizó Amed Habaja—. Y no este tipo de tuaregs. Le ofrecimos dinero y lo rechazó.

—Buscará otra cosa.

—¡Naturalmente! Busca la mano derecha de ese pedazo de cabrón.

—Pues resulta evidente que no podemos dársela…

El robusto jefe de seguridad, acostumbrado desde años atrás a encarar todo tipo de problemas de las más diferentes índoles, extrajo de una caja de plata un grueso habano y se entretuvo en encenderlo con deliberada parsimonia como si con ello quisiera concederse un tiempo para reflexionar sobre la nueva situación que se le planteaba.

—Ahora lo que importa es ganar tiempo porque bajo ningún concepto podemos detener la carrera —señaló al fin—. La gente tiene que llegar a El Cairo en el día señalado, por lo que éste no tiene que constituir más que uno de los tantos incidentes que suelen presentarse.

—¿Y qué vamos a decir cuando nos pregunten por los desaparecidos?

—De momento, nada, ya que estadísticamente está comprobado que casi el sesenta por ciento de los participantes jamás consigue alcanzar la meta. Unos por accidente, otros por averías, otros por agotamiento, y otros porque simplemente se pierden. Todos sabemos que cuando la carrera acaba solemos pasarnos días recogiendo pilotos que andan tirados por los lugares más insospechados… Llegado el momento me ocuparé del tema.

—Te recuerdo que uno es yerno de un ministro belga —le hizo notar el rubio Yves Clos—. Y otro, hijo de un banquero italiano…

—A mí eso me la trae floja… —replicó con absoluta impasibilidad Alex Fawcett—. Desde el momento en que firman el contrato de participación pasan a ser pilotos y todos reciben idéntico trato sean hijos de albañiles o de multimillonarios…

—Existe una diferencia —replicó con marcada frialdad su interlocutor—. Los ricos suelen contar con sofisticados teléfonos móviles con los que acostumbran llamar a sus casas… ¿Qué va a pasar cuando transcurran varios días y sus familiares no reciban ninguna llamada? ¿Qué voy a decirle a los que me pregunten por ellos?

—Tú eres el encargado de las relaciones públicas, no yo —fue la respuesta—. Alega que en el desierto hace demasiado calor, que están fuera de cobertura, o que el satélite se ha perdido en el espacio… Invéntate cualquier cosa. ¡Lo que quieras!, menos admitir que han sido secuestrados por unos bandidos que parecen decididos a matarlos.

—¿Y por qué tengo que mentir?

—Porque para eso te pagan, de la misma forma que a mí me pagan para que al menos un treinta por ciento de los que empezaron la carrera la acaben. Y si en estos momentos confesamos la verdad, se puede armar un lío de tal calibre que no llegue nadie.

—Te recuerdo que estamos jugando con la vida de seis inocentes.

—Cada uno de ellos sabía que se estaba jugando la vida de un modo u otro. Ésa es la gracia de esta prueba. Anteayer un motorista mató a una niña a la salida de un poblado y a él le han tenido que amputar una pierna… Y nos consta que muchos han quedado disminuidos e incluso parapléjicos… ¿Alguno de ellos ha venido a quejarse?

Aguardó una respuesta que no llegaba, lanzó un grueso chorro de humo en dirección al mapa, y añadió en idéntico tono:

—¡No! ¡Naturalmente que no! Resultaría estúpido que se quejaran, puesto que fueron ellos los que se lo buscaron con total libertad. Y de la misma manera que no está en mis manos evitar que atropellen a una niña, o que se dejen los sesos contra un árbol, no puedo evitar que los bandidos les asalten, y ése es un riesgo que aceptaron al inscribirse...

—No sabía que fueras tan hijo de puta.

—Si no lo fuera, hace tiempo que habría regresado a mi viejo puesto de jefe de seguridad de un banco inglés. Éste es un trabajo muy bien pagado, pero que endurece. Cada edición la carrera es más larga, más rápida y más arriesgada. Cada vez hay más muertos, pero cada vez son más los que pierden el culo por tomar parte en ella...

—Quizá tenga razón ese tuareg y va siendo hora de acabar con esta locura.

—En ese caso volverás a ser el relaciones públicas de una discoteca. O con suerte de una compañía de seguros... —Se volvió al silencioso Amed Habaja para inquirir con marcada intención—: ¿Tú qué opinas?

—Que podemos salir con las tablas en la cabeza.

—Muy gráfico, pero lo que me interesa es tu opinión sobre ese tuareg.

—Que puede ser muy peligroso, no sólo porque está en su terreno, sino porque al parecer ha vivido en una ciudad, por lo que ha aprendido algunas cosas que los tuaregs no suelen conocer. Y como ya te he dicho, la sangre que corre por sus venas es pura dinamita.

—¿Cuál puede ser su punto débil?

—Lo ignoro.

—¿Y dónde puede tener ocultos a los rehenes?

—También lo ignoro, aunque supongo que en las montañas que están al norte del pozo.

—¿Qué sabemos de esas montañas?

—Nada.

—¿Nada?

—Absolutamente nada. Te recuerdo que se encuentran en el último rincón del desierto, con temperaturas que se aproximan a los cincuenta grados al mediodía para descender a casi cero durante la noche y lejos de todas las rutas conocidas incluso por las caravanas de beduinos.

—¡Hermoso panorama, vive Dios!

—Lo dices como si te divirtiera…

—¡Pues no! No me divierte en absoluto puesto que ésta es una situación que escapa a todo control y eso me jode. ¿Qué familia tiene ese piojoso?

—Por lo que sabemos su madre, un hermano y una hermana, pero los tres deben de estar escondidos con los rehenes.

—¿Nadie más en ninguna parte?

—No, que yo sepa.

—¿A qué tribu pertenecen?

—A la del *Kel-Talgimus*; la que llaman el «Pueblo del Velo».

—He oído hablar de ellos. Gente peligrosa.

—La mayor parte de los tuaregs lo son. No admiten gobiernos, no respetan fronteras, y tan sólo obedecen sus propias leyes.

—Entérate de quién es el patriarca del clan y ofrécele lo que quiera para que interceda a nuestro favor.

—Sé quién es, pero o mucho me equivoco, o el prestigio de la familia Sayah está muy por encima del de cualquier patriarca. Gacel se convirtió en un mito para los tuaregs.

—Pero está muerto… ¿O no?

—Eso depende de cómo se mire. Hay muertos que están más vivos que muchísimos vivos.

—Eso es muy cierto, pero no debemos permitir que un fantasma nos asuste, aunque se trate del fantasma de un tuareg… —Alex Fawcett hizo una corta pausa para acabar por lanzar un sonoro suspiro—. ¡Bien! —concluyó—. De momento lo único que podemos hacer es enviarles agua, provisiones, medicinas y sacos de dormir. Y ahora tengo que marcharme. El Cairo me espera.

—Sería conveniente que no perdieses de vista al que empezó todo esto —le aconsejó Yves Clos—. Nunca se sabe lo que puede ocurrir.

—¿Marc Milosevic? —inquirió casi burlón el otro—. ¡No te preocupes por él! Ya he dado orden de que lo vigilen hasta en el retrete, aunque no pienso permitir que le corten una mano a alguien a quien se supone que tengo la obligación de proteger.

—También tienes la obligación de proteger a los que están amenazados de muerte.

—En eso tienes toda la razón, pero de momento no puedo hacer nada. Tengo a más de mil personas correteando por ese maldito desierto, y lo primero es lo primero…

Al abandonar el frescor de la cómoda carpa, Yves Clos y Amed Habaja se enfrentaron de inmediato al bochornoso calor del desierto y al expectante rostro de Nené Dupré que aguardaba sentado a la sombra de una acacia.

—¿Qué ha dicho? —inquirió ansiosamente.

—Que cargues cuanto necesites y despegues al amanecer.

—¿Y qué más?

—Que procuremos ganar tiempo… —replicó con una burlona sonrisa el egipcio al tiempo que subía a un coche que le estaba esperando—. Voy a ver si convenzo a ese viejo patriarca, pero recordad la consigna: lo único que importa es ganar tiempo.

—¿Ganar tiempo? —repitió el incrédulo piloto volviéndose al francés—. ¿Ganar tiempo para qué?

—Para que los corredores puedan llegar a Egipto.

—¡Maldito hijo de puta! ¿Eso es lo único que le importa? ¿Llegar a Egipto?

—Puede que no sea lo único, pero sí lo prioritario.

—¡No puedo creerlo!

—¡Escucha, muchacho…! —señaló Yves Clos pasándole con afecto el brazo por el hombro con el fin de alejarlo de allí—. A mí esto me incomoda tanto como a ti, pero entiendo a Fawcett. Si tuviera que detener la carrera cada vez que alguien se pierde, se mata o lo secuestran, ni una sola edición hubiera llegado a su fin, con lo que todo este tinglado se hubiera venido abajo hace años. Esto no es más que un gigantesco circo, y ya se sabe que en el circo los payasos deben hacer reír aunque acaben de enterrar a su madre.

—¡Pero es que esos infelices pueden morir…!

—Lo sé. Y Alex también lo sabe, pero de la misma forma sabe que el año que viene nadie se acordará de ellos y quinientos chiflados más estarán dispuestos a correr idéntico riesgo con tal de subirse al trapecio. De ese modo podrán presumir de ser unos «valientes navegantes del desierto» aunque naveguen con ayuda de un GPS conectado a un satélite artificial. —Buscó su diminuta cachimba que comenzó a cargar tranquilamente al tiempo que añadía—: Pero si al menos una tercera parte de esos chiflados no atraviesa la meta, el circo se habrá quedado sin trapecios y sin payasos.

—¿Y nosotros sin empleo?

—Tú lo has dicho… Y me consta que ganas más durante este mes que durante el resto del año… ¿O me equivoco?

Habían llegado junto al helicóptero y Nené Dupré extrajo del interior de la cabina dos cervezas heladas tendiéndole una a su acompañante al tiempo que admitía:

—¡No! No te equivocas porque a casi todos los que estamos aquí nos ocurre lo mismo. —Bebió un largo tra-

go, dejó escapar un sonoro eructo y al poco añadió—:
¿Pero sabes una cosa? A veces, cuando estoy sobrevolando el desierto en busca de gente perdida, no me siento como un ángel salvador que acude al rescate de un pobre desgraciado, sino como un jodido buitre que vive de la carroña. Si ellos no estuvieran ahí abajo jugándose el pellejo bajo un sol que derrite las piedras, yo no estaría allí arriba bebiendo cerveza con aire acondicionado.

—Si están ahí es porque quieren —le recordó su interlocutor—. No son soldados a los que hayan enviado a la guerra, sino mentecatos a los que les encanta despellejarse el culo o descoyuntarse las vértebras con tal de ver su nombre en los periódicos o salir quince segundos en un telediario. Tú lo sabes, yo lo sé, todos los que vivimos de esto lo sabemos, pero más vale que continuemos manteniéndolo en secreto, o el año que viene te veo fumigando arrozales.

Habían tomado asiento en el pescante del aparato y bebían a cortos sorbos observando el ir y venir de conductores y mecánicos mientras las primeras sombras de la noche descendían sobre el nutrido campamento.

Durante unos instantes permanecieron en silencio, hasta que por último Yves Clos inquirió:

—¿Qué piensas de ese tipo…? Del tuareg.

—Que los tiene bien puestos.

—¿Te preocupa encontrarte de nuevo con él?

—¡En absoluto! —fue la sincera respuesta del piloto—. Ni siquiera pude verle la cara, pero estoy convencido de que si voy en son de paz no me hará ningún daño.

—Por si acaso, lo primero que tienes que hacer es solicitar su hospitalidad y pedir su protección. De ese modo, y según sus leyes, está obligado a ofrecer su vida a cambio de la tuya.

—Hermosa costumbre, ¿no te parece? Si todo el mundo actuara de igual modo no habría guerras.

—Una vez me contaron que cuando un beduino se ha enemistado con un tuareg, la mejor solución que encuentra es plantarse ante su *jaima* solicitando su hospitalidad. Como el otro no puede negársela, se queda a vivir allí, comiendo y bebiendo «de gorra» hasta que el tuareg, cansado de tanto abuso, accede a perdonarle la ofensa con tal de que se largue de una puñetera vez.

—¡Muy astuto! Podríamos proponérselo a ese hijo de puta… ¡Por cierto! ¿Cómo se llama?

—Milosevic… Marc Milosevic.

—¿Tiene algo que ver con el presidente de Yugoslavia?

—Parece ser que presume de ser pariente lejano, con lo cual quedaría plenamente demostrado que la «hijoputez» es una cuestión genética, pero no he conseguido confirmarlo. Lo que sí he averiguado es que durante la guerra de Bosnia amasó una fortuna y que disfruta con los deportes de riesgo.

—Y ¿por qué aceptamos a gente como ésa en una prueba de estas características?

—Porque no somos quiénes para juzgar a una persona por lo que puede que no sean más que rumores. Y ten en cuenta que son muchos días de carrera, mucho calor y mucha tensión, por lo que incluso el tipo más decente puede acabar por perder los nervios y cometer un error.

—¿Tú lo cometerías?

—Yo no corro a más de cien por hora a través del desierto tragando polvo y con el sol fundiéndome las ideas. Yo, al igual que tú, suelo viajar en helicóptero y por lo tanto veo las cosas desde otra perspectiva.

—¿Y cuál es tu perspectiva? —Nené Dupré hizo mucho hincapié al añadir—: ¡La verdad!

El rubio Yves Clos, que por su edad, su trabajo, o su forma de ser, daba siempre la impresión de encontrarse a diez metros de distancia del resto del mundo y sus infinitos problemas, aspiró con fruición de su corta cachimba, arrugó cómicamente la nariz y repitió con una leve sonrisa:

—¿La verdad… «verdadera»?

—La verdad verdadera.

—Pues si quieres que te sea sincero, mi opinión es que lo más probable es que muy pronto el número de muertos supere con creces el medio centenar, porque cuatro de esos seis desgraciados lo van a tener muy crudo. O mucho me equivoco, o en cuanto la carrera acabe todo el mundo se va a lavar las manos con respecto a su futuro.

—¡Pero Fawcett tiene una responsabilidad!

—¿Ante quién? ¿Ante la opinión publica? Lo que ocurra son «gajes del oficio» que incluso le añaden más morbo, más sal y más pimienta a la aventura del próximo año.

—¿Y ante los familiares de las víctimas?

—¿Qué pueden hacer? ¿Llevarle ante los tribunales?

—Por ejemplo.

—¿Ante qué tribunales y de qué país? ¿Y acusándole de qué?

—De negligencia y de no prestar ayuda a alguien en peligro, entre otras muchas cosas.

—¿Y tienes una idea del tiempo y el dinero que exigiría una demanda semejante en caso de que algún tribunal la aceptara? ¡Olvídalo! Este «circo» mueve cada año miles de millones y no va a detenerse por cuatro cadáveres más o menos. Al fin y al cabo la gente opina que el que la diña en el transcurso de este rally se lo estaba buscando.

—¡Eso es muy duro!

—¿Duro? ¿Recuerdas las imágenes, tomadas desde un helicóptero, en las que un cámara captaba con absoluta nitidez cómo un coche de la carrera daba tres vueltas de campana y se destrozaba mientras los ocupantes saltaban por los aires…?

—¡Naturalmente! Eran espectaculares.

—¿Y recuerdas cómo se escuchaban los gritos de

entusiasmo y las risas del cameraman porque se daba cuenta de que estaba consiguiendo unas imágenes que le comprarían todas las cadenas de televisión?

—También lo recuerdo.

—Pues eso te da una idea de qué es lo que en verdad importa. Esas imágenes dieron la vuelta al mundo, pero nadie preguntó qué les había ocurrido a los que iban dentro del coche. Casi todos los canales de la mayor parte de los países «civilizados» cuentan con programas especializados en ese tipo de imágenes «impactantes», en los que se ve cómo la gente se cae, se mata o se destroza delante de un objetivo. Suelen emitirse en horario de máxima audiencia y cada día el telespectador exige más riesgo y más emoción… —Chasqueó la lengua en un claro gesto de desagrado—. Nosotros somos los encargados de abastecerlos de una gran parte de ese riesgo y esa emoción.

Nené Dupré permaneció un largo rato muy quieto, como si se hubiera distraído observando cómo cerraba la noche y las luces del campamento se iban encendiendo una tras otra, pero, tras rumiar a conciencia sus palabras, se volvió a su interlocutor para señalar:

—Resulta chocante. Te conozco hace ocho años, pero acabo de darme cuenta de que en realidad no te conozco. Siempre te había visto rebosando entusiasmo y convenciendo a los medios de comunicación de que este rally es lo más fabuloso que ha parido madre… Y de repente me estás mostrando la otra cara de tu moneda. ¡Me asombras!

—Eso quiere decir que hago bien mi trabajo. Recuerda que también soy «asesor de imagen» de algunas de las más cotizadas «top-model», a las que consigo que el público vea como semidiosas etéreas, perfectas e inalcanzables, cuando en realidad la mayoría son unas pedorras, engreídas, borrachas y drogadictas que sin un dedo de maquillaje no valen un pimiento.

—¡Me lo estaba imaginando!

—El término «asesor de imagen» significa más bien «falseador de imagen» puesto que nuestra auténtica misión se centra en distorsionar la realidad como si se tratara del revés de la trama de una caricatura.

—¿Y eso qué significa?

—Que mientras un caricaturista lo que hace es exagerar los rasgos más defectuosos minimizando los buenos, el «asesor de imagen» exagera los buenos y minimiza los malos, pero teniendo mucho cuidado de no traspasar la delgada línea que pueda convertir a su cliente en otra caricatura.

—¿Algo así como «hacer encaje de bolillos»…?

—Exactamente. Y es lo que creo que voy a tener que hacer ahora: «encaje de bolillos» con el fin de intentar salvar cuatro vidas mientras hago creer al resto del mundo que no está ocurriendo absolutamente nada fuera de lo normal.

—Estoy seguro de que lo harás muy bien.

Ives Clos vació su cachimba golpeándola contra el borde del pescante en que se encontraba sentado, se la guardó en el bolsillo y replicó con ironía:

—También yo lo estoy de que lo haré muy bien… —Le guiñó un ojo con picardía—. De lo que no estoy tan seguro es de que quiera hacerlo ni bien ni mal.

—¿Y eso?

—Soy bretón.

—¿Y qué tiene que ver?

—Que pasé mi infancia en un pequeño pueblo cuyas playas han sido arrasadas por la marea negra de un petrolero que se partió en dos frente a sus costas. La empresa que fletó ese petrolero, aun a sabiendas de que estaba carcomido por la herrumbre y cualquier día podía provocar una catástrofe, es la misma que invierte cada año millones de francos en este maldito rally.

—Son cosas distintas.

—No tanto. Si hubieran empleado mejor ese dinero, cientos de pescadores no estarían ahora al borde de la ruina, y miles de aves marinas continuarían con vida… Empiezo a estar más que harto de formar parte de algo que me repugna, y sospecho que este incidente me puede obligar a reflexionar sobre cuáles han de ser mis auténticas prioridades… —Lanzó un profundo resoplido—. Aunque lo más probable es que cuando todo esto acabe, mi conciencia se amodorre y el año que viene acepte de nuevo el puesto…

Era aún noche cerrada cuando Nené Dupré puso el rotor en marcha, se cercioró de que la carga se encontraba perfectamente estibada, apuró hasta el fondo una taza de café muy caliente y muy cargado, y ajustándose el cinturón de seguridad se dispuso a despegar.

No necesitaba luz a la hora de seguir el rumbo en unas extensas llanuras saharianas en las que sabía que no iba a encontrar inesperados accidentes de terreno, y uno de sus más preciados placeres era el de descubrir desde el aire cómo hacía su aparición el sol sobre la línea del horizonte para ir a iluminar unos paisajes que, pese a los muchos años que llevaba contemplándo, siempre tenían la virtud de fascinarle.

Amaneceres y atardeceres africanos admirados desde el privilegiado balcón de la cabina de un helicóptero que ascendía, descendía o giraba a su antojo, constituían un impagable sobresueldo a su contrato, y quizá la principal razón por la que cada año aguardaba con impaciencia el momento de que se iniciara el rally era por volver a disfrutar de aquellos mágicos vuelos sobre las dunas, las sabanas y las selvas.

Nené Dupré, hijo y nieto de colonos que se vieron obligados a regresar a la metrópoli cuando se perdió por completo el vasto imperio francés, continuaba llevando en la sangre el amor por el continente negro que le había inculcado su familia, y por lo tanto el mes que solía dedicar a la carrera no constituía solamente un trabajo, sino también una forma de volver a estar en contacto con un mundo al que amaba.

Pilotar un helicóptero solía ser una actividad muy gratificante, pero pilotarlo en las soledades africanas era casi tanto como sentirse un águila todopoderosa y libre.

Ganó altura, estableció la ruta exacta, comprobó que al ascender comenzaba a vislumbrarse ya una leve claridad por levante, y trazó un amplio giro para enfilar directamente hacia el lejano pozo *Ajamuk*.

Gacel Sayah le aguardaba sentado a la puerta de su vivienda, y no hizo el menor gesto hasta que se detuvo ante él para saludar.

—*Aselam aleikum!* Respetuosamente solicito tu hospitalidad.

Se diría que bajo el oscuro velo el severo tuareg esbozaba una leve sonrisa, puesto que replicó con cierto deje de humor:

—*Metulem metulem!* Veo que has aprendido la lección, pero te recuerdo que, al igual que a partir de este momento te encuentras bajo mi protección, si por cualquier razón traicionaras la hospitalidad que te he ofrecido el castigo sería terrible.

—¿Cómo de terrible?

—La decapitación.

—¡Vaya por Dios! Haré lo posible por no perder la cabeza… —Nené Dupré apuntó con el dedo índice su aparato—. He traído bidones de agua, provisiones, medicinas, una pequeña cocina de campaña, ropa de abrigo y sacos de dormir… Más que suficiente para dos semanas de cautiverio.

—¿Cumplirán el acuerdo?

El piloto, que había tomado asiento para encender un cigarrillo mientras ofrecía otro a su acompañante, que lo rechazó con un gesto de la mano, se limitó a encogerse de hombros.

—¡No lo sé! —admitió—. Sinceramente, no lo sé. Hace once años que trabajo para la organización, y aunque admiro su extraordinaria eficacia y la agilidad mental que demuestra en los momentos difíciles, hay algo en ella que no acabo de entender.

—¿Y es…?

—Su inhumanidad. A veces tengo la impresión de que para sus dirigentes hombres y máquinas son una misma cosa o al menos merecen idéntica atención. Este negocio funciona porque existen motos, coches y camiones que corren de un lado a otro cubiertos de anuncios publicitarios, y conductores que van de igual modo adornados de pies a cabeza de anuncios publicitarios. Lo esencial no es el hombre o la máquina, sino el precio que alcanza cada centímetro cuadrado de esos anuncios y cuánto tiempo va a ser visible en las pantallas de televisión de todo el mundo en horario estelar… —Observó a su acompañante de medio lado para inquirir—: ¿Entiendes de lo que te estoy hablando?

—Me esfuerzo por entenderlo, pero si quieres que te sea sincero, no lo capto muy bien.

—No me extraña, puesto que incluso a mí, que vivo inmerso en ello, me costó admitirlo. Esta empresa vive de la sublimación del impacto visual de un determinado logotipo en la retina del telespectador con el fin de que el mensaje publicitario se dirija directo al cerebro y se fije allí.

El beduino se le quedó mirando como si le estuviera hablando en chino, y al poco agitó la cabeza esforzándose en alejar un mal pensamiento, para acabar por señalar con cierta candidez:

—No me he enterado de nada, pero quiero imaginar que ese mismo efecto podrían conseguirlo con esos llamativos anuncios que además suelen tener una música muy pegadiza.

—Existe millones de llamativos anuncios con millones de músicas pegadizas, pero en cuanto aparecen en la pantalla la gente cambia de cadena. Sin embargo, no cambian de cadena cuando un coche o una moto se incendia, se hunde en la arena o rueda espectacularmente por las enormes dunas.

—¡Ya!

—¿Y sabes qué es lo que queda en la retina del espectador?

—No. No lo sé.

—Lo que queda es la marca de cigarrillos o licores impresa en los costados y el techo de ese vehículo.

—¿Y qué?

—Que ello ocurre en unos tiempos en los que la mayor parte de las legislaciones occidentales prohíben expresamente a las cadenas de televisión hacer publicidad de alcohol o tabaco.

—¿Estás intentando hacerme creer que toda esta locura tiene como fin sortear unas leyes que prohíben la publicidad de unos determinados productos?

—En buena parte, así es.

—Pero ¿por que razón prohíben anunciar esos productos?

—Porque son nocivos para la salud.

Ahora sí que Gacel Sayah pareció absolutamente desorientado hasta el punto de que dejó a un lado el arma que siempre llevaba terciada sobre las rodillas para rascarse repetidamente el cabello bajo el turbante y mascullar en el colmo de la estupefacción:

—¿O sea que me estás diciendo que se prohíbe hacer publicidad de unos productos que son nocivos para la salud, pero no se prohíbe que se fabriquen y se vendan?

—¡Exactamente!

—¡Definitivamente los franceses estáis locos!

—Eso no ocurre solamente en Francia. Ocurre en todo el mundo.

—Pues perdona que te diga, pero me reafirmo en la idea de que vuestro mundo está bastante loco. Y además es rematadamente hipócrita.

—¿Y qué otra cosa quieres que hagamos? Durante generaciones se ha invitado a la gente a que fume y se emborrache, con lo que se han creado monstruosas empresas que dan trabajo a millones de personas. Resulta imposible cortar de golpe con todo eso…

—Pero intentar cortarlo suprimiendo la publicidad es como intentar curarle la sarna a un camello administrándole un purgante. Lo único que se consigue es un camello sarnoso que se caga patas abajo.

—No me sirve el ejemplo.

—Pues no se me ocurre otro. Y tampoco entiendo por qué te empeñas en aclararme las razones que tienen unos tipos aparentemente muy listos para hacer lo que hacen, y otros tipos aparentemente muy estúpidos para seguirles el juego. Me tienen sin cuidado. Si se quieren matar que se maten, pero lejos de aquí.

—Me dio la impresión de que sentías curiosidad.

—La curiosidad puede ser una gran virtud, pero también puede convertirse en un terrible defecto… —sentenció sin inmutarse el *imohag*—. Cuando la curiosidad te empuja más allá de los límites que estás en capacidad de asimilar, corres el riesgo de sumirte en la confusión. Y la confusión es el peor peligro que acecha a un beduino, que debe tener siempre muy claro qué es lo que debe hacer y cómo debe enfrentarse a cada situación. Si mi pueblo ha logrado sobrevivir durante siglos en «la desolada tierra que sólo sirve para cruzarla» es porque siempre ha sabido cuáles son sus límites, y cuál el entorno en que se mueve. Cada vez que ha intentado ir más allá, ha fracasado, y la mejor prueba está en mi propio padre, que pese a ser el más grande y más inteligente de los tuaregs, fue derrotado en cuanto puso los pies fuera de las dunas del desierto.

—Pero el inmovilismo a nada conduce.

—¡Díselo a esas montañas y a esas arenas! —fue la seca respuesta—. El día que ellas cambien y se conviertan en un vergel por el que corran riachuelos, tal vez habrá llegado el momento de que los *imohag* cambiemos nuestras costumbres y evolucionemos al ritmo de los tiempos. Pero mientras continúen como han sido desde hace milenios, y gentes como yo nos veamos empujados a vivir aquí, sin más agua que la de ese triste pozo, ni más alimentos que los que produzca ese mísero huerto, no creo que nadie tenga que venir a acusarme de inmovilista.

—Razón tienes.

—Me alegra que lo admitas.

—Estúpido no soy, y lo único que intento es ayudar en la medida de mis fuerzas —le hizo notar el piloto—. Sé que nadie me ha dado vela en este entierro, pero me gustaría poder interceder haciéndote comprender que tu posición es tal vez demasiado inflexible. ¿No existe modo de encontrar una solución menos traumática?

—¿Menos «qué»…? —se sorprendió su interlocutor.

—Traumática.

—¿Y eso qué diablos significa?

—Menos violenta… —replicó el otro conciliador—. Algún tipo de arreglo que no implique cortar una mano.

—Es lo que ordena la ley.

—Existen muchas formas de interpretar la ley.

—No entre los tuaregs. La ley es la ley y siempre debe ser obedecida.

—Sin embargo, la «sharía» especifica que cuando se ha cometido un crimen los familiares de la víctima pueden perdonar al culpable a cambio de una compensación económica. ¡Tal vez si tú…!

—La «sharía» es una ley árabe, no tuareg —replicó el nómada con evidente desagrado—. Y en lo que se refiere a ese punto, ni siquiera es una ley. Es una sucia componenda inventada por los ricos que intentan eludir con dinero el castigo que se merecen. Si viniera un pobre pastor de camellos y me amenazara con un arma, yo le cortaría la mano y eso sería lo justo. Pero si viniera un conductor de coches europeo, me amenazara con un arma, y yo no le cortara la mano, sino que me conformara con aceptar su dinero, el verdadero delincuente sería yo, puesto que estaría reconociendo que existen dos tipos de leyes según el poder económico del infractor. ¡No! —Negó convencido—. Los tuaregs nunca hemos sido así, y confío en que jamás lleguemos a serlo. Sé que estamos condenados a extinguirnos, pero lo único que le pido a Alá es que el último de los nuestros continúe siendo tal como fue el primero.

—¡Joder con el orgullo tuareg!

—¿Y qué otra cosa nos han dejado más que ese orgullo? —quiso saber Gacel—. ¡Mira lo que tengo! Una *jaima* hecha jirones, unos cuantos camellos famélicos, dos docenas de cabras, un pozo envenenado y un fusil tan viejo que cualquier día me revienta en la cara. Si perdiera el orgullo acabaría por tirarme al pozo… —El beduino se puso cansinamente en pie y lanzó una ojeada a su alrededor—. ¡Y ya está bien de tanto hablar que a nada conduce! Te ayudaré a descargar.

—¿Aquí? —Pareció escandalizarse el otro—. ¿Y cómo piensas trasladar todo ese material hasta donde se encuentran los cautivos?

—Ése es mi problema.

—Y el mío, porque se trata de mis amigos… ¡Vamos! Si no tienes miedo a volar lo llevaremos hasta el punto en que los has escondido.

—¿Acaso me has tomado por idiota? —protestó el indignado *imohag*—. ¿Se te ha pasado por la cabeza la idea de que te voy a conducir al escondite para que vuelvas a rescatarlos con todo un ejército?

—¿Y acaso crees tú que el idiota soy yo? —se enfurruñó el otro—. Sé muy bien dónde se encuentra esa gente. Lo sé casi tan bien como tú mismo.

—¿Ah, sí? ¿Y quién te lo ha dicho?

—No necesito que nadie me lo diga… —fue la tranquila respuesta de Nené Dupré que se limitó a hacer un gesto con el mentón en dirección al norte—. Están allí, en alguna cueva de la quebrada que desciende por la más oriental de las montañas.

Ahora sí que Gacel Sayah se desconcertó a ojos vista, puesto que no pudo evitar volverse a mirar hacia el punto que el otro le indicaba, para inquirir al cabo de un rato:

—¿Desde cuándo lo sabes?

—Desde ayer.

—¿Y no le has dicho nada a nadie?

—¡Naturalmente que no!

—¿Por qué?

—Porque si lo dijera y os atacaran, lo más probable es que acabarais matando a los rehenes, y lo que pretendo es que las cosas se solucionen, no provocar una masacre.

—Entiendo. Lo que no entiendo es cómo has podido averiguarlo.

—Recuerda que soy piloto de helicóptero y mi misión es estar atento a cuanto ocurra bajo mis pies. Me he pasado media vida siguiendo pistas y buscando gente perdida en el desierto, la sabana o la selva… —Señaló con el dedo hacia lo alto—. Desde allí arriba las cosas se ven con mucha claridad si sabes verlas, y yo ayer me di cuenta de que desde este pozo partían varias rodadas de coche que se dirigían al nordeste, y otras que provenían del sudoeste… Pero también se divisaban con total nitidez las huellas de una caravana de varios camellos y gente de a pie, que el viento aún no ha tenido tiempo de borrar. Esa caravana tuvo que partir de aquí hace un par de días, y las huellas terminan justamente en la falda de aquella montaña.

—¡Eres más listo de lo que pareces!

—Siempre conviene ser más listo de lo que uno parece. La gente se pasa la vida pretendiendo parecer más lista de lo que es en realidad, y eso le pierde. Yo me hago el tonto pero me fijo mucho. Lo suficiente como para descubrir un grupo de camellos en lo más profundo de la garganta, allí donde nadie podría verlos a no ser que viniera como yo, por el aire… —Abrió las manos en un cómico gesto que pretendía significar que con eso se aclaraba todo—. ¿Conclusión? Tus hermanos y los rehenes se esconden en un radio de menos de tres kilómetros en torno a esos camellos… ¿O no?

—Debería pegarte un tiro aquí mismo.

El otro se echó a reír alegremente al exclamar:

—¿Y romper la sagrada ley de la hospitalidad? Jamás lo harías, puesto que de hacerlo todo este lío no tendría el menor sentido. ¡Confía en mí! —concluyó—. Soy tu amigo y el único que tiene la intención de ayudarte en estos momentos.

—¿Me traerás a ese hijo de puta?

—Sabes que eso no puedo hacerlo. ¡Ni quiero hacerlo! Admito que merece que le cortes una mano, pero me enseñaron que es muy diferente pensar las cosas que hacerlas… Y ahora, si prometes que no me vas a vomitar encima, te llevaré a esas montañas.

—No puedo prometértelo. Nunca me he subido en un aparato que vuele.

—¡No te preocupes! Es como ir en camello, pero con aire acondicionado.

—¡Odio el aire acondicionado!

—Y yo los camellos. ¡Anda, vamos!

Turki Al-Aidieri, conocido popularmente por el sobrenombre de *el Guepardo*, estaba considerado, con toda justicia, el más sabio y respetado de los *amenokal*, jefes o patriarcas del noble pueblo del *Kel-Talgimus*, y a su campamento solían acudir a pedir consejo la mayor parte de los *imohag* del territorio.

Tenía fama de prudente y mesurado, sabía escuchar los problemas ajenos, y cuando emitía un veredicto nadie osaba poner en tela de juicio su parecer, puesto que era uno de los pocos tuaregs que había conseguido alcanzar el rango de capitán en el ejército francés y había estudiado en el mismísimo París.

Fiel guía del general Leclerc durante su heroica expedición a través del desierto hacía ya más de sesenta años, había pasado una larga temporada en Londres, había tomado parte en el desembarco de Normandía, y había entrado de los primeros el día de la liberación en la capital francesa trepado en un viejo tanque y cantando a pleno pulmón *La Marsellesa*.

Anciano y enfermo, carecía ya lógicamente de la prestancia que le hizo muy popular entre las mujeres de su tiempo, pero aún conservaba unos ojos acerados y enigmáticos y una voz profunda y autoritaria que continuaba imponiendo respeto.

Sentado ahora sobre una raída alfombra a la que profesaba un muy especial apego puesto que al parecer le había servido para rezar sus oraciones durante todo el transcurso de la guerra, observaba en silencio al egipcio Amed Habaja, que acababa de hacerle una lenta y pormenorizada exposición del delicado asunto que le había traído a su presencia.

Aguardó a que la menor de sus nietas le sirviera un nuevo vaso de té, bebió a cortos sorbos, y por último inquirió amablemente:

—¿Has concluido?

—He concluido… —admitió el egipcio—. Ésa es la situación, y ése el problema que te suplicamos que contribuyas a resolver.

—¿Y estás absolutamente seguro de que te refieres a la familia de Gacel Sayah?

—Completamente. Por lo que sabemos se trata de su viuda y sus tres hijos.

—Hace años que no tenía noticias de ellos… —reconoció afirmando muy lentamente con la cabeza *el Guepardo*—. Tantos, que incluso llegué a temer que sus incontables enemigos hubieran conseguido aniquilarles, y en verdad que mi alma se alegra al saber que la sangre del más valiente de los guerreros que ha dado nuestro pueblo continúa fluyendo.

—¡Y de qué forma!

—Hubiera sido una pena que la estirpe de los Sayah, y todo lo que ese nombre significa, se hubiera extinguido, aunque a tenor de lo que cuentas parece ser que la vida ha sido bastante dura con ellos.

—Esa impresión me dio.

—Y para colmo de males les han envenado un pozo que constituye su más valiosa posesión.

—Así ha sucedido.

—¿Y has acudido a mí con la intención de que interceda en favor de quien cometió tamaña barbaridad?

—Me han ordenado que lo haga.

—¿Y has obedecido aun a sabiendas de que ésa es una proposición que atenta contra nuestros más sagrados principios y nuestras más viejas costumbres? —inquirió en tono severo el anciano *amenokal*—. ¿Por qué?

—Es mi deber.

—¿Tanto te pagan?

—No es cuestión de dinero.

—¿Entonces de qué?

—De principios —respondió el otro con aparente sinceridad—. Formo parte de una organización muy poderosa con fuertes intereses e influencias en la mayor parte de los medios de comunicación del mundo. ¿Crees que me apetece la idea de que todos los periódicos, las radios y las televisiones de los cinco continentes empiecen a proclamar a voz en grito que una pandilla de salvajes tuaregs está dispuesta a asesinar a inocentes por el simple hecho de que no se les permite cortarle la mano a un supuesto culpable?

—¿Y por qué le preocupa tanto a un egipcio el buen nombre de los tuaregs?

—Porque también son musulmanes, y me consta que judíos y cristianos aprovechan la menor ocasión para tacharnos de fanáticos extremistas. Me veo obligado a viajar constantemente y sufro casi a diario el odio y el desprecio que sienten la mayor parte de los europeos por cuantos hemos nacido al sur del Mediterráneo. Nos aborrecen, y son incidentes como éste los que añaden leña a un fuego que jamás se consume.

—¿Y quién ha encendido este fuego en particular…? —quiso saber el anciano sin cambiar en lo más mínimo el tono de su voz—. ¿Quién estaba tranquilamente en su casa, o quién irrumpe como un poseso en un hogar ajeno, le amenaza y le envenena el agua?

—¡Nadie niega de quién es la culpa! —se apresuró a responder el egipcio al tiempo que abría las manos como si con ese gesto quisiera dar a entender que no ocultaba nada—. ¡Ni por lo más remoto! Lo que está en discusión es lo desmesurado del castigo.

—Es lo que marca la ley.

—Una ley obsoleta. Vivimos en otros tiempos y…

El Guepardo le detuvo con un gesto, y luego le indicó que se apoderara del periódico que descansaba sobre un pequeño estante:

—¡Nunca hables de tiempos en un lugar en el que el tiempo carece de importancia! —exclamó—. Y observa el titular de esa noticia. Un tribunal italiano acaba de condenar a diez años de cárcel a los cinco bosniocroatas que habían perpetrado la matanza de Ahmici, donde asesinaron a ciento dieciséis civiles musulmanes. Entraron a saco en sus casas, violaron a las mujeres, degollaron a los niños y les sacaron los ojos a los ancianos, pero dentro de cinco años estarán en libertad condicional… —El anciano *amenokal* lanzó un hondo suspiro con el que pretendía expresar la profundidad de su frustración—. ¡Si ésas son las leyes de nuestro tiempo, reniego de ellas!

—Estoy plenamente de acuerdo contigo. ¡Pero de ahí a lo otro…!

—Lo «otro» son leyes y costumbres que han venido funcionando en nuestro entorno desde mucho antes de que existiera Bosnia, Croacia, Yugoslavia e incluso la inmensa mayoría de los países europeos —le hizo notar *el Guepardo*—. Y lo han hecho con notable eficacia, puesto que un niño sabe desde que tiene uso de razón cuáles son sus límites, y qué es lo que puede hacer, y qué es lo que no se le puede pasar por la cabeza. Sin embargo en «estos tiempos» a los que tú te refieres, las leyes son un auténtico galimatías que cada cual interpreta a su antojo, con lo cual llegan a darse injusticias como la de esa horrenda masacre. Asesinos confesos, traficantes de drogas, políticos corruptos y empresarios que han envenenado a miles de personas con alimentos manipulados, viven en absoluta libertad e incluso se convierte en el espejo en que se mira una juventud que tan sólo piensa en el éxito y en el dinero fácil... —Turki Al-Aidieri negó con la cabeza una vez más—. Y a mi modo de ver ésa no es forma de hacer las cosas, y tan sólo conducen a la decadencia y la depravación. El mío puede que sea un pueblo muy pobre y condenado a la extinción como si se tratara de una de las tantas «especies amenazadas» con las que la civilización acaba a diario, pero de lo que puedes estar seguro es de que el día que desaparezcamos de la faz de estos desiertos, lo haremos respetándonos a nosotros mismos y a los mandamientos de nuestros antepasados.

—Entiendo con esto que no debo contar para nada con tu ayuda.

—Entiendes bien.

—Pues lo lamento, puesto que como comprenderás la solución de este desagradable incidente se presenta harto complicada.

—Y más que se va a complicar... —puntualizó su interlocutor que de pronto daba la impresión de haberse erguido enderezando la espalda y alzando la cabeza hasta el punto de parecer mucho más alto—. Esta conversación me ha abierto los ojos a un tema que siempre me rondó por la cabeza, pero que tal vez la edad me impidió encarar en su auténtica dimensión.

—¿Y es?

—La razón por la que los *imohag* nos vemos obligados a aceptar que cada vez que les da la gana a unos fantoches tenemos que prestarnos a ver cómo nos invaden, nos atropellan y nos matan, dejando nuestras tierras sembradas de coches incendiados, latas de refrescos vacías, preservativos usados y toda clase de basura. —El anciano agitó casi con furia la cabeza al inquirir—: ¿Por qué debemos asistir al espectáculo de su derroche de riqueza en una causa tan absolutamente inútil, si con lo que se gasta en una sola de esas carreras se solucionarían la mayor parte de los problemas de mi pueblo? ¿Por qué tenemos que ver cómo cuentan con un moderno hospital móvil para atender a unos heridos que si han tenido un accidente es porque se lo han buscado, cuando los tuaregs no contamos ni con un mísero ambulatorio en el que vacunar a los niños? ¿Acaso tienes una respuesta a esas preguntas?

—¡Bueno…! —balbuceó el egipcio un tanto incómodo por el chaparrón que se le había venido encima—. Tan sólo se trata de una simple prueba deportiva, y cuando se organiza se pide siempre permiso a las autoridades de cada país.

—«Permiso a las autoridades de cada país»… —repitió irónicamente Al-Aidieri—. Sé muy bien lo que eso significa. Significa sobornar a los funcionarios para que den toda clase de facilidades, a menudo incluso poniendo su ejército a vuestro servicio. ¿Y quién se beneficia de ello? ¿El pueblo? Nunca he visto a nadie del pueblo beneficiarse por el hecho de que un vehículo cruce como una exhalación por delante de su casa levantando polvo y matándole las cabras, las gallinas, y por desgracia, a veces, incluso a los niños.

El Guepardo alargó la mano, hizo sonar una campanilla de plata que descansaba sobre la bandeja del té, y, cuando su nieta asomó la cabeza, ordenó:

—Busca a Sakib y pídele que cite a los miembros del «Consejo de Ancianos». Que procuren acudir al anochecer, puesto que se trata de tomar una decisión muy importante.

Amed Habaja palideció de forma visible y su voz sonó levemente temblorosa al inquirir:

—¿Qué piensa hacer?

—Ya lo has oído… Consultar al «Consejo de Ancianos».

—¿Sobre…?

—Eso no puedo decírtelo hasta que hayamos tomado una decisión, pero mañana lo sabrás.

El egipcio Amed Habaja abandonó el campamento beduino con la cabeza gacha y la demudada expresión de un perro apaleado, puesto que su larga experiencia como mediador en conflictos entre cristianos y musulmanes y sus largos años de trabajo en la organización de innumerables «eventos deportivos», le bastaban para comprender que en este caso particular sus esfuerzos no sólo habían resultado inútiles, sino quizá hasta cierto punto contraproducentes.

Ni siquiera se sintió con fuerzas como para disimular su pesimismo en el momento en que hizo su entrada en el pequeño bimotor que Yves Clos había habilitado como oficina de prensa volante.

—¿Qué diablos te ocurre? —inquirió el francés con una leve sonrisa—. Se diría que te ha cagado encima un elefante.

—Me temo que vamos a tener problemas.

—¡Gran noticia! —rió el otro—. Desde que estoy metido en esto no ha amanecido un solo día en que no tengamos algún problema en apariencia irresoluble. A veces pienso que este negocio se creó con el fin de enseñar al mundo cómo se puede solucionarlo todo a base de continuas chapuzas que se van superponiendo unas a otras hasta que al fin ya no queda ni rastro del problema original.

—No es cuestión de tomárselo a broma… —masculló el egipcio tomando asiento y sirviéndose un café—. *El Guepardo* ha convocado al «Consejo de Ancianos», y eso tan sólo suele hacerse cuando se piensan tomar decisiones importantes.

—¿Qué clase de decisiones?

—Mañana lo sabremos.

—Adelántame algo… ¿De qué crees que van a hablar?

—Nunca me ha gustado hacer conjeturas —replicó Amed Habaja sin dejar de observar el fondo de su taza ya vacía—. No es bueno para los negocios. Corres el peligro de hacerte una idea que luego no se cumple y te encuentras con que no estás preparado para hacer frente a la nueva situación. Es mejor no pensar en ello, y esperar.

—Quizá quieran discutir si nos ayudan a convencer a ese tuareg.

—Decididamente no.

—¿No qué?

—Que no nos van a ayudar en absoluto. Y me temo que más bien se trata de todo lo contrario. Según ellos, ese tal Gacel tiene toda la razón a la hora de pedir lo que pide y hacer lo que hace. Es su ley y por lo visto sus leyes nunca cambian.

—Lo cual, personalmente, me parece muy bien. Yo también estoy de acuerdo con el tuareg en lo que pide, aunque no en cómo lo pide. Secuestrar inocentes no es forma de solucionar las cosas.

—¿Y qué querías que hiciese? ¿Subirse a un camello como su padre y enfrentarse a todo un ejército? Aquí no existen ejércitos contra los que luchar. Solamente existe un gamberro al que no podrá alcanzar nunca porque en cuanto la carrera acabe abandonará el continente y dudo que vuelva.

El rubio de los cabellos lacios fue hasta su mesa tomó una hoja de papel y se la tendió a su interlocutor al tiempo que señalaba:

—Por desgracia no se trata de un simple gamberro. Como sabes tengo amigos en todas partes y hace un par de horas me ha llegado esta información. Ese hijo de perra de Milosevic participó mucho más activamente de lo que se dice en la guerra de Bosnia y se sospecha que en Kosovo tomó parte en algunas acciones en las que también estaban involucrados los tristemente famosos «Tigres de Arkan», encargados de la «limpieza étnica» de la región. Como la mayor parte de esos fascistas balcánicos, odia a los musulmanes.

—¿Y odiando a los musulmanes se embarca en una aventura que atraviesa seis países habitados casi exclusivamente por musulmanes? Sinceramente, no lo entiendo.

—No hay nada que entender. Los fascistas, los integristas y los nacionalistas recalcitrantes no son más que una cuadrilla de enfermos mentales a los que algo les falla en el cerebro. Resulta evidente que no se puede ser un vándalo extremista si tus neuronas funcionan con una cierta digamos «normalidad». Partiendo de esa base, lo que haga o deje de hacer un fascista armado, violento, prepotente y que odia a los que llama despectivamente «moros de mierda», es algo que no se puede predecir.

—¿Y por qué tenemos que ser siempre nosotros los que tengamos que apechugar con las consecuencias? ¿Por qué alguna vez no le cargan el muerto a otro aunque tan sólo sea para variar?

—¡Porque para eso nos pagan, querido amigo! Para eso nos pagan. Y durante los años que llevo en esto también he tenido la suerte de conocer a innumerables muchachos llenos de vitalidad y entusiasmo a los que anima un auténtico espíritu deportivo, creen en la amistad, y están convencidos de que el hecho de participar en una aventura tan excitante les ayudará a ser mejores, más fuertes y más solidarios.

—También yo los he conocido.

—Es que son muchos… ¡Gracias a Dios son muchos! Pero también son muchos (y entre ellos me incluyo) los que ya no vemos en esto más que un productivo negocio, y eso que por desgracia no soy accionista de la empresa. Estamos convirtiendo una buena parte de África en simple banco de pruebas para un sinnúmero de coches, motos, camiones, neumáticos, piezas de recambio, aceites y todo cuanto esté relacionado con el mundo del motor. Y como suele ocurrir con los bancos de prueba, nadie se acuerda de ellos hasta que vuelve a necesitarlos. Tú, como abogado, y yo, como relaciones públicas, somos los encargados de adecentar un poco esos bancos de pruebas para que el próximo año vuelvan a dar servicio.

—¿Y no te molesta tener que ocuparte siempre del trabajo sucio?

—Nadie me obliga, y sabes bien que habría bofetadas por quitarme el puesto. —Hizo un amplio gesto señalando cuanto le rodeaba—. ¿Quién más que yo tiene su despacho en un avión privado? ¿Quién más maneja presupuestos multimillonarios con la libertad con que me dejan hacerlo? Lo único que importa son los resultados y está claro que esos resultados mejoran de año en año.

—¡Confiemos en que este año no se invierta el signo por culpa de un fascista majadero!

—Fascista y majadero vienen a significar lo mismo, quizá con la única diferencia de que el majadero suele ser inofensivo, y este hijo de perra parece que no lo es. Ya le he pasado una nota a Fawcett para que no le deje abandonar la prueba e incluso me he permitido insinuar que no resultaría del todo descabellado permitir que volviera a encontrarse cara a cara con nuestro buen amigo Gacel.

—¿Es que te has vuelto loco? ¿Cómo puedes plantear una cosa así?

—¿Acaso no sería una solución perfecta? Los reunimos y que solucionen sus problemas como mejor les plazca… Anteayer un motorista perdió una pierna en un accidente… ¿Qué tendría de extraño que un automovilista perdiera una mano en otro…? Dentro de un año no sería más que un número más en las estadísticas: muertos, tantos; parapléjicos, tantos; miembros perdidos, tantos…

—A veces me abruma tu cinismo.

—«Cínico» es el que se atreve a decir sin pensar lo que los otros piensan pero no se atreven a decir…

—En eso tienes razón.

—Ciertos trabajos insensibilizan a quienes los practican —añadió en idéntico tono impersonal el francés—. Por desgracia he tenido que asistir a muchas autopsias, y siempre me ha horrorizado la naturalidad con que un forense puede fumar mientras manipula en el interior de un chico que horas antes cantaba y reía. —Agitó la cabeza una y otra vez con gesto de profunda fatiga al añadir—: Llevo demasiado tiempo en este oficio como para conmoverme por nada, y mi única preocupación se centra en que la representación continúe porque ésta es una compleja maquinaria que funciona por inercia, y estoy convencido de que si en alguna ocasión llega a detenerse, lo más probable es que nunca más vuelva a arrancar…

—Pues procuremos que nadie se dedique a echarle arena en el engranaje, ya que, por aquí, arena es lo que sobra…

Gacel Sayah no sintió miedo, pero sí asombro y una desagradable sensación de vacío en el estómago durante el corto tiempo —que sin embargo a él se le antojó interminable— que duró el viaje desde su campamento hasta las montañas.

Nené Dupré había volado a muy baja altura con la evidente intención de que el viento que levantaban las aspas del helicóptero removiera la arena con el fin de que no quedara rastro visible alguno de las comprometedoras huellas de la pequeña caravana, lo cual provocó que el pequeño aparato se zarandease mucho más de lo que solía ser habitual.

Cuando al fin pusieron de nuevo el pie en tierra firme y el sonriente piloto inquirió a su demudado pasajero qué le había parecido la experiencia, éste se limitó a responder con cierta acritud:

—Ruidosa.

—¿Eso es todo?

—Todo no, pero sí lo más importante… —El *inmouchar* sonrió apenas aunque su interlocutor no pudiera advertirlo—. Sin embargo, reconozco que ahí arriba se está muy fresco, y el desierto se ve de un modo diferente.

—¿Y no te ha parecido fabuloso?

—En cierto modo...

Resultó evidente que el beduino no mostraba un especial interés en continuar refiriéndose a un tema que al parecer prefería olvidar cuanto antes, por lo que muy pronto se concentraron en la agobiante tarea de descargar el aparato con el fin de apilar todo su contenido a la sombra de un saliente de rocas.

Cuando hubieron concluido, jadeando y sudando a chorros, tomaron asiento junto a las cajas, y tras compartir unos refrescos muy fríos y una lata de galletas, el tuareg hizo un significativo gesto hacia el aparato:

—Será mejor que regreses. El tiempo pasa y por mi parte nada ha cambiado. Si pretendes recuperar a tus amigos te quedan seis días.

—¿No sería mejor que te esperase para llevarte de regreso al pozo?

Su interlocutor negó con un decidido ademán de la cabeza.

—Volveré con los camellos —dijo—. Pero no te preocupes; daré un rodeo para no dejar huellas.

—Sigo opinando que todo esto es una locura.

—Recuerda que fui el primero en decirlo. Y sois vosotros los locos, no yo... Gracias por el viaje y suerte.

—¡Suerte!

Cuando a los pocos minutos el rugiente aparato desapareció en la distancia y no se percibió ya ni el más leve rumor de sus motores, Gacel Sayah se puso en pie, se echó al hombro un pesado bidón de agua y su viejo fusil, e inició una rápida marcha por entre el intrincado laberinto de afiladas rocas que se adentraban en las montañas.

Una hora más tarde la maciza figura de Suleiman hizo su aparición agitando su turbante en la distancia y al poco se abrazaron con afecto para continuar juntos hasta la angosta entrada de una cueva tan perfectamente disimulada ahora que incluso al propio Gacel le costó trabajo descubrirla pese a que conocía desde muy antiguo su emplazamiento.

—Lo habéis hecho muy bien… —admitió sonriente—. Se puede pasar a un metro y no verla, pero los camellos que están pastando en la quebrada nos delatan. Mañana me los llevaré.

La gigantesca «Cueva de las Gacelas» constituía en verdad un lugar seguro y acogedor, cuya fresca penumbra contrastaba con la violenta luz y las altísimas temperaturas de la altiplanicie exterior, por lo que tanto Laila como Ashia parecían encontrarse en la gloria tras tantos años de sol, arena y viento, pese a lo cual no ocultaban una cierta inquietud con respecto al estado de ánimo de los cautivos.

—No nos han hecho nada, y resulta inhumano e injusto que los mantengamos maniatados todo el tiempo. —Señaló la primera en tono de reproche—. Lo están pasando muy mal.

—¿Y qué otra cosa podemos hacer? —quiso saber su hijo.

—No lo sé, pero tienen hambre y sed, y están destrozados porque son gente de ciudad poco acostumbrada a caminar por el desierto aunque sea de noche.

—La mayoría son jóvenes fuertes… —le hizo notar Gacel—. Si los desatáramos intentarían atacarnos, y en ese caso lo más probable es que tuviéramos que matar a más de uno.

—Ya lo había pensado… —se vio obligada a reconocer su madre.

—Déjalos que sigan como hasta ahora. Si estaban dispuestos a pasarse dos semanas apretujados en un coche, dando saltos, tragando polvo y arriesgándose a tener un accidente por pura diversión, también tienen que estar dispuestos a permanecer maniatados unos cuantos días por salvar la vida.

—En eso estoy de acuerdo… —intervino Suleiman

que regresaba de repartir entre los cautivos parte del agua que había traído Gacel—. Por lo que a mí respecta, prefiero que se desollen las muñecas a verme obligado a pegarles un tiro.

Su hermano se encaminó al rincón de la cueva en que los rehenes permanecían sentados con la espalda apoyada contra la pared, se acuclilló frente a ellos, y tras observarlos uno por uno señaló intentando que su voz sonara lo más tranquilizadora posible:

—Los organizadores del rally nos han proporcionado agua, provisiones, ropas y medicinas, por lo que espero que muy pronto estarán más cómodos y mejor atendidos.

—¿Maniatados a todas horas...? —quiso saber un calvo de espesa barba que al parecer había sido elegido por sus compañeros como portavoz del grupo ya que era sin duda el de más edad—. Ni siquiera podemos atender a nuestras necesidades más elementales. ¿Le parece justo que tengamos que cagarnos en los pantalones...?

El tuareg reflexionó unos instantes, pareció comprender que al pobre hombre le asistía la razón, y acabó por hacer un leve gesto de asentimiento.

—¡Está bien! —admitió—. Cada hora dejaremos libre a uno para que descanse y puedan satisfacer sus necesidades. —Se llevó el dedo índice a la garganta con un significativo gesto amenazante al añadir—: Pero si a alguno se le ocurre la estúpida idea de intentar escapar, le cortamos el cuello. —Hizo una dramática pausa para concluir en un tono de absoluta firmeza—: Y de igual modo se lo cortaremos a su compañero de coche... ¿Eso les parece justo?

Los seis infelices se consultaron con la mirada y el calvo concluyó por expresar el sentimiento común:

—¡De acuerdo! —dijo.

—¡Bien! Confío en que con la colaboración de todos lleguemos lo más pronto posible a un acuerdo con respecto a los términos de su liberación.

—¿Qué clase de acuerdo?

—Uno que sea satisfactorio tanto para ustedes como para nosotros.

—¿De cuánto estamos hablando?

El tuareg dirigió una severa mirada al impertinente jovenzuelo de acento marcadamente extranjero que había hecho la pregunta, y cuando respondió su voz sonaba extrañamente desabrida.

—No hemos hablado de dinero —dijo—. Nunca hemos hablado, ni nunca hablaremos, puesto que pese a lo que imaginen, aquí el dinero no cuenta. —Gacel Sayah lanzó un suspiro que alzó apenas el velo que le cubría el rostro al añadir—: Hasta que los miembros de su organización no entiendan eso, no llegaremos a parte alguna.

—Pero si no es dinero… ¿qué es lo que buscan?

—Justicia, ya lo he dicho. Y la justicia y el dinero son como el aceite y el agua: nunca pueden mezclarse.

—¿Se puede saber al menos en qué términos se está discutiendo nuestra liberación…? —quiso saber el barbudo que ejercía el liderazgo.

—Naturalmente —fue la calmosa respuesta—. Les dejaré en libertad en el momento en que me entreguen a quien envenenó nuestro pozo.

—¿Y qué piensa hacer con él?

—Aplicarle la ley.

—¿Cortándole el cuello…?

—¡En absoluto! Lo que han hecho no está penado con la muerte. Únicamente con la flagelación y la pérdida de una mano.

—¿Una mano…? —se horrorizó el otro—. ¿Quiere que se lo traigan para cortarle una mano?

Gacel Sayah asintió repetidamente con la cabeza antes de puntualizar:

—Aquella que empuñó un arma en un campamento tuareg que le había recibido amistosamente... Es lo que marca la ley.

—¡Que el Señor nos asista! ¿Lo sabe él?

—Si no lo sabe, pronto lo sabrá.

—¿Y tiene idea de lo que haría cualquier persona sensata al enterarse de que pretenden cortarle una mano?

—Huir lo más lejos posible, supongo.

—¡Exactamente! Y en ese caso... ¿quién va a ir a buscarle y cómo se las arreglará para traerle hasta aquí?

—¡No tengo ni la menor idea! —replicó con absoluta naturalidad el *imohag*—. No he sido yo quien inició todo esto, y por lo tanto son ustedes los que deben aportar soluciones.

—¿Y cómo pretende que lo hagamos desde aquí...?

—Lo ignoro. Y lo que está claro, es que no es mi problema.

Horas más tarde y mientras disfrutaban del frescor de la noche y la belleza de la luna que iluminaba de una forma casi fantasmagórica el inquietante paisaje circundante, Aisha inquirió de improviso:

—¿Crees que existe alguna probabilidad de que consigas lo que te propones?

Su hermano tardó en responder, pero cuando lo hizo su voz sonaba cruelmente sincera:

—Ni la más remota... —admitió.

—En ese caso... —musitó en ella un tanto perpleja—. ¿Por qué razón insistes en continuar con todo esto?

—Porque las cosas no siempre hay que hacerlas pensando en el triunfo. Eso no tiene mérito. Nuestro padre nos ofreció el mejor ejemplo de que existen circunstancias en las que un auténtico tuareg tiene que encarar las batallas aun a sabiendas que están perdidas de antemano.

—Y eso le costó la vida. ¿Qué hubiera pasado si aquel maldito día hubiera renunciado a iniciar una guerra tan desigual, tan absurda y tan inútil?

—Que a estas horas probablemente también estaría muerto, pero de pena y de vergüenza. Y tú sabes mejor que nadie que para los de nuestra raza lo que importa no es morir, sino cómo se muere, de la misma manera que lo que importa no es vivir, sino cómo se vive.

—Nuestra forma de vida es miserable.

—Te equivocas, pequeña... —le hizo notar su hermano extendiendo la mano para acariciarle el largo cabello muy negro—. Nuestra forma de vivir puede que sea pobre, puesto que somos los seres más pobres del mundo, pero nunca miserable. Hay muchos ricos que viven miserablemente rodeados de toda clase de lujos, y muchos pobres que viven dignamente con lo justo.

—Desearía que tus palabras me sirvieran de consuelo, pero son ya demasiados años de penuria... —sentenció la muchacha—. Yo soy joven y fuerte y lo resisto, pero a veces tengo la impresión de que nuestra madre no podrá aguantar mucho tiempo.

—También a mí me preocupa —admitió el mayor de los Sayah—. Y durante estos días he llegado a la conclusión de que tal vez lo más lógico sería que regresarais al norte, donde aún nos deben quedar parientes que recuerden que fue la mujer de un héroe.

—¿Y condenarnos a vivir para siempre de la caridad? —inquirió su hermana volviéndose a mirarle—. ¿Te das cuenta de lo que estás diciendo?

No obtuvo respuesta puesto que resultaba evidente que no existía.

El nómada tenía clara conciencia de que si se separaba de las mujeres, éstas no tendrían la más mínima posibilidad de abrirse camino por sí solas, y que su futuro sería acabar convirtiéndose en sirvientes, y en el caso de la muchacha tal vez concubina de algún mercader al que le tendría sin cuidado quién había sido su padre.

Si negro se presentaba el destino de los valientes guerreros tuaregs, más negro aún se presentaba el de sus mujeres, puesto que vivían unos difíciles tiempos en los que los de su estirpe habían dejado de ser considerados los temibles dueños de las arenas del desierto, para pasar a convertirse en un ejército de desarraigados sin patria ni esperanzas.

Desparramados a lo largo y ancho de una docena de países diferentes, sin cabezas visibles y enfrentados a veces entre sí por culpa de muy viejas rencillas, los *imohag* estaban condenados a desaparecer sin aspavientos, y probablemente la heroica aventura de su padre había sido el postrer coletazo de un pez al que le faltaba el agua.

—No lo entiendo… —musitó al fin como si hablara consigo mismo—. En verdad que no logro entenderlo.

—¿A qué te refieres?

—A la apatía de nuestra gente. Somos un pueblo fuerte, temido e inteligente, que si se uniera podría acabar con esa pandilla de cretinos y ladrones que nos gobiernan, creando nuestro propio país según nuestras propias leyes. Sin embargo, la carencia de un auténtico líder ha propiciado que acabemos convertidos en un sinfín de grupúsculos que malviven aquí y allá aceptando las absurdas normas que quieren imponernos y sin que nadie nos tenga en cuenta.

—¿Crees que nuestro padre podría haber sido ese líder?

—Naturalmente.

—¿Y tú?

—No. Yo no.

—¿Por qué?

—Me falta experiencia.

—La experiencia es de las pocas cosas que se obtienen con el paso de los años… —le recordó Aisha.

—Pero necesita bases sólidas en las que asentarse, y yo carezco de ellas porque nuestro padre murió cuando yo aún era un niño y no tuvo tiempo de enseñarme. Luego, y aparte haber leído unos cuantos libros, todos estos años han sido tiempo perdido… —Hizo una corta pausa para añadir seguro de lo que decía—: El líder que necesitamos tiene que ser alguien que no sólo sepa desenvolverse en el desierto, sino que conozca la forma de ser de los franceses. Alguien como *el Guepardo*, pero mucho más joven…

—Le vi una vez, pero era muy pequeña y apenas le recuerdo.

—A mí me impresionó lo mucho que sabía sobre todo. Probablemente hubiera sido el hombre justo para reunificar a nuestro pueblo, pero cuando regresó de Francia estaba ya cansado de tanta guerra.

—Siempre había creído que un *inmouchar* nunca se cansa de la guerra.

—Es que aquélla fue «una guerra de franceses», en la que los hombres no luchaban espada en mano y cara a cara, sino con aviones y cañones que mataban a enormes distancias… —Se puso en pie, dio unos pasos y respiró muy hondo, como si pretendiera llenarse los pulmones con el aire de la noche—. Incluso eso ha cambiado… —musitó—. Cuando en la televisión veía cómo los misiles destrozaban en plena oscuridad un objetivo que se encontraba a cientos de kilómetros del lugar desde el que había sido lanzado, comprendí que hasta en lo que se refiere a lo que siempre fue nuestro punto fuerte, la guerra, nos hemos quedado definitivamente atrás…

—¿Qué habrá sido de él?

—¿De quién?

—De *el Guepardo*.

—Probablemente ha muerto. Era ya muy viejo.

—¿Qué crees que hubiera hecho en esta situación?

—Supongo que lo mismo que nosotros. Era un auténtico *amenokal* del *Kel-Talgimus*, y no creo que exista un solo miembro del «Pueblo del Velo» que hubiera reaccionado de modo diferente ante...

Le interrumpió la aparición de su madre que había surgido del interior de la caverna portando una pequeña tetera y tres vasos, y que al tiempo que llenaba los recipientes, comentó:

—Uno de los prisioneros insiste en hablar contigo.

—¿Te ha dicho qué es lo que quiere?

—No, pero afirma que es el único que puede arreglar todo este embrollo.

—¿Y tú qué opinas?

—Parece seguro de sí mismo, e imagino que no pierdes nada escuchándole.

El nómada aprovechó el tiempo que le dejaba el hecho de soplar el té para reflexionar sobre lo que su madre acababa de decir, y por último hizo un leve gesto de asentimiento.

—¡De acuerdo! —dijo—. Pídele a Suleiman que lo traiga y oigamos lo que tiene que decir.

A los pocos minutos, un muchacho delgado, fibroso, de ojos claros y larga melena rubia que se sujetaba en la nuca en forma de gruesa cola de caballo, tomó asiento en una roca, y a la luz de la luna observó, no sin cierta aprehensión, a sus cuatro captores.

—¿Y bien...? —inquirió Gacel en el momento de apurar hasta el fondo su vaso—. ¿Cuál es esa propuesta?

—Ante todo conviene que me presente... —comenzó el jovenzuelo cuya voz sonaba en un principio temblorosa pero que se fue tranquilizando a medida que avanzaba en su relato—. Me llamo Pino Ferrara y soy napolitano.

—Eso ya lo sabíamos. Tenemos tu pasaporte.

—Lo supongo. Pero lo que no saben, es que mi padre es banquero. Y uno de los más importantes de Italia.

—Creo haber dejado bien claro que el dinero nada tiene que ver con todo esto —replicó Gacel Sayah en tono impaciente—. Me tiene sin cuidado que tu padre sea banquero o general. Tu destino será el mismo que el de tus compañeros, aunque ninguno de ellos tuviera dónde caerse muerto.

—¡No! —se apresuró a protestar el otro—. Ese punto ha quedado muy claro y lo he entendido desde el primer momento, pero no se trata del dinero de mi padre, que de nada me sirve en estas circunstancias.

—¿Entonces?

—Se trata de que conozco bien a los que dirigen el rally y me consta que no moverán un dedo para traer hasta aquí al que les envenenó el pozo.

—¿Cómo puedes saberlo?

—Porque ésta es la tercera vez que tomo parte en la carrera, y estoy convencido de que en cuanto ese hijo de la gran puta se entere de que le van a cortar una mano se largará sin que nadie se atreva a impedírselo. Puede apostar la cabeza a que no regresará si no es a la fuerza, y que no serán los organizadores del rally los que lo intenten.

—Se juegan mucho.

—Se equivoca. No se juegan nada, puesto que a la hora de firmar el contrato todos aceptamos los riesgos, por lo que se les exime de cualquier responsabilidad. —Lanzó un corto reniego—. ¡Es más! —añadió—. Saben muy bien que este tipo de historias añaden morbo a la prueba… —Hizo una corta pausa—. Sin embargo… —continuó—, si se les ocurriera la idea de secuestrar a un participante con el fin de entregárselo a unos «bandidos» que tienen la intención de cortarle una mano, se estarían metiendo en un lío que les costaría todo el dinero del mundo, la cárcel, y probablemente el fin de su negocio... ¿Entiende lo que le estoy diciendo?

—Perfectamente.

—¿Y qué opina?

—Que suena lógico.

—Me alegra que empiece a verlo de ese modo. El jefe de seguridad, Fawcett, es uno de los ingleses más flemáticos que he conocido, y me consta que el día en que los corredores lleguen a El Cairo, le dará carpetazo al asunto porque en el fondo nos considera unos imbéciles a los que nos está bien empleado cuanto nos ocurra. ¿Qué pasará entonces?

—Que tendré que matarlos.

—¡Exacto! Nos matará mientras los que nos dieron un libro de ruta equivocado se lavan las manos, Fawcett volverá a su casa y el culpable de todo se largará de vacaciones a cualquier isla del Caribe... —Pino Ferrara lanzó un sonoro escupitajo al concluir—: Y no me parece justo.

—A mí tampoco, pero resulta evidente que no estamos en condiciones de hacer nada por impedirlo.

—Ustedes no, pero yo sí, porque como le he dicho, mi padre es un importante banquero, y entre sus muchas actividades, y esto es la primera vez en mi vida que lo admito y que les suplico que no salga de aquí, está la de dedicarse a lavar dinero.

Laila, Aisha, Suleiman y Gacel Sayah intercambiaron una larga y desconcertada mirada a la luz de la luna del desierto, y al fin fue la primera la que repitió estupefacta:

—¿Lavar dinero?

—Eso he dicho.

—Pero el dinero no se puede lavar... —le hizo notar la buena mujer—. Una vez se me olvidó un billete en un bolsillo del *jaique* y cuando fui a buscarlo estaba hecho trizas.

El desconcierto llegó ahora por parte del italiano que agitó la cabeza como si le costara un enorme esfuerzo asimilar lo que acababa de oír.

—No se trata de lavar billetes con agua y jabón… —masculló al fin—. Se trata de «blanquear» grandes sumas de dinero.

—¿Cómo has dicho…? ¿«Blanquear»?

—Exactamente.

—¿Y para qué quiere tu padre blanquear el dinero? Cada billete tiene un color, e incluso un tamaño diferente dependiendo de su valor. No entiendo por qué alguien pretende que todos sean iguales. ¿O es que en tu país las cosas funcionan de otro modo?

Pino Ferrara pareció comprender que aquél se trataba de un «diálogo para besugos», puesto que aquellos cuatro pobres beduinos perdidos desde años atrás en mitad del desierto muy poco dinero debían haber visto en su vida.

—Cuando hablo de «lavar» o «blanquear» no me refiero a billetes, sino a legalizar un dinero ilegal.

—¿Legalizar dinero ilegal? —Ahora la repetición vino por parte de Gacel—. ¿Te refieres a dinero falso?

—¡No! —El italiano estaba a punto de perder la paciencia—. ¡Falso no! Una cosa es «dinero falso», y otra muy distinta «dinero ilegal».

—Una vez intentaron darme un billete falso… —admitió el tuareg—. Pero que yo sepa nunca han intentado darme un billete ilegal. ¿En qué se nota que es ilegal?

—Dinero «ilegal» es aquel que ha sido generado por negocios sucios, como pueden ser la evasión de impuestos, la corrupción política, la prostitución o el tráfico de drogas —puntualizó su interlocutor—. Cuando alguien recibe mucho dinero cuya procedencia no puede confesar porque le meterían en la cárcel, acude a ciertos bancos que se dedican a conseguir que parezca que ese dinero ha sido ganado honradamente.

—¿Y el banco de tu padre hace eso…? —Ante el mudo gesto de asentimiento Suleiman no pudo por menos que exclamar—: ¡Vaya con tu padre! ¡Menudo pájaro!

—No estamos aquí para juzgar a mi familia, sino para intentar salvar inocentes… —les hizo notar el muchacho que iba ganando confianza poco a poco—. Y entre ellos me incluyo. Lo que pretendo hacerles entender es que mi padre mantiene muy buenas relaciones con gente cuya moralidad es francamente dudosa.

—¿Esos que se ven en las películas en la que los malos son siempre italianos, cómo se llaman…?

—«Mafiosos»… ¡No! Mi padre no tiene contacto directo con mafiosos, pero sí con hombres de negocios que los conocen bien. Le deben muchos favores, y estoy convencido de que si les pidiera que trajeran aquí a ese cretino, acabarían trayéndolo envuelto en papel de regalo.

—No me gusta la idea de tener tratos con ese tipo de gente… —musitó muy quedamente Laila.

—A mí tampoco… —le replicó su hijo—. Pero es la primera vez que alguien muestra un camino que puede llevarnos a alguna parte. Si pretendemos conseguir algo de un mundo tan diferente al nuestro, tal vez tengamos que adaptarnos a normas de conducta muy diferentes a las nuestras…

—En ese caso nos estaremos comportando como ellos.

—Es posible. Pero está claro que nuestras reglas no nos llevan a parte alguna, y al final tendremos que elegir entre matar inocentes o hacer el ridículo.

—Nunca me ha preocupado hacer el ridículo.

—Pero a mí sí. Los tuaregs llevamos años haciéndolo, y por eso nos encontramos donde nos encontramos. Si tiene razón y los organizadores de la carrera se limitan a lavarse las manos, me veré obligado a cumplir mi palabra, y ésa será una carga que me perseguirá mientras viva.

—Tengo razón… —insistió el italiano que parecía comprender que su posición se hacía cada vez más fuerte—. El rally ya ha pasado por aquí y nunca les ha preocupado lo que dejan atrás. Su obsesión es avanzar a toda costa, atravesar la meta y cobrar.

—¿Cobrar de quién?

—Cobrar de todos; de los fabricantes de coches, neumáticos, lubricantes, licores, refrescos, cigarrillos, ropa o material fotográfico… —Se encogió de hombros como queriendo indicar que lo que decía era algo obvio y que carecía de importancia—. Hoy todo lo que se refiera a deportes de alta competitividad, y no cabe duda de que este rally lo es, gira en torno a unas determinadas marcas que obtienen una altísima rentabilidad por cada lira que invierten.

—Me parece que tardaría cien años en empezar a entender vuestro mundo.

—Lo supongo, y por eso mismo debería confiar en mí, que sé cómo funciona. Mi padre es de las pocas personas que conozco que pueden conseguir que le entreguen al que envenenó su pozo.

—Pero tu padre está en Italia. E Italia está muy lejos de aquí.

—Eso ya lo sé.

—¿Y qué es lo que pretendes? ¿Que te deje marchar? ¿Quién me garantizaría tu regreso?

—Nadie, pero nunca he pretendido que me deje marchar. Me basta con hablar por teléfono.

Se hizo un pesado silencio en el que los cuatro beduinos se observaron unos a otros como si creyeran que aquel pobre muchacho estaba loco, o tal vez fueran ellos los locos.

—¿Pretendes hablar por teléfono con alguien que está en Italia desde el mismísimo corazón del Tenéré? —inquirió por último una más que incrédula Aisha.

—Naturalmente. Tengo un teléfono móvil en el coche. Se conecta a un satélite, que se conecta a su vez con mi casa. O incluso con el móvil de mi padre si por casualidad se encontrara en el yate. Podría hablar con él aunque se hubiera ido a Alaska.

—¡No puedo creerlo!

—¡Ni yo!

—Pues es la pura verdad. ¿Qué sacaría con engañaros? Lo más probable es que en estos momentos mi madre esté inquieta porque hace ya dos días que no la llamo.

—Si eso es como dices, y puedes hablar desde el Teneré con Italia, no cabe duda de que estamos haciendo el ridículo —sentenció un cabizbajo Gacel Sayah al que cada vez se le advertía más desconcertado—. Por mucho que lo intente, nunca conseguiré entender que se pueda marcar un número en el desierto y alguien responda desde el otro lado del mundo.

—No es más que tecnología.

—Yo creo más bien que es brujería. La magia de los franceses, contra la que jamás podremos luchar por mucho valor que derrochemos… —El *imohag* alzó el rostro hacia su hermano, y en sus ojos podía leerse la inmensidad de su abatimiento en el momento de inquirir—: ¿Tú que opinas?

—¿De qué sirve mi opinión? —quiso saber Suleiman—. Hace cuatro días mi mayor preocupación se cifraba en que una camella pariera con retraso, o que el pozo descendiera de nivel. Pero de entonces acá tan sólo oigo hablar de cosas que escapan a mi comprensión. Es como si de pronto nos hubieran transportado a otro planeta.

—No es que nos hayan transportado a otro planeta… —sentenció Laila con sorprendente seriedad—. Es que ese otro planeta nos ha invadido de repente.

—Tal vez la culpa no sea de ellos… —le replicó sin

la más mínima acritud su hijo menor—. Tal vez tengamos parte de culpa por no haber sabido evolucionar. Estos últimos años, en lugar de avanzar no hemos hecho más que retroceder...

Turki Al-Aidieri aguardó a que su nieta abandonara la estancia, observó con atención al hombre que se sentaba frente a él, y tras permanecer unos instantes en silencio, como si con ello pretendiera imprimir mayor fuerza a lo que tenía que decir, comenzó:

—El «Consejo de Ancianos» tomó anoche una decisión que quiero que transmitas a tus jefes…

Amed Habaja hizo un notable esfuerzo para que su rostro permaneciese imperturbable pese a que advertía que su corazón latía con inusitada fuerza y las manos le temblaban de un modo casi perceptible.

—Los *imohag* nos hemos cansado de que continuéis considerando nuestros territorios un basurero, bueno, tan sólo para convertirlo en pista de carreras una vez al año… —continuó en idéntico tono el anciano—. Hemos sido pacientes durante demasiado tiempo, tal vez confiando en que algún día comprendierais que quienes nos vemos obligados a vivir en este perdido rincón del mundo merecemos un mínimo respeto… —Agitó la cabeza pesaroso—. Pero no ha sido así… —añadió—. Una y otra vez habéis pactado con quienes nos desprecian, nos odian y nos explotan, sin tener en cuenta que es nuestra tierra la que cruzáis, nuestros hijos a los que matáis, y nuestro ganado el que aplastáis…

—Siempre hemos procurado compensaros por el daño que hayamos podido causar.

—¿Cómo? —quiso saber con cierta agresividad el anciano—. ¿Sobornando funcionarios? Ya te dije que a nosotros eso no nos sirve, puesto que tales «compensaciones» jamás van a parar a manos de los auténticos damnificados. Y a la madre que ha perdido a un hijo de poco le vale que le ofrezcan dinero ni aún en el improbable caso de que ese dinero llegase a su poder… ¡No! —Negó convencido—. Vuestras supuestas «compensaciones» no nos compensan por el daño que estáis causando…

—Daremos instrucciones para que de ahora en adelante sean los afectados los que lo reciban personalmente…

El *amenokal*, máximo patriarca de las tribus tuaregs de la región, alzó la mano impidiéndole continuar con unos argumentos que, evidentemente, no tenía el menor interés en escuchar.

—¡No te esfuerces! —rogó—. ¡No habrá «de ahora en adelante»!

—¿Qué quieres decir con eso? —se alarmó el otro.

—Que el «Consejo de Ancianos» ha tomado una decisión, y que cuando los *imohag* deciden algo, nunca se vuelven atrás… —De nuevo recurrió a hacer una larga pausa con el fin de remarcar lo que iba a decir—: Se acabaron las carreras a través de nuestros territorios —concluyó.

—¿Qué territorios?

—Todos aquellos en los que existan comunidades tuaregs.

—Pero ¿te das cuenta de lo que estás diciendo?

—Perfectamente.

—Existen comunidades tuaregs en por lo menos una docena de países africanos.

—Lo sé.

El egipcio tardó en reaccionar puesto que se había

quedado con la boca literalmente abierta, incapaz de asimilar la magnitud de lo que acababa de escuchar.

Por último, balbuceó:

—¿Acaso pretendes insinuar que habéis decidido boicotear el rally a lo largo y lo ancho de una docena de países?

—Tú lo has dicho.

—¡Pero no podéis hacer eso! —protestó el otro—. Son naciones libres con gobiernos independientes que toman sus propias decisiones.

—La mayoría son gobiernos corruptos que para nada tienen en cuenta los intereses de sus ciudadanos. Si ellos no han sido capaces de abolir esa lacra, lo haremos nosotros. Por las buenas, o por las malas.

—¡Pero es que no se trata de ninguna «lacra»…! —protestó Amed Habaja—. Se trata de una simple prueba deportiva.

—¡No me vengas con ésas…! —casi se enfureció *el Guepardo*—. Ten en cuenta que no soy un ignorante beduino a los que acostumbras a tratar como si fueran camellos. Conozco muy bien el dicho: *«Mens sana in corpore sano»*, pero me consta que ése no es un concepto que pueda aplicarse al tipo de «pruebas deportivas» que tu organización patrocina. Ni correr por el desierto trepado en una máquina es un deporte que beneficie al cuerpo, ni mucho menos a la mente. Esa mente puede estar muy enferma, por muy sano que se encuentre el cuerpo. Y de hecho se acaba de demostrar que lo está, ya que ese individuo tal vez sea un auténtico atleta, pero resulta evidente que es, sobre todo, un paranoico. Y no existe tabla de gimnasia ni ejercicio físico alguno, por duro que sea, capaz de transformar un cerebro enfermo en uno sano.

—Se trata de un caso aislado y me parece injusto que por culpa de un cretino cientos de inocentes tengan que pagar las consecuencias.

—Somos nosotros los que pagamos las consecuencias por algo que ni nos va ni nos viene. ¡Si quieren correr, que corran en su casa! ¡Si quieren matar gente, que maten a los suyos! Que se construyan en Europa un circuito todo lo complicado que quieran y que se dediquen a estrellarse contra las rocas, pero que no aparezcan más por aquí, a restregarnos por las narices tan descarado derroche de riquezas.

—¿Y cómo piensas impedirlo?

—Ordenando a todos los *imohag*, cualquiera que sea su tribu o el país en que habiten, que impidan a cualquier precio el paso de vuestros coches, vuestras motos y vuestros camiones.

—Eso suena a terrorismo.

—¡No! ¡En absoluto! No intentes confundir los términos. El terrorista es un ser deleznable que ataca a traición escudándose en el anonimato. Lo nuestro es una declaración de guerra, y en la que el enemigo no se oculta. El enemigo es la nación tuareg en peso.

—¿Estáis dispuestos a matar?

—En toda guerra hay muertos.

—¿Y estáis dispuestos a morir?

—Los tuaregs siempre estamos dispuestos a morir.

—¿Y qué haréis si os veis obligados a enfrentaros a los ejércitos de los países de los que formáis parte?

—Si esos ejércitos se enfrentan a nosotros por defender los sucios intereses de un puñado de extranjeros que nos están pisoteando, merecerán que nos enfrentemos a ellos.

—¿Propiciando una masacre?

—Si, como parece ser, estamos condenados a desaparecer como pueblo, más vale que sea luchando con valor, que consumiéndonos como hasta ahora, sin pena ni gloria. A los ojos de un tuareg, morir con honor es el mejor de los destinos posibles.

—¿Y qué será de las mujeres, los ancianos y los niños?

—¡Dios dirá!

Cuando horas más tarde el egipcio transmitió palabra por palabra el mensaje que Turki Al-Aidieri le había dado, tanto el imperturbable Alex Fawcett como el atribulado Yves Clos reaccionaron como si acabaran de recibir una coz en plena frente.

—¡Bromeas! —exclamó al fin roncamente el primero.

—¿Crees que me jugaría el puesto bromeando sobre algo tan serio? —quiso saber Amed Habaja en un tono que no dejaba margen a ningún tipo de dudas—. Es lo que ha dicho, y es lo que piensa hacer.

—¡Pero eso significa…!

—Que nos tenemos que largar con la música a otra parte, o nos arriesgamos a que empiecen a cazar corredores como si fueran conejos.

—¡No pueden hacerlo!

—¿Ah no? —se sorprendió el egipcio—. Ten en cuenta que un tuareg es capaz de pegarle un tiro a un motorista a quinientos metros de distancia para desaparecer como si se lo hubiera tragado la tierra. ¿Y cómo lo impediremos? ¿Poniendo soldados junto a cada coche, cada camión y cada moto? Aún tenemos por delante más de seis mil kilómetros de desierto, y en cada uno de ellos puede ocultarse un francotirador.

Alex Fawcett se volvió a Yves Clos para inquirir:

—¿Cuántos tuaregs crees que existen desde aquí hasta El Cairo?

—¡No tengo ni la menor idea! —admitió el interrogado—. Cientos o tal vez miles, pero no creo que el número tenga importancia. Bastarían con dos docenas de fanáticos dispuestos a obedecer las órdenes de su «Consejo de Ancianos» para que la mitad de nuestros pilotos regresase a su casa en una caja de pino.

—¡Asquerosamente gráfico!

—Si prefieres lo adorno con un lazo, ya que ése es

mi oficio, pero me da la impresión de que en este caso la demagogia no sirve de mucho. Si los «Hijos del Viento», que han sido los dueños del desierto durante siglos, se proponen cazarlos, los cazarán nos pongamos como nos pongamos.

—¡Malditos hijos de puta! ¿Te das cuenta de lo que nos estamos jugando?

—Miles de millones.

—Y todo porque a un gilipollas se le antojó echarle aceite a un pozo.

El rubio Yves Clos rebuscó en el bolsillo superior de su camisa, sacó la diminuta pipa y se dispuso a cargarla al tiempo que negaba con un decidido ademán de cabeza.

—No —le contradijo—. Ése ha sido el detonante, pero no la razón. La auténtica razón estriba en que no nos dimos cuenta de que estábamos tensando demasiado la cuerda. Pronto o tarde tenía que romperse.

—¿Insinúas que es culpa nuestra?

—Ellos están aquí, y no se les ocurre ir a tocarnos los cojones a París. Somos nosotros los que venimos a tocarles los cojones año tras año, y está claro que no hemos sabido hacerlo con la suficiente delicadeza.

—¿Acaso estás de su parte?

—Una cosa es comprenderlos, otra muy distinta estar de su parte, puesto que no me agrada la idea de perder mi empleo —sentenció el francés—. Y si tenemos interés en conservarlo lo mejor que podemos hacer es dejar de buscar culpables y empezar a buscar soluciones.

—¿Alguna idea?

—No, de momento.

—¡Bien! —admitió Alex Fawcett al tiempo que tomaba un lápiz con el que trazaba una raya vertical sobre un folio en blanco—. Lo que resulta evidente es que nos enfrentamos a dos problemas de muy distinta índole. —Marcó con una cruz la parte izquierda de la página—. De este lado nos encontramos con seis rehenes que no podemos liberar ya que lo que nos exigen a cambio está fuera de nuestro alcance. Del otro la amenaza de una cuadrilla de bandidos que ponen en serio peligro la supervivencia de una prueba de la que todos dependemos… —Golpeó repetidamente con el lápiz el lado derecho de la página—. Supongo que estaréis de acuerdo en que no deberíamos dispersar nuestras fuerzas y concentrarnos en lo que en verdad importa.

—¿Abandonando a esos desgraciados a su suerte? —inquirió con marcada intención el egipcio.

—Recuerda que «su suerte» es la que ellos mismos eligieron en el momento en que decidieron participar en el rally. Jamás hemos ocultado que existen serios peligros cuando se viaja por lugares salvajes: desde que te pique un alacrán, a que te hundas en la arena, pasando por que te ahogues en un río o te secuestren unos bandidos. Nunca engañamos a nadie, y en el fondo eso es lo que les excita.

—Siempre serás un cínico… —sentenció sin la menor acritud Yves Clos—. Y sin duda el más descarado que he conocido, más aún que yo.

—Si no lo fuera, hace tiempo que no estaría sentado detrás de esta mesa —admitió con naturalidad el jefe de seguridad—. Y ten en cuenta que la línea que separa el cinismo de la hipocresía es bastante más delgada de lo que la gente quiere admitir.

—Eso es muy cierto.

—Yo sería un hipócrita si confesara que me preocupa el futuro de seis mentecatos a los que creo que no he visto nunca, cuando está en juego el futuro de una organización que he ayudado a convertir en lo que es, y que forma una parte muy importante de mi vida. Eso, sin tener en cuenta que el hecho de atrapar a Milosevic con el fin de entregárselo a quien pretende cortarle una mano es algo que se sale de mis atribuciones y probablemente me llevaría a la cárcel... —Partió en dos el lápiz con un gesto brusco—. ¡Seamos prácticos! —concluyó—. Por lo que a mí respecta el tema del secuestro es algo que debe quedar en manos de las autoridades locales.

—¿Autoridades locales? —se escandalizó Amed Habaja—. ¿De qué diablos hablas? Sabes muy bien que las «autoridades locales» no son más que una pandilla de estúpidos desvergonzados.

—¿Y yo qué culpa tengo? —protestó el otro—. Les pagamos para que nos protejan, y si no son capaces de defendernos no puedo hacer nada.

—Deja al menos que Nené Dupré se ocupe del tema... —aventuró el francés—. Es un tipo decente, y al parecer ha establecido una cierta relación con ese tal Gacel.

El hombretón meditó unos instantes, lanzó a una papelera los restos del lápiz y acabó por asentir con la cabeza:

—¡De acuerdo! Lo dejaré en sus manos y puede gastar hasta un millón de francos a condición de que los demás os concentréis en buscar la forma de salir de este otro embrollo... ¡Así que a trabajar! —Se volvió a Amed Habaja para inquirir—: ¿Hasta dónde calculas que llega el territorio que está bajo la influencia de esos malditos tuaregs?

—Por lo menos hasta la frontera con Libia.

—¡No fastidies!

—Nada más lejos de mi ánimo que fastidiar.

El gigantesco jefe de seguridad se puso en pie y se aproximó al manoseado mapa que colgaba de la pared y lo estudió con detenimiento:

—Eso quiere decir que tendremos que suspender todas las etapas que atraviesan Níger.

—Me temo que sí.

—¡Mierda! ¡Mierda, mierda, mierda…!

—Tal vez podríamos hacerlas todos juntos y protegidos por el ejército… —aventuró Yves Clos.

—¿Tienes idea de cuánto tiempo nos llevaría? —fue la agria respuesta—. Tendríamos que avanzar a paso de tortuga y con una nueva logística para la que no estamos preparados. Llegaríamos a El Cairo con una semana de retraso.

—Y lo único que importa es llegar a El Cairo en la fecha prevista, ¿no es cierto?

—Tú lo has dicho. En la fecha prevista. Ni un día antes, ni un día después. Y a ser posible a primera hora de la tarde para que los telediarios de la noche nos dediquen el mayor espacio posible…

—Llegará un momento en que la gente importante procurará morirse en los momentos de máxima audiencia… —masculló el rubio mordisqueando con furia la boquilla de su cachimba—. Nos estamos convirtiendo en esclavos de un maldito «índice de audiencia» que marca hasta el momento en que tenemos que ir a cagar.

—¿Cuál es la diferencia de precio entre un anuncio emitido a esa hora y otro a media mañana? —quiso saber Fawcett.

—Diez a uno por término medio.

—Pues sin esa publicidad no somos nada, porque en el fondo, ¿a quién coño le importa que un fulano del que nunca ha oído hablar gane una etapa automovilística que acaba en un rincón de África del que tampoco ha oído hablar?

—A nadie.

—Tú lo has dicho: a nadie. Pero tu departamento es el encargado de crear esa «inútil necesidad» procurando que nuestras imágenes se emitan cuando un montón de gente aburrida se encuentra sentada frente al televisor, porque ésos serán los que compren los productos que nuestros clientes anuncian. —El gigantón hizo una

pausa para añadir—: Y mi departamento es el encargado de que los horarios se cumplan a rajatabla… ¡O sea
que manos a la obra!

En el mismo momento en que sus dos colaborado-
res hubieron abandonado la amplia estancia, Alex Fawcett lanzó una última ojeada al mapa, extrajo del bolsillo un minúsculo teléfono, marcó un número, y cuando
le respondieron al otro lado, ordenó secamente:

—¡Ven a mi despacho!

Minutos más tarde un hombrecillo de apariencia
anodina, que no vestía más que unos pantalones cortos
y una sudada camiseta con una foto de «Madonna» salpicada de lamparones, hizo su entrada en la blanca carpa para tomar asiento al otro lado de la amplia mesa re-
pleta de papeles.

—¿Cuál es el problema? —quiso saber.

Escuchó impasible la detallada relación que el inglés
le hizo de los últimos acontecimientos para limitarse a
inquirir:

—¿Y qué tengo que hacer?

—En primer lugar, ocuparte de los rehenes. Ese
asunto tiene que estar resuelto, de un modo u otro, esta
misma semana.

—¿«De un modo u otro»? —repitió su interlocutor
remarcando mucho las palabras.

—Eso he dicho.

—¿Sin que importe el número de bajas?

—Me tienen sin cuidado el número de bajas…
—admitió el inglés sin cambiar para nada el tono de
voz—. En los tiempos que corren, los muertos, sean los
que sean, se olvidan pronto y acaban por convertirse en
mera estadística. Pero lo que nadie olvidará fácilmente es
el aberrante hecho de que seis inocentes europeos perma-
nezcan secuestrados por unos beduinos en el corazón del
desierto. —Chasqueó la lengua queriendo expresar con
ello la magnitud de su fastidio al señalar—: Siempre exis-

tirá una madre, una novia, una hermana o una asociación de amigos y vecinos dispuesta a dar la paliza exigiendo a sus respectivos gobiernos que los liberen de inmediato. Y los medios de comunicación suelen ser muy sensibles a ese tipo de temas puesto que el sufrimiento ajeno acostumbra a dar mucho juego.

—Es lógico que la familia se preocupe por ellos —admitió el recién llegado—. Mientras hay vida, hay esperanza.

—Pero no me interesan ese tipo de «esperanzas» que se prolongan mucho tiempo después de que nos hayamos ido, y provocan que algún periodista que no tenga otra cosa que hacer se dedique a cuestionar nuestros métodos. Quiero a esos seis de vuelta a casa cuanto antes; y a ser posible por su propio pie.

Bruno Serafian, más conocido por *el Mecánico*, aunque nadie en la organización había tenido nunca muy claro qué era lo que en realidad reparaba puesto que jamás se le había visto debajo de un vehículo, se rascó durante largo tiempo la entrepierna como si estuviera aguardando a que de tan sorprendente lugar le llegara alguna idea, y por último masculló casi sin mover los labios:

—¡No hay problema! ¿Cuál es la segunda parte?

—El «Consejo de Ancianos». Pero ése es un tema del que quiero que te ocupes dentro de unos meses, cuando las cosas se hayan tranquilizado y nadie lo relacione con nosotros. —El jefe de seguridad señaló con la cabeza el mapa cuajado de banderas al puntualizar—: Como comprenderás, si el año que viene los tuaregs continúan en su idea de boicotear la carrera, me veo disputándola en Namibia, lo cual no me hace puñetera la gracia…

—¡Entiendo!

—Pero entiende también que en ese asunto tienes que ser muy discreto. No conviene que el «Consejo de Ancianos» desaparezca como por arte de magia, sino que algunos de sus más significativos miembros sean sustituidos por otros que no tengan la menor intención de jodernos.

—¡Evidente!

—¿Evidente también que «la organización» no tiene nada que ver en esto?

—¡Por supuesto!

—Daré órdenes para que hoy mismo transfieran a tu banco un millón de dólares. Cuando necesites más no tienes más que pedirlo, pero resulta inútil que te advierta que esta conversación nunca ha tenido lugar.

—Me conoces hace ya demasiados años como para que necesites recordármelo. ¿Me puedo fiar del piloto del helicóptero?

—¡Decididamente no!

—No puedo hablar del tema.

—¿No puedes, o no quieres?

—Las dos cosas.

—¿Por qué?

—Me lo advirtieron claramente.

—¿Quién?

—Tampoco pienso decírtelo.

—¿Fawcett?

—¡Deja de presionarme!

—Es mi obligación, y te he hecho demasiados favores para que ahora te niegues a proporcionarme una información que sospecho que puede convertirse en un auténtico notición. La prueba se ha interrumpido nadie sabe exactamente por qué, y la nariz me dice que tú tienes algunas respuestas. ¿Qué pasó aquel día? ¿Por qué regresaste y qué se discutió en la reunión que mantuviste con los miembros de la organización…?

—¡Escúchame con atención, Hans…! —replicó en tono impaciente Gunther Meyer en el tono de quien quiere dar por concluida una conversación que a nada conduce—. Yo soy un corredor profesional que trabaja para un equipo oficial que subvenciona con grandes sumas a la organización. Si mi patrocinador me ordena que guarde silencio sobre algo, debo guardarlo, porque de lo contrario es muy posible que me quede sin trabajo. Y vivo de esto.

Hans Scholt tardó en responder, como si se tomara todo el tiempo del mundo para meditar sobre lo que acababa de oír y lo que pensaba replicar, y por último su tono de voz cobró un deje levemente amenazador al señalar:

—¡Ahora escúchame tú, Gunther! Ese mismo día, y en esa misma ruta, desaparecieron tres coches de los que no se ha vuelto a saber nada. Cada vez que pregunto me responden con evasivas, y ahora, de improviso, el rally se detiene alegando no se sabe qué extrañas amenazas terroristas. Puede que yo no sea el mejor periodista del mundo, pero no soy estúpido, y por lo tanto barrunto que existe alguna relación entre ambos casos. Siempre te he ayudado, pero si en este caso no me echas una mano, te garantizo que iré a por ti, y si por alguna extraña razón los que iban en esos coches sufren algún daño, te acusaré públicamente de complicidad en un hecho delictivo.

—¡No intentes joderme, Hans!

—Pues no intentes joderme tú, cuéntame lo que sepas, y te garantizo que tu nombre no aparecerá. Nadie me puede obligar a revelar mis fuentes de información y lo sabes. Dame una pista y yo la seguiré sin que tengas que verte involucrado.

El austriaco Gunther Meyer lanzó un hondo suspiro que sonaba a lamento, se metió el dedo índice en la oreja ahondando en ella como si estuviera intentando que le destupiera el cerebro, dejó escapar un malsonante reniego, y por último señaló casi mordiendo las palabras:

—¡Es lo más absurdo que me ha ocurrido nunca!

Cuando quince minutos más tarde dio por concluido el pormenorizado relato de cómo había sido capturado por una familia de tuaregs en un perdido pozo del desierto, y de cómo le habían dejado en libertad a condición de que fuera a poner sobreaviso a los organizadores de la prueba, su interlocutor dejó escapar un largo silbido de admiración:

—¡La madre que me parió! —exclamó—. ¡Eso es una auténtica bomba!

—Que nos puede estallar en las manos...

—No, si la manejamos con cuidado, porque tú quedarás al margen y a mí no me preocupan las represalias que puedan tomar, puesto que ya había decidido que éste sería mi último rally africano. Demasiado polvo y demasiado jaleo para mi gusto... ¿Tienes una idea de quién es Marc Milosevic?

El otro negó con un gesto.

—Me han prohibido que me acerque a él, y por lo que he podido advertir lo vigilaban de cerca, aunque creo que no le han dicho nada para evitar que se largue. Al parecer prefieren tenerle controlado.

—¿Supones que tienen intención de hacer un intercambio? —se sorprendió el periodista.

—No, pero imagino que les conviene tener a mano a alguien a quien echar las culpas de lo que pueda ocurrir en caso de que esos tuaregs decidan cargarse a los rehenes.

—¿Realmente crees que los matarán?

—Parecían hablar en serio, y con gente tan fanática de su religión, sus leyes y sus costumbres nunca se sabe...

—Lo que no entiendo es qué tiene esto que ver con la interrupción de la prueba... —puntualizó Hans Scholt mordiéndose pensativo el labio inferior—. ¿Existe alguna relación?

—¿Y a mí qué me preguntas? —se lamentó su interlocutor—. Tan sólo soy un mecánico que aprendió a correr, y hasta ahora no había visto a los beduinos más que de refilón, cuando pasaba junto a sus campamentos a cien por hora… —Agitó la cabeza de un lado a otro como si con ello quisiera dejar bien claro que nada de aquello tenía que ver con él—. Termino el día agotado, reviso la moto, ceno poco y mal, duermo inquieto, me levanto con el alba, y vuelve a trepar a la máquina confiando en no romperme la crisma. Si llego a El Cairo entre los cinco primeros, me pagarán por seguir corriendo, pero en caso contrario tendré que volver a currar al taller. —Lanzó un bufido—. El resto me tiene sin cuidado y lo único que te suplico es que no me compliques en todo esto.

—No te complicaré. Tienes mi palabra.

Hans Scholt aún rumiaba la mejor forma de abordar al jefe de relaciones públicas de la organización con el fin de sonsacarle alguna información adicional sin necesidad de mencionar su charla con Gunther Meyer, cuando por todo el campamento se corrió la voz de que se había encontrado una solución al grave problema que significaba la amenaza terrorista:

—¡Parte del viaje se hará en avión!

Más de uno no pudo evitar su desconcierto y casi su estupefacción:

—¿En avión?

—¡Exactamente!

—¿Realmente existe la posibilidad de transportar ciento cuarenta motos, ciento treinta coches, sesenta camiones, ocho helicópteros y mil cuatrocientas personas en avión…?

—Eso han dicho.

—¿Y hasta dónde?

—Hasta la frontera con Libia, donde al parecer no alcanza ya el poder de los grupos terroristas.

—¡Están locos!

—Siempre lo han estado.

—¿Y cuánto va a costar?

—Menos de la mitad de lo que reportará en publicidad extra en todos los medios de comunicación del mundo una operación aérea de tan tremendas características.

En un principio la respuesta dejó un tanto desconcertado a Hans Scholt, pero en el momento de escribir su crónica advirtió que resultaba doblemente larga que las transmitidas cualquiera de los días anteriores, así como muchísimo más interesante desde el punto de vista periodístico.

Eso significaba, en buena lógica, que los diarios le dedicarían de igual modo mucho más espacio y un gran despliegue fotográfico, probablemente con titular en la primera página, y lo mismo harían la mayoría de los periódicos, estaciones de radio y televisiones del mundo.

Si la base económica de una prueba deportiva de semejantes características se centraba casi exclusivamente en la amplitud de la cobertura informativa que consiguiera alcanzar, no cabía duda de que a partir de aquel momento el rally africano se convertía, gracias a unos supuestos terroristas, en una sensacional noticia de cabecera.

Un despliegue informativo semejante tan sólo lo conseguía el estallido de una guerra o el asesinato de un líder político de primera magnitud, lo cual significaba que por muchos millones que costase el alquiler de los aviones, lo que los organizadores iban a obtener a cambio les compensaba con creces, puesto que nadie sería capaz de precisar el incalculable valor de los espacios que se les iba a conceder en los próximos días.

El padre de la idea de contratar los gigantescos Antonov 124 que se encargarían del traslado, Yves Clos, no podía evitar sentirse francamente eufórico por su espectacular hallazgo, aunque al propio tiempo se sentía en cierto modo culpable al reconocer que el despliegue táctico en hombres y medios previsto superaría en mucho a cuanto solía hacerse cuando se trataba de remediar los catastróficos efectos de un huracán centroamericano, un terremoto en Turquía, o las terribles hambrunas africanas que se llevaban por delante miles de vidas.

Con los veinte vuelos programados para cada uno de los tres aviones capaces de transportar más de cien mil kilos de alimentos, la mitad de los desgraciados que habían muerto de hambre últimamente en Somalia, Etiopía y Sudán aún seguirían con vida, pero resultaba evidente que aquéllas eran misiones humanitarias que no interesaban en absoluto a las firmas comerciales que patrocinaban tan «trascendental acontecimiento deportivo».

—El mundo es así… —reconoció esa misma noche ante el desconcertado Nené Dupré que se había convertido en su mejor confidente—. Admito que lo que estamos a punto de hacer es un descarado despliegue de riqueza y poderío en el corazón mismo de un paupérrimo continente que ni siquiera consigue sobrevivir con lo más imprescindible, pero yo no soy quién para cambiar las reglas del juego.

—Y según tú, ¿quién debería cambiarlas?

—Los políticos.

—¿Los mismos que se fotografían contigo en el momento en que empieza la prueba, o los mismos que se fotografían con los ganadores a la hora de entregar los trofeos?

—Los mismos que se sienten muy orgullosos a la hora de promulgar leyes que prohíben la publicidad de tabaco y licores, pero miran hacia otro lado cuando uno de nuestros coches aparece en pantalla.

—¿Los hipócritas?

—Llámalos como quieras, pero recuerda el dicho: «Hecha la ley, hecha la trampa…» Nosotros nos aprovechamos de un vacío en las leyes, y por lo tanto nadie puede culparnos. El día que en cada saco de arroz que se envíe al Tercer Mundo se permita colocar el logotipo de una marca de cigarrillos, el número de muertos por hambre disminuirá al tiempo que aumentará el de víctimas del cáncer. De momento esa publicidad está prohibida, pero no lo está que se coloque en nuestros vehículos. —Se encogió de hombros como dando por concluido el tema, para añadir—: Y ahora dime: ¿cómo van tus relaciones con nuestro buen amigo Gacel?

—¿Y cómo quieres que vayan? —se sorprendió el piloto—. Igual. Ese tuareg no es de los que cambian de idea, y si no le llevamos a Milosevic cumplirá su palabra y se cargará a esos desgraciados.

—Pues de ti depende que no lo haga.

El tono de voz de su amigo, más que sus propias palabras, consiguieron que Nené Dupré se alarmara, por lo que inquirió atemorizado:

—¿Qué pretendes decir?

—Que Fawcett ha decidido que seas tú quien se ocupe del asunto. Si consigues salvarlos, bien. Si no lo consigues, peor para ellos.

—¡No me jodas!

—Últimamente todos creemos que los demás están intentando jodernos, pero te garantizo que no es así. Las cosas vienen como vienen, y en estos momentos «la prioridad» se concreta en el traslado en avión hasta la frontera libia, desde donde tendremos el tiempo justo para llegar a El Cairo en la fecha prevista. Los temas secundarios quedan en otras manos. En este caso las tuyas.

—¿Consideras esas vidas humanas «un tema secundario»?

—Como asegura Fawcett, en toda guerra hay muertos.

—Pero es que no se trata de una guerra.

—¡Desde luego que no! Pero existen centenares de pequeñas guerras a las que no se dedica ni la décima parte de la cobertura informativa de la que nos dedican a nosotros, y hoy por hoy las cosas son tanto más importantes cuanto más se hable de ellas. Te lo dice un experto en relaciones públicas.

—¡Pues yo me cago en «las relaciones públicas»!

—Querido mío, «las relaciones públicas» suelen ser una montaña de mierda tan grande, que la que tú puedas aportar ni siquiera la hará aumentar un milímetro.

—Me niego a tomar parte en esto.

—Pues lo siento por esos infelices, ya que eres su única esperanza de salvación, y si renuncias los van a convertir en paté de oca. —Yves Clos extendió la mano para colocarla con afecto sobre el antebrazo del piloto al añadir—: No te estamos pidiendo milagros; tan sólo pedimos que hagas lo que esté en tu mano, y personalmente creo que eres el más capacitado para intentarlo.

—¡Pero es que no tengo la más mínima experiencia como mediador! —protestó el otro—. Lo único que sé hacer es manejar un helicóptero.

—La experiencia no siempre es buena, querido amigo —fue la tranquila respuesta—. La experiencia es algo que va llenando tu equipaje a medida que avanzas por la vida, y que resulta de gran utilidad cuando te enfrentas a problemas conocidos. —El rubio sonrió casi con ironía—. Pero cuando, como en este caso, se trata de enfrentarse a situaciones que nada tienen que ver con lo vivido anteriormente, la experiencia estorba tanto como un par de pesadas maletas cuando tienes que abrirte paso por la selva virgen. En tales circunstancias, lo mejor es actuar según tu propio instinto, olvidándote de cuanto te hayan enseñado.

—¡Hermoso consejo!

—Y gratuito. Actúa libremente y sin prejuicios. Mira las cosas desde un ángulo distinto, nada a contracorriente, y si fracasas no te preocupes, puesto que a mi modo de ver ésa es una batalla perdida de antemano.

—¿Cómo puedes hablar con tanta frialdad? —quiso saber Nené Dupré al que se le advertía francamente dolido.

—Sacando lo peor que tengo dentro, y construyéndome con ello una coraza… —replicó su amigo en tono de profunda fatiga—. Al fin y al cabo, ¿qué significan actualmente esas vidas? Hace un rato, cuando terminé de hacer números sobre el costo de esta maldita operación aérea caí en la cuenta de un detalle muy curioso: en apenas tres días vamos a transportar casi ocho millones de kilos de carga útil a dos mil kilómetros de distancia. ¿Qué te parece…? Ocho millones de kilos de alimentos proporcionarían comida a doscientos mil niños famélicos durante tres meses, pero en lugar de salvar niños, empleamos nuestro ingenio, nuestra capacidad organizativa y millones de francos en procurar que unos cuantos estúpidos vayan a matarse a Libia en lugar de permitir que los maten en Níger. —Hizo un leve gesto de despedida con la mano mientras se alejaba y añadió—: Medita sobre ello y no me toques los huevos con la suerte que puedan correr esos cretinos… —No obstante, cuando ya se encontraba a unos metros de distancia se volvió alzando la mano—. ¡Me olvidaba! —exclamó—. Puedes emplear hasta un millón de francos en conseguir su libertad.

—¿Un millón de francos…? —se escandalizó el otro—. ¿En tan poco valoran a esos desgraciados?

—Es más de lo que paga el seguro, querido. ¡Mucho más!

El piloto quedó tan confundido como si uno de los patines de su propio helicóptero le hubiese aplastado un pie, y acabó por ir a tomar asiento a su lugar predilecto, el estribo del aparato, desde donde contempló las idas y venidas de corredores, mecánicos y personal auxiliar, que se afanaban en prepararlo todo ante el anuncio de la llegada del primer avión, prevista para el amanecer.

A partir de ese instante todo se convertiría en un

alocado trasiego de hombres y máquinas, por lo que Nené Dupré no necesitó mucho tiempo para llegar a la conclusión de que efectivamente se estaba quedando solo frente a un problema que no sabía cómo encarar.

Intentó hacerse una idea acerca de los amargos pensamientos que cruzarían por las mentes de los infelices cautivos si llegasen a tener conocimiento de que —contra lo que probablemente imaginaban— el mundo no estaba pendiente de su liberación, sino que su destino dependía de las decisiones de alguien cuya mente parecía haberse quedado completamente en blanco.

La responsabilidad que de improviso habían descargado sobre sus hombros le agobiaba hasta el punto de impedirle pensar, puesto que en lo más íntimo de su ser estaba convencido de que por mucho que lo intentara no se le ocurriría nada merecedor de ser tenido en cuenta.

—De un lado un tuareg intransigente… —musitó para sus adentros—. Del otro, unos hijos de puta que se desentienden del asunto… Y en el centro, yo. ¡Menuda papeleta!

Y tal como el mismísimo Yves Clos acababa de advertirle, ningún tipo de experiencia le serviría de nada en semejantes circunstancias, puesto que resultaba evidente que aquélla era un novedosa situación a la que ni el más avezado de los pilotos de helicóptero se había enfrentado anteriormente.

A su modo de ver, Yves Clos había cambiado mucho durante los últimos días.

Después de casi veinte años de colaborar entusiásticamente en las más difíciles circunstancias, compartiendo buenos y malos momentos e incluso alguna que otra mujer, por primera vez advertía desganado y escéptico a su compañero de fatigas, como si de pronto el vaso de su reconocida paciencia hubiera rebosado, y empezara a tenerle sin cuidado cuanto pudiera ocurrir de allí en adelante con la carrera y con cuantos tomaban parte en ella.

Y es que tenía mucha razón en sus lamentaciones.

Nené Dupré recordaba con notable nitidez, puesto que se trataba de su propio trabajo, las terribles escenas en las que un pequeño grupo de tripulantes de viejos helicópteros se esforzaban desesperadamente por salvar a cientos de miles de personas que habían quedado atrapadas por las aguas durante las terribles inundaciones que habían convertido la mayor parte de Mozambique en un auténtico mar, y aún guardaba en la retina las escenas de niños y mujeres cayendo al agua como fruta madura tras pasar días enteros refugiados en la copa de un árbol.

Durante casi dos semanas seis únicos helicópteros alquilados a compañías privadas de la vecina Sudáfrica al escandaloso precio de tres mil dólares por hora de vuelo habían intentado salvar el mayor número posible de vidas e incluso las Hermanas de la Caridad se habían visto obligadas a abonar veinticinco mil dólares, con el fin de que sus pilotos accediesen a rescatar a los enfermos de sus hospitales.

Seis helicópteros a tres mil dólares la hora de vuelo cuando los organizadores del rally contaban con el mismo número de aparatos, pero mucho más modernos y eficaces, con el casi exclusivo fin de buscar vehículos perdidos o ponerlos al servicio de la prensa durante todo el tiempo que les apeteciese.

Más tarde, mucho más tarde, cuando ya las víctimas de Mozambique se contaban por miles, las autoridades de diferentes países del mundo habían comenzado a reaccionar enviando una ayuda que tardó diez días en llegar pese a que resultaba evidente que aquellos mismos Antonov 124 podrían haber transportado medio centenar de nuevos helicópteros en menos de cuarenta y ocho horas desde el mismísimo corazón de Europa al centro de la catástrofe.

El problema que Yves Clos había resuelto en un

abrir y cerrar de ojos con un poco de talento y unas cuantas llamadas telefónicas había costado la vida a miles de infelices porque nadie puso en salvarlas idéntico empeño que el francés había puesto en salvar el prestigio de una simple prueba deportiva.

Nené Dupré entendía por tanto que para su amigo aquel increíble éxito de organización no constituyera en absoluto un motivo de orgullo, sino más bien de profunda reflexión y casi de amargura.

Yves Clos parecía haber caído de improviso en la cuenta de que había malgastado los mejores años de su vida en un empeño sin sentido, inmerso hasta el cuello en un mundo que trastocaba todos los valores, y donde lo superfluo pasaba a convertirse en esencial, mientras que lo esencial quedaba siempre en un segundo plano.

Así era la vida, en efecto, y así era aceptada por la mayoría de la gente, pero no resultaba extraño que cuando alguien de la sensibilidad del francés descubría una mañana, que se había convertido en actor protagonista de tan despreciable forma de entenderla, acabara por sumirse en una profunda depresión.

Yves Clos debió contemplar en la televisión las mismas escenas que contempló Nené Dupré y no hizo nada. La necesidad de salvar aquellas vidas no aguzó su ingenio ni le impulsó a mover a sus incontables amistades con el fin de organizar un «puente aéreo» idéntico al que ahora estaba organizando, y cuando a solas en su cama meditara sobre la magnitud de su desidia los fantasmas de muchos de aquellos desgraciados acudirían a preguntarle por qué razón no se había preocupado por ellos, del mismo modo que se había preocupado por un puñado de estúpidos motoristas.

—No me gustaría estar en su pellejo… —musitó antes de apoyar la cabeza en el asiento de cuero y quedarse traspuesto—. Pero tampoco me gusta estar en el mío…

Cuando el sol giró lo suficiente como para darle de lleno en el rostro obligándole a sudar a chorros, abrió los ojos, lanzó un gruñido, y extendió la mano tanteando hasta conseguir abrir la tapa de la pequeña nevera y extraer una cerveza.

—¿Me invitas?

Abrió los ojos, parpadeó bajo la intensa luz, y por último clavó la vista en el desconocido que se encontraba sentado en una ridícula silla de tijera, protegiéndose del sol con una aún más ridícula sombrilla multicolor.

Le alargó su lata, buscó otra y tras echar un largo y reconfortante trago inquirió:

—¿Quién eres y qué haces aquí? Recuerdas a uno de esos absurdos personajes de Fellini.

—Me llamo Hans Scholt, trabajo para una agencia de noticias alemana y me gustaría hacerte un par de preguntas.

El piloto se irguió, se adentró un poco más en su aparato buscando la sombra, y por último clavó la vista en su interlocutor.

—¿Qué clase de preguntas? —quiso saber un tanto inquieto.

El otro mostró una serie de papeles que llevaba en la mano al replicar:

—En primer lugar, ¿por qué razón tu helicóptero y tu camión de apoyo son los únicos que no figuran en las listas de embarque?

—¿Seguro que no figuran?

—Seguro. He preguntado, y me han confirmado que no vuelas a Libia porque te quedas aquí en «Misión de Recogida». ¿«Recogida» de qué?

—Supongo que de lo que se hayan olvidado... —aventuró Nené Dupré intentando no comprometerse.

—¿Y piensas llevarlo en helicóptero hasta Libia? —inquirió el otro con manifiesta ironía—. Un vuelo demasiado largo para este tipo de aparatos, ¿no te parece?

—Un poco largo sí que es, en efecto, pero lo cierto es que yo sólo hago lo que me ordenan.

El periodista sonrió levemente, hizo un repetido gesto de asentimiento con la cabeza y por último señaló:

—Y ayer te ordenaron cargar este trasto con agua, víveres, ropa y medicinas y despegar antes del alba.

—Así es.

—¿Y adónde lo llevaste, porque me consta que regresaste de vacío?

—A gente que anda tirada por ahí.

—¿Gente tirada en mitad del desierto? —fingió sorprenderse el otro que evidentemente parecía estar jugando al ratón y al gato con su interlocutor—. ¿Y no sería más lógico y más práctico traer a esos pobres infelices de regreso al campamento en lugar de permitir que se deshidraten al sol?

—Es que no querían abandonar sus vehículos.

—¿Pese a que existe una amenaza terrorista que obliga a suspender varias etapas de la carrera? —El austriaco negó una y otra vez sin perder ni por un instante su burlona sonrisa—. ¿Supongo que no me consideras tan estúpido como para aceptar que la organización pone en evidente riesgo seis vidas humanas, sin tan siquiera enviarles uno de esos mágicos «camiones-taller» que en un abrir y cerrar de ojos solucionan todos los problemas mecánicos?

—¿Y qué quieres que yo te diga?

—La verdad.

—No sé de qué verdad me hablas.

—De la verdad simple y llana… —puntualizó el otro apuntándole casi acusadoramente con el dedo índice—. Una verdad que me obliga a pensar que esos vehículos se encuentran en perfecto estado de funcionamiento, pero que quienes deben andar bastante fastidiados son sus ocupantes.

Nené Dupré se tomó un tiempo para responder, aprovechó para concluir su cerveza, tiró la lata a la vieja caja de cartón que le servía de papelera y al rato masculló de mala gana esforzándose por mantener la calma:

—Como te he dicho, yo sólo hago lo que me mandan, y ese tipo de preguntas se las tienen que plantear a Yves Clos, o mejor aún al jefe de seguridad, Álex Fawcett.

—No han querido recibirme alegando que están muy atareados con todo este lío del puente aéreo.

—Pues lo siento por ti, puesto que oficialmente ellos son los únicos autorizados a dar esa clase de respuestas.

—Pero es que yo no busco respuestas «autorizadas», sino auténticas… —argumentó en tono de infinita paciencia o comprensión el insistente Hans Scholt—. He comprobado que faltan tres coches sobre los que parece haber caído un manto de silencio, ya que ni mecánicos, ni amigos, ni familiares tienen la menor idea de dónde se encuentran. —Le apuntó una vez más con el dedo—. Y por lo visto tú eres el único que les ha llevado agua y comida sin traer ni a un solo ocupante en busca de piezas de recambio…

—Ya te he dicho que no quisieron venir.

—Perdona el atrevimiento, pero tengo la impresión de que me ocultas algo… —El austriaco chasqueó la lengua al tiempo que ladeaba la cabeza como si con ello pretendiera dejar claro que se trataba de un asunto en verdad espinoso—. Y por si fuera poco, ahora te dejan «en retaguardia»… ¿Por qué? ¿Qué misterio se esconde tras todo esto?

Nené Dupré hacía tiempo que se había dado cuenta del tipo de juego que su interlocutor se traía entre manos, pareció cansarse de tanto rodeo y decidió por tanto ir directamente al grano.

—¡Dejémonos de bobadas! —admitió en tono desabrido—. Si me cuentas lo que sabes te contaré lo que sé…

—¡De acuerdo! —admitió su oponente—. He oído rumores de que a esos seis pilotos los han raptado los tuaregs… ¿Cierto?

—Cierto.

—Y que por lo visto el rescate que piden es muy peculiar… ¿Cierto?

—Cierto.

—¿Cuál es?

—Una mano.

—¡Bien…! Empezamos a entendernos. ¿Qué pintas tú en este asunto?

—Tengo que intentar rescatarlos a cualquier precio… Menos el de pagar con esa mano, claro está.

Se diría que al austriaco le costaba dar crédito a lo que estaba oyendo puesto que hizo un gesto a su alrededor señalando el inmenso campamento con sus cientos de vehículos y más de mil personas que parecían estar siempre atareadas, para inquirir visiblemente escandalizado.

—¿Tú solo?

—Completamente solo.

—¿Y toda esa gente?

—Tienen otras cosas que hacer.

—Entiendo…

El periodista se tomó un tiempo para reflexionar, observó con atención al hombre que permanecía sentado en el interior del helicóptero, pareció estar calibrando su catadura moral, y por último inquirió:

—¿Piensas volver el año que viene?

—Creo que no —fue la respuesta que sonaba absolutamente sincera—. Creo que ocurra lo que ocurra para mí se acabaron los rallies africanos. He visto demasiadas cosas que no me gustan.

—Te voy a enseñar algo más.

Hans Scholt introdujo la mano en una cartera de

cuero que descansaba a sus pies, extrajo un grueso sobre y se lo alargó a su interlocutor.

—¡Mira esas fotos! —dijo—. Las tomé en un campamento que está a unos treinta kilómetros de aquí. Como verás son docenas de niños a los que les faltan las piernas, los brazos, e incluso en algunos casos, ambas cosas. Te garantizo que al verlos se me cayó el alma a los pies.

Nené Dupré observó con atención las impactantes fotografías y no pudo por menos que arrugar el ceño horrorizado.

—¡No me extraña! —reconoció—. Son terribles.

—¡Espeluznante, diría yo! —puntualizó el austriaco—. Y más espeluznante aún resulta el hecho de ir hasta allí y advertir cómo a la mutilación se añaden el hambre y el abandono. Si no fuera por un puñado de misioneros que las pasan putas para sacarlos adelante, la mayoría estarían muertos.

—¿Y qué tiene esto que ver con los tuaregs o los rehenes?

—Que tres de las marcas de automóviles que más contribuyen al presupuesto de esta «prueba deportiva» se dedican también a fabricar armas, y una de ellas está especializada en el tipo de minas que mata o mutila cada año a miles de niños, no sólo de África, sino de todo el mundo… ¿Entiendes a lo que me refiero?

—Intento hacerme una idea.

—Pues te lo aclararé más aún. En unos momentos en que a los austriacos se nos acusa de racistas, alegando que fuimos la cuna del nazismo y el primer país de la moderna Europa que ha permitido que la ultraderecha acceda al poder, existen otros países europeos, supuestamente liberales, que están dando pruebas de ser mucho más racistas que nosotros.

—Ésa es una afirmación muy dura.

—Pero que refleja la verdad. Los franceses de la libertad, igualdad y fraternidad, que tanto os enorgullecéis de un gobierno de izquierdas de lo más progresista, no deberíais permitir que muchos de vuestros conciudadanos se estén haciendo asquerosamente ricos a base de organizar eventos tan fascistas como éste.

—Admito que en eso tienes toda la razón

—Semejante despliegue de medios económicos ante los ojos de unos niños que no disponen ni de una miserable silla de ruedas con la que compensar la pérdida de sus piernas arrancadas por una mina o un obús que han fabricado esas mismas empresas no significa tan sólo una muestra de pésimo gusto, sino la prueba más evidente del desprecio que se siente por quienes han nacido más allá de nuestras fronteras.

—Nunca se me había ocurrido verlo de ese modo.

—Pues ya va siendo hora de que alguien lo vea como es en realidad. Se suele bromear asegurando que este rally es como un circo, pero a decir verdad no es un inocente circo de payasos y funambulistas, sino un auténtico «circo romano» en el que los emperadores han sido sustituidos por cámaras de la televisión, los rugientes leones por rugientes vehículos lanzados a toda velocidad, los gladiadores por pilotos que se juegan la vida compitiendo por ver quién es más irresponsable, y los «cristianos» por pobres nativos a los que de tanto en tanto aplasta un coche. El espectáculo es inhumano, pero colorido y brillante, por lo que consigue cada año una tasa de millones de telespectadores que ni siquiera se detienen a pensar en que al contemplarlo están permitiendo que salga al exterior ese pequeño fascista que todos llevamos dentro.

—Supongo que exageras... —replicó con una leve sonrisa amarga Nené Dupré—. Pero después de tantos años en la brecha debo admitir que algo hay de cierto en cuanto has dicho... —Se abanicó con la sucia y desteñida gorra de capitán de barco con que solía cubrirse cuando volaba—. Lo que empezó como romántica aventura de unos cuantos chiflados ansiosos de nuevas emociones se ha ido convirtiendo con el paso del tiempo en un turbio negocio que cada día exige más y más sin que nadie sea capaz de predecir cuál es su límite…

Con la primera claridad del alba Gacel y Suleiman reunieron los camellos para conducirlos hasta el punto en que había aterrizado el helicóptero con el fin de transportar el agua y los víveres hasta la seguridad de la caverna.

Una vez hubieron concluido con la pesada tarea de cargar a las bestias, afianzando firmemente cada bulto conscientes de que arrear la pequeña caravana a través de las agrestes montañas les iba a proporcionar incontables problemas e incomodidades, tomaron asiento en el mismo lugar en que el tuareg lo había hecho el día anterior en compañía de Nené Dupré, y tras prepararse un reconfortante té muy caliente y comer algo, observaron durante largo rato la infinita llanura que reverberaba en el horizonte castigada por un inclemente sol que caía a plomo.

—¿Qué vas a hacer ahora? —inquirió al fin Suleiman en el tono de quien da por aceptada de antemano cualquier decisión.

—Aún lo estoy pensando... —fue la sincera respuesta.

—La solución que propone ese muchacho tal vez sea la más razonable.

—Tal vez... Pero significaría dejar que extraños resuelvan nuestros problemas.

—¿Y qué otra cosa podemos hacer?

—Comportarnos como auténticos *imohags*.

—Desde que tengo memoria nos hemos comportado como auténticos *imohags*, y mira dónde nos encontramos. En el mundo que comienza más allá de esa llanura todos dependen los unos de los otros. Quizá ha llegado el momento de aprender de ellos.

—No me gusta ese mundo —musitó apenas Gacel.

—Tampoco a mí… —admitió su hermano—. Pero resulta evidente que el que nos ha tocado vivir poco tiene que ver con el de nuestros antepasados, que vagaban pastoreando o luchando, pero libres e independientes como dueños indiscutibles del desierto. Nosotros nos vemos obligados a escondernos en un mísero rincón en el que ni siquiera nos dejan vivir en paz.

—Seguimos siendo tuaregs.

—Un tuareg obligado a huir eternamente, ni es tuareg, ni es nada. Yo hace tiempo que sueño con salir de aquí, conocer a una hermosa muchacha y fundar mi propia familia librándome de una vez por todas de la carga que significa ser hijo de quien soy.

—Puedes hacerlo cuando quieras. Únicamente yo llevo su nombre.

—Pero yo llevo su sangre… —Suleiman hizo un amplio gesto como pretendiendo abarcar la inmensidad de la llanura que se abría ante ellos—. Se avecinan tiempos difíciles —musitó—. Y aun en el improbable caso de que todo esto acabe bien, resulta evidente que ya nunca estaremos seguros en el pozo. ¿Qué haremos entonces?

—«El guerrero que se distrae pensando en lo que hará después de la batalla, perderá la batalla, y el viajero que se distrae pensando en lo que hará al final del viaje jamás llegará a su destino…» —sentenció Gacel recitando una conocida máxima saharaui—. Concentrémonos en lo que tenemos que hacer, y dejemos el futuro en manos de Alá.

Poco después emprendieron la marcha de regreso a la cueva, pero en esta ocasión se vieron obligados a dar un gran rodeo de forma que los camellos avanzaran siempre por terreno rocoso evitando las zonas de arena o tierra en las que pudieran quedar impresas sus huellas.

Los beduinos sabían por experiencia que una piedra volteada, una acacia tronchada, un matojo mordisqueado o la más pequeña muestra de excrementos bastaba a un buen rastreador para seguir una pista, y en el fondo de su alma Gacel estaba convencido de que más pronto o más tarde alguien intentaría liberar a los rehenes por la fuerza.

Mantener perfectamente oculta «La Cueva de las Gacelas» era la única baza con que contaban a la hora de enfrentarse a muy poderosos enemigos, y fue por esa razón por la que aquel viaje se convirtió en uno de los más lentos, incómodos y farragosos de que ambos hermanos tuvieran memoria.

Y es que era cosa sabida que los cascos de un caballo solían levantar esquirlas en las rocas, lo que denunciaba para siempre su paso, pero las almohadilladas pezuñas de un dromedario podían remover una piedra que de inmediato era devuelta a su posición original, pero en muy rara ocasión conseguían partirla.

No dejar rastro alguno requería poner mucha atención a cada metro, y pese a que cuando alcanzaron su objetivo se encontraban bastante satisfechos del trabajo realizado, Gacel durmió inquieto, consciente de que las bestias pastaban demasiado cerca de la entrada del refugio.

Faltaban dos horas para que la primera claridad hiciera su aparición en el horizonte cuando ya se encontraba de nuevo en pie dispuesto a iniciar el viaje de regreso, pero esta vez en compañía del joven italiano.

Tras despedirse de su madre y sus hermanos, imaginando que tal vez nunca volvería a verlos, reunió a los camellos y se puso en camino sin detenerse ni un instante hasta que un tímido rayo de sol hizo su aparición en el horizonte, momento en que se volvió para cortar las correas que mantenían a Pino Ferrara atado a la cola del último de los animales.

—De ahora en adelante no pienso vigilarte… —dijo al tiempo que señalaba con un amplio ademán de la mano la desolación del laberinto de negra roca que se extendía a su alrededor—. Pero recuerda que en mi montura llevo toda el agua de que disponemos. Si se te pasa por la cabeza la idea de escapar, te garantizo que te espera la más horrenda de las muertes.

—No soy estúpido… —fue la agria respuesta—. Conozco lo suficiente el desierto como para saber lo que me juego. Lo único que quiero es llegar cuanto antes al coche y hablar con mi padre.

—Pues confío en que te escuche porque de lo contrario te auguro un negro futuro…

Continuaron a buen ritmo hasta que el sol comenzó a caer a plomo, momento en que el tuareg buscó la sombra de un saliente de piedra bajo el que obligó a arrodillarse a las bestias, momento que aprovechó el italiano para dejarse caer en un rincón y quedarse traspuesto.

Sus costosos zapatos, pensados para conducir un vehículo y no para andar durante horas sobre afiladas rocas que cortaban como cuchillos, no eran ya más que tristes despojos, y en las tres ocasiones en que había intentando continuar el viaje a lomo de uno de los malhumorados dromedarios a punto había estado de romperse la crisma.

Y es que no resultaba empresa fácil mantener el equilibrio sobre una frágil silla beduina cuando la resabiada bestia avanzaba por un terreno tan agreste y montañoso, puesto que se balanceaba como un barquichuelo en mitad de la tormenta, y tan sólo quien hubiera pasado la mayor parte de su vida sentado en una joroba semejante sabía cómo acomodar su ritmo al de la incómoda montura.

El infeliz Pino Ferrara estaba viviendo aquellos últimos días como si se trataran de una insoportable pesadilla, hasta el punto de que a veces se negaba a aceptar que lo que estaba ocurriendo fuera algo más que un sueño.

Nunca se había considerado un cobarde, puesto que de haberlo sido ni siquiera se le hubiera pasado por la mente la idea de embarcarse en tan difícil aventura, pero el hecho de que le maniataran durante horas había significado un duro golpe del que no conseguía recuperarse.

La sensación de impotencia que se apoderó de su ánimo al descubrir de improviso que no era en absoluto dueño de sus actos, y que con las manos ligadas a la espalda no podía realizar un acto tan sencillo como el de desabrocharse la bragueta viéndose obligado a orinarse en los pantalones, parecía haberle transportado de pronto a un mundo muy diferente y en que acababa de tomar plena conciencia de su inconcebible vulnerabilidad.

A ciertas personas la claustrofobia o el vértigo les afecta hasta extremos casi irracionales colocándoles al borde mismo de la histeria, y durante aquellos días Pino Ferrara había descubierto que sentirse atado le producía una sensación semejante a la de encontrarse al borde de un precipicio.

En los escasos momentos en que recuperaba la lucidez se repetía a sí mismo que se trataba sin duda de una obsesión injustificada, pero el simple hecho de pensar en que pudieran volver a maniatarle le producía escalofríos.

Por su parte, y recostado en la negra pared de roca, con el fusil amartillado y el oído atento a cuanto pudiera ocurrir a su alrededor, Gacel Sayah observaba meditabundo a aquel jovenzuelo de delicados rasgos y blanca piel, preguntándose por qué absurda razón se encontraba en tan remoto lugar, y qué posibilidades de sobrevivir se le ofrecían si lo dejaba solo.

Pese a encontrarse dormitando a la sombra, gruesas gotas de sudor se deslizaban continuamente por todas las partes visibles de su cuerpo, lo cual denotaba que sin siquiera moverse estaba perdiendo más líquido del que perdería un beduino que marchara a buen paso y a pleno sol.

Eso venía a significar que en semejantes latitudes estuviera condenado a morir irremediablemente en muy poco tiempo.

Para conseguir avanzar a pleno día por los arenales o las montañas del Teneré, un hombre de la constitución física y los hábitos de vida del italiano se vería obligado a consumir en dos días casi tanta agua como la que podía transportar, por lo que, visto que el pozo más cercano se encontraba a cuatro jornadas de distancia, ni aun en el caso de que se dirigiera directamente a él a marchas forzadas tendría la más remota posibilidad de alcanzarlo antes de haberse deshidratado.

Cuando poco más de una hora más tarde el tuareg advirtió que su acompañante comenzaba a boquear como un pez fuera del agua en un desesperado intento por conseguir que el aire le llegase a los pulmones, le despertó con un leve gesto al tiempo que le alargaba un pequeño cazo de agua.

—¡Cálmate y bebe despacio…! —le aconsejó—. Lo peor que puedes hacer es angustiarte.

El otro obedeció, y en el momento en que hubo concluido hasta la última gota, lanzó un hondo suspiro que obligaba a pensar que acababa de escapar de los mismísimos infiernos.

—Nunca lograré comprender cómo consigue nadie sobrevivir en un lugar como éste... —musitó—. ¡Nunca!

—«Nadie» consigue nunca sobrevivir en un lugar como éste... —le hizo notar Gacel con una levísima sonrisa—. Ni siquiera los tuaregs que se supone que estamos acostumbrados. Por eso, cuando vuelvas a tu país, si es que vuelves, deberías aconsejar a tus paisanos que no continúen arriesgándose a sufrir la más terrible de las muertes por seguirles el juego a unos embaucadores que se están aprovechando de ellos, al igual que se están aprovechando de nosotros. Sin tanto estúpido como acepta ese estúpido reto, no habría carreras.

—¿Me estás llamando estúpido?

—A las pruebas me remito. ¿Acaso no resulta estúpido que a tu edad, y cuando podrías estar disfrutando del yate de tu padre y la compañía de una hermosa muchacha, la diferencia entre estar vivo y estar muerto sea este cazo de agua y mi buena voluntad?

—No todo en la vida tienen que ser yates y hermosas muchachas.

—Eso únicamente puede decirlo quien, como tú, desde siempre ha disfrutado de yates y hermosas muchachas. Pero si renuncias a ello, no por hacer el bien a los demás, sino por el simple placer de experimentar nuevas emociones, es como si renunciaras al paraíso por la morbosa curiosidad de comprobar cuánto se sufre en el infierno. Si hicieras eso, lo más probable es que Alá te castigara dejándote para siempre en el infierno... —El *imohag* hizo una corta pausa y agitando una y otra vez la cabeza pensativamente añadió—: Tal vez, si en lugar de mataros, os mantuviera una año aquí, pasando hambre, sed, calor y fatigas, justo en el límite entre la vida y la muerte, aprendierais lo que son auténticos padecimientos y estaríais en condiciones de transmitírselo a todos esos imbéciles que andan correteando por ahí.

—Yo ya he aprendido la lección.

—Me temo que no del todo. Me temo que aún te queda mucho que aprender. Y ahora es mejor que nos pongamos en marcha porque pretendo llegar al pozo antes de que amanezca.

Fueron una larga caminata y una noche interminable durante la que el italiano agradeció en el alma el hecho de que al fin abandonaran las montañas para adentrarse en el *erg*, ya que en cuanto llegaron las sombras y la arena comenzó a enfriarse pudo desprenderse de lo poco que le quedaba de unos destrozados zapatos que se habían convertido en un estorbo, para continuar descalzo aun a riesgo de pisar un alacrán.

Los últimos kilómetros los hizo casi arrastrando unos ensangrentados pies que parecían pesarle más que todo el resto del cuerpo, y cuando al fin se dejó caer en el interior de la mayor de las *jaimas* le asaltó la sensación de que se hundía definitivamente en un abismo sin fondo.

Gacel le dejó descansar mientras llenaba hasta el borde el abrevadero.

Permitió que la mayor parte de las bestias bebieran confiando en que sus estómagos fuesen capaces de asimilar el aceite sin enfermarse, ya que en caso contrario lo mismo daba que murieran de sed o envenenadas, y cuando hubieron concluido aprovechó para darse un largo y reconfortante baño por primera vez en mucho tiempo.

Cuando al fin decidió despertar al muchacho fue para indicarle el pozo con un ademán de la cabeza.

—Puedes refrescarte —dijo—. Te hará bien, pero procura no tragar agua.

—Prefiero llamar antes a mi padre.

—Como quieras.

Pino Ferrara fue hasta su vehículo, extrajo un pesado maletín y tras desplegar una especie de pequeña antena parabólica la dirigió hacia el norte al tiempo que comprobaba una serie de parámetros bajo la atenta mirada del beduino al que todo aquello se le antojaba cosa de magia.

Transcurrió más de media hora antes de que el italiano consiguiera la conexión y resultó evidente que no era todo lo correcta que hubiera deseado, pese a lo cual pudo poner a su padre al corriente de cuanto estaba sucediendo en el más desolado rincón del desierto.

Resultó evidente que al «poderoso banquero» le costaba aceptar que no se trataba de una pesada broma, sobre todo teniendo en cuenta que la comunicación se interrumpía con desesperante frecuencia.

Sentado en el brocal del pozo y escuchando aquella voz distorsionada pero perfectamente audible que al parecer llegaba desde el otro lado del planeta tras rebotar en un satélite artificial suspendido en el vacío, Gacel Sayah no podía por menos que plantearse qué era lo que le había sucedido al mundo para que en el transcurso de una sola generación las cosas hubieran cambiado de ese modo.

Aunque se negara a admitirlo resultaba evidente que en aquellos momentos sentía vergüenza por ser quien era, por vivir como vivía y por pertenecer a una raza que ni siquiera tenía la más remota idea de por qué endiablada razón funcionaban tan prodigiosos aparatos.

La inmensidad de su ignorancia le pesaba como si le hubieran cargado a la espalda al más robusto de sus camellos, puesto que en este caso particular la ignorancia no estaba reñida con la inteligencia.

Gacel Sayah no era de los que desprecian aquello que no entienden.

Tampoco de los que se dejan embaucar fascinados por todo cuanto signifique novedad.

Era más bien de los que aceptaba que existían seres que habían conseguido llegar hasta donde quizá también él hubiera llegado de haber nacido en otro ambiente y en otras circunstancias.

Cada día que pasaba se sentía más pobre, pero no pobre en bienes materiales, que eso era algo a lo que estaba acostumbrado desde siempre, sino pobre en conocimientos, lo cual se convertía en un nuevo motivo de impotencia y amargura.

—No tener es malo… —musitó para sus adentros—. Pero no saber es peor.

Cuando al fin el italiano desconectó el complejo aparato y acudió a tomar asiento a su lado, inquirió sin mirarle:

—¿Qué ha dicho tu padre?

—Que hará lo que pueda.

—¿Y eso qué significa?

—Que tendrás lo que quieres, aunque tal vez se necesite algo más de tiempo.

—No puedo concederte más tiempo.

—¿Y por qué no? —quiso saber su interlocutor—. Precisamente aquí es donde menos importa el tiempo. ¿Qué más da un día, una semana, o un mes…? Estoy seguro de que ni siquiera sabes en qué año vivimos.

—Dije una semana, y ya han pasado tres días.

—¿Y acaso te parece más importante respetar una fecha que unas vidas? —se enfureció el otro—. Matando inocentes no conseguirás que tus leyes se cumplan. Teniendo un poco de esa paciencia de la que tanto presumen los de tu raza, sí.

—En eso puede que tengas razón.

—¡Naturalmente que la tengo! —masculló el otro—. Si te precipitas, ese hijo de la gran puta nunca pagará por lo que ha hecho y tú tendrás nuestras muertes sobre tu conciencia, pero si sabes esperar, podrás arrojar su mano a las hienas.

—¿Realmente crees que eso es lo que quiero hacer? —inquirió el tuareg con marcada intención—. ¿Alimentar a las hienas?

—No lo sé… —fue la sincera respuesta del muchacho—. Ignoro qué es lo que se acostumbra a hacer cuando se le corta una mano a alguien, pero ya puestos no me parece mala idea. Alguien que ha visto cómo las hienas se comen parte de su cuerpo se lo pensará mucho antes de repetir una canallada semejante.

—Cuando el mal se lleva dentro nadie escarmienta cualquiera que sea el castigo que se le imponga. Y ese hombre lo lleva.

—¿Cómo lo sabes?

—Se nota en su forma de hablar y de moverse. Se muestra agresivo porque probablemente tiene la sensación de que van a ser agresivos con él, y ése es un claro síntoma de que se siente culpable. Quien tiene la conciencia tranquila no suele atacar antes de que le ataquen.

—¿Filosofía del desierto? —inquirió el italiano en un leve tono irónico.

—¿Te sorprende? —fue la respuesta—. Puede que mi pueblo carezca de medios para crear sofisticados instrumentos, pero eso no significa que sea estúpido ya que con frecuencia dedica el mucho tiempo de que dispone a estudiar el comportamiento humano. Los europeos sabéis mucho de máquinas, pero poco de hombres.

—Eso es muy cierto —se vio obligado a reconocer Pino Ferrara—. Desde que yo recuerde me han enseñado a manejar calculadoras, ordenadores, bicicletas, motos, coches e incluso barcos, pero aún no sé cómo tratar a las personas y me sigue sorprendiendo el comportamiento de la mayoría de los seres humanos. Ni siquiera entiendo a mi propio padre que tiene más dinero del que podría gastar en mil vidas que viviera, pero continúa arriesgándose a acabar en la cárcel, con tal de añadir unos cuantos ceros a sus cuentas bancarias.

—«El jinete que intenta montar dos camellos acaba rodando por el suelo», dice el proverbio.

—Pues mi padre salta de uno a otro como un poseso, pero el día que se caiga quien sufrirá todo el daño seremos mi madre y yo, a los que nunca nos ha importado el dinero. En estos días no he parado de preguntarme de qué le servirá al viejo su inmensa fortuna si su único hijo no regresa a casa.

—Pues a lo que parece, de él depende que regreses o no.

—Lo sé, aunque cuesta aceptar que seas capaz de matar a quienes nada te han hecho, pero como acabo de decir, nunca he sabido calibrar a las personas... —Se puso en pie con intención de encaminarse a la *jaima* al tiempo que añadía—: Y ahora, si no te importa, intentaré dormir un rato...

El tuareg hizo un gesto hacia el abrevadero.

—El baño te sentaría bien —dijo.

—Si ahora me meto ahí, me ahogo —fue la convencida respuesta.

Se alejó pisando con mucho cuidado puesto que tenía las plantas de los pies casi en carne viva y a aquellas horas la arena abrasaba, y en cuanto se puso a la sombra se derrumbó como si acabara de alcanzarle un rayo.

El *imohag* lo estuvo observando largo rato con gesto preocupado, consciente de que las abiertas llagas corrían grave riesgo de infectarse, lo cual en semejante lugar y circunstancias significaba una sentencia de muerte segura.

Se arrepintió de haberle traído de regreso al campamento.

Resultaba evidente que un europeo no estaba en condiciones de soportar un viaje de ida y vuelta a las montañas en tan corto período de tiempo, y lo que era aún peor, había cometido el error de intimar con él, permitiendo que le hablara de sí mismo y su familia, cuando como guerrero había aprendido que a los cautivos se les debía tratar como extraños, para que ningún sentimiento aflorase en el momento de decidir sobre su destino.

Ya nunca podría considerar a Pino Ferrara un enemigo, ni tan siquiera un simple rehén bueno tan sólo para obtener algo a cambio a base de negociar con su vida, puesto que si al fin se veía obligado a tener que dejarle abandonado en mitad del desierto, el timbre de su voz y sus palabras le resonarían eternamente en los oídos.

«Cuando te enfrentes a un hombre *takuba* en mano, no debes mirarle a los ojos más que para intentar averiguar por dónde va a lanzar su próximo golpe —le había enseñado su padre—. De otra forma dudarás un instante a la hora de cortarle la cabeza, y en ese caso lo más probable es que él te la corte a ti. La compasión es una virtud en los reyes y un defecto en los soldados, puesto que en el fragor de la batalla la compasión es sinónimo de debilidad, y quien se muestra débil, aunque tan sólo sea el tiempo que dura un parpadeo, acaba muerto.»

La compasión y el perdón eran sentimientos que tan sólo cabía experimentar en tiempos de paz, y Gacel Sayah sabía muy bien que se encontraba inmerso en una difícil guerra en la que ya de por sí tenía todas las de perder.

Si flaqueaba y no era capaz de mantenerse firme en sus decisiones por injustas que a él mismo pudieran parecerle, sus remotas posibilidades de conseguir la victoria acabarían por diluirse como la sal en el agua.

Al rato su vista fue a detenerse sobre los tres vehículos que inmóviles, silenciosos y cubiertos de polvo semejaban seres antediluvianos aparcados en un parque infantil, absurdos e incongruentes tan lejos de las calles y las ciudades para los que habían sido creados, y una vez más le desconcertó la osadía de quienes desafiaban al inclemente desierto confiados a los caprichos de una máquina.

Se aproximó para estudiarlas más de cerca e incluso penetró en una de ellas pero casi de inmediato se vio obligado a abandonarla puesto que ni él mismo, acostumbrado desde niño a las temperaturas más extremas, se sintió capaz de soportar el calor que se había acumulado en su interior.

Le intimidó el grado de locura de quienes, sin verse obligados a ello, eran capaces de encerrarse en tan minúsculos habitáculos con el único fin de alcanzar una meta en la que nada más que una efímera gloria les aguardaba, y le intimidó aún más el darse cuenta de que por mucho que lo intentara jamás podría comprender qué clase de seres humanos eran los que experimentaban algún tipo de placer al arriesgar la vida inútilmente.

Su madre le había enseñado siendo muy niño que la vida es el mayor tesoro que Alá entrega a un ser humano en el momento de nacer, y que su primera obligación es conservarla hasta que el propio Alá se la reclame.

Ponerla en tan manifiesto peligro, no a mayor gloria del Creador, sino de algo tan incongruente como la velocidad, debía constituir el más execrable de los pecados, y a su modo de ver resultaba evidente que quien se matase corriendo como un poseso sin razón válida alguna debía estar condenado a descender directamente a los infiernos.

Se aproximó a observar una vez más al muchacho, advirtió que sudaba a chorros y que todo su cuerpo ardía de fiebre mientras centenares de moscas se cebaban en las abiertas llagas de sus pies, y le asaltó la desagradable sensación de que muy pronto aquel infeliz ardería en los infiernos.

Alex Fawcett extendió en abanico las cuatro páginas del documento que descansaba sobre su mesa al señalar:

—¡Muy interesante! Realmente alentador. A la vista de lo que ha escrito, cualquiera llegaría a la conclusión de que no soy el simple jefe de seguridad de una empresa deportiva, sino más bien un loco violento, racista y de tendencias neonazis que lo único que busca es el enriquecimiento a costa de embaucar, mentir, ocultar e incluso asesinar.

—¿Quién le ha dado eso?

—Su director acaba de enviármelo por fax.

El rostro de Hans Scholt, que ya había palidecido, se demudó hasta transformarse en una auténtica máscara antes de acertar a musitar apenas:

—¡No puedo creerlo!

El inglés sonrió con absoluta calma al replicar:

—¿Que no puede creerlo? Pues aquí está, junto a este otro fax en que le comunican que queda despedido.

Aguardó unos instantes a la espera de la reacción del austriaco, pero al comprender que había quedado tan desconcertado como si de pronto le hubiesen propinado un traicionero puñetazo en la frente, inquirió:

—¿Qué es lo que esperaba? ¿Que le felicitaran? Su agencia le envía a cubrir un evento deportivo para una serie de periódicos y revistas que lo único que pretenden es informar de la forma más objetiva posible, y usted les sale con un sucio panfleto en el que casi nos acusa de ser los culpables de que África esté sembrada de minas antipersonales.

—Yo no he dicho eso.

—Pero lo insinúa, o al menos insinúa que estamos en connivencia con quienes fabrican esas minas.

—Y es verdad.

—Por esa regla de tres, todos los gobiernos, e incluso todas las personas del mundo están en connivencia con ellos, puesto que compran coches, trenes o aviones de empresas que también fabrican esas minas. Señalarnos como únicos culpables de un «delito» universalmente extendido se me antoja una falacia impropia de un auténtico periodista.

—Nunca he dicho que sean los «únicos» —puntualizó Hans Scholt que hacía ímprobos esfuerzos por recuperar la calma—. Lo que destaco es que hacer un derroche de medios como el que están haciendo ante las narices de quienes se mueren de hambre o han quedado mutilados por culpa de esas minas se me antoja una muestra de inhumanidad y un absoluto desprecio a las más elementales reglas de la solidaridad entre los pueblos.

—Nunca hemos pretendido ser misioneros. Ni una ONG.

—Resulta evidente. Y también resulta evidente que toda la buena imagen que los misioneros y algunas ONG consiguen con mucho esfuerzo, duro trabajo e incontables sacrificios, se destruye en cuanto llegan ustedes mostrando la otra cara de la moneda. ¿Cómo le explica un agotado médico voluntario a un pobre nativo que no puede operar a su hijo porque hace tres semanas que no recibe ni una cápsula de anestesia, cuando le basta con asomarse a la ventana del dispensario para ver cómo aterrizan gigantescos aviones repletos de cervezas y refrescos?

—No creo que nadie tenga derecho a culparnos por haber conseguido ser eficaces donde otros fracasan… —replicó con su imperturbable calma de siempre Alex Fawcett—. Ni tampoco creo que sea éste el momento de ponerse a discutir sobre ello, puesto que nos encontramos en plena operación de transporte y tengo un millón de cosas que hacer. Lo que en verdad importa es que le han despedido, ya no representa a ningún medio de comunicación, y por lo tanto le ruego que abandone nuestras instalaciones o me obligará a ordenar que le expulsen por la fuerza.

—¿Cómo lo ha conseguido?

—¿Conseguir qué?

—Que me despidan.

—Recordándole a su director que sin nuestra colaboración ningún periodista del mundo podría cubrir esta información. Y recordándole también, que la mayor parte de «sus clientes» pueden serlo gracias a la publicidad que les proporcionan «mis clientes». No creo que exista ningún medio de comunicación de ningún país civilizado al que le apetezca enfrentarse al mundo del motor, que es, junto al del tabaco y los refrescos, el que mayor presupuesto publicitario maneja. Y sabido es que hoy por hoy sin publicidad nadie subsiste.

—Entiendo.

—Me agrada que lo entienda, y confío en que le sirva de lección. A su edad no conviene ser demasiado ambicioso haciéndote la ilusión de que sin ayuda de nadie te las vas a arreglar para derribar un edificio que ha costado años de sudor y sangre levantar. —Alex Fawcett abrió su caja de habanos, extrajo uno y lo encendió con todo el absurdo ceremonial que acostumbran a utilizar quienes presumen de entendidos. En aquellos momentos semejante parafernalia parecía hacerle sentirse aún más importante, porque tras lanzar el primer chorro de humo, puntualizó—: Y ni siquiera debe hacerse la ilusión de que ha sido el primero en intentar jodernos. Demasiados periodistas tienen la fea costumbre de querer llamar la atención a base de achacarnos supuestos escándalos de todo tipo, pero le garantizo que la mayoría de los que nos atacaron también están en el paro.

—Sin embargo, los hechos continúan ahí, y pronto o tarde toda esa mierda aflorará por mucho que intenten ocultarla… —le recordó Hans Scholt que comenzaba a recuperarse de la impresión pese a lo cual aún la voz le temblaba de forma perceptible—. Este año les han obligado a suspender la mitad de la prueba, y con suerte muy pronto se la suspenderán toda.

—Eso está por ver —le hizo notar el inglés al tiempo que se ponía en pie dando por concluida la conversación—. De momento esa «suspensión» nos está produciendo más beneficios que si nosotros mismos la hubiéramos planificado con todo detalle. Y en el futuro surgirá cualquier otra cosa de igual modo aprovechable…

El austriaco se puso en pie a su vez, se encaminó a la salida, pero a mitad de camino se volvió para señalar casi mordiendo las palabras:

—Le advierto que si alguno de esos desgraciados muere me pondré en contacto con sus familiares para contarles lo ocurrido. Y me ofreceré como testigo si es que deciden presentar una querella por complicidad en un asesinato, ocultación de datos y manifiesta mala fe.

—¡Mira cómo tiemblo! —fue la descarada y casi infantil respuesta.

—Ya sé que la ley no le hace temblar… —Ahora Hans Scholt le apuntó con el dedo en un gesto claramente amenazador—. Pero recuerde que el padre de Pino Ferrara es uno de los hombres más ricos y menos escrupulosos de Italia. Si su hijo muere y yo le convenzo que usted es el culpable, le aseguro que su vida va a valer menos que ese puro que se está fumando. Jamás volverá a dormir tranquilo porque sabe muy bien que por muy hijo de puta que se considere, siempre existe alguien mucho más hijo de puta. —Le guiñó un ojo al concluir—. Y ahora yo sé quién es, dónde encontrarlo y cómo echárselo encima.

Abandonó la tienda de campaña consciente de que sus últimas palabras habían causado el efecto deseado, para encaminarse directamente al punto en que un Nené Dupré cubierto de grasa se concentraba en la tarea de desmontar los filtros de aire del motor de su helicóptero.

—¡Me marcho! —fue lo primero que dijo a modo de saludo.

—¿Y eso?

—Tu amigo Fawcett ha conseguido que me quede sin trabajo.

—Fawcett no es amigo mío —le hizo notar el piloto—. Ni de nadie… ¿Qué ha pasado exactamente?

Cuando el austriaco concluyó de hacerle un detallado relato de la conversación, el otro le observó con gesto preocupado para inquirir al tiempo que agitaba negativamente la cabeza:

—¿Te has atrevido a amenazarle de muerte en su propia cara? ¿Es que te has vuelto loco? Ese inglés es uno de los tipos más peligrosos que conozco.

—¿Y qué puede hacerme?

—Él nada. Pero *el Mecánico* mucho.

—¿*El Mecánico*? —se sorprendió el otro—. ¿Quién es *el Mecánico*?

—Bruno Serafian, un ex mercenario que se ha pasado más de la mitad de su vida en África, y del que se rumorea que ha cometido todas las tropelías que pueda cometer un ser humano. Y cuenta con un puñado de facinerosos de la misma calaña, que son los encargados de solucionar «los pequeños problemas» que suelen presentarse cuando más de mil muchachos demasiado «inquietos» tienen que atravesar todo un continente. Gente peligrosa. Muy, muy peligrosa.

—¿Supones que Fawcett puede pedirle que me haga daño?

—Bastaría una palabra suya para que sufrieras uno de los muchos «accidentes» que suelen darse en este tipo de competiciones... —admitió el piloto al tiempo que abría su socorrida nevera para alargarle una cerveza sirviéndose otra—. Tengo la impresión de que no te has dado cuenta de que aquí se mueven demasiados intereses, y que se mueven en un entorno en el que las leyes no cuentan. Casi cada día cambiamos de país, y además son países en los que la única ley que impera es la de la corrupción. No estamos en París o Viena, donde te basta con marcar un número para que al instante acuda la policía a protegerte. Aquí, si la policía acude estás jodido, porque suele ser peor que el peor de los delincuentes.

—¿Intentas acojonarme? —se lamentó Hans Scholt que no se esforzaba por ocultar su inquietud—. Porque si es lo que pretendes, lo estás consiguiendo.

El francés negó con la cabeza mientras que se esforzaba por colocar uno de los filtros en su lugar para acabar por fijarlo con ayuda de una llave inglesa.

—No —replicó sonriente—. No intento acojonarte. ¡O tal vez sí! Tal vez lo mejor que te puede ocurrir es que te cagues patas abajo para que te largues de aquí cuanto antes.

—¿Y cómo pretendes que me largue? Siempre he dependido de los organizadores y no tengo medio de transporte.

—¡No fastidies!

—¿De qué me serviría un coche en mitad del desierto? Sabes bien que nos trasladan de un lado a otro en avión o en helicóptero. De lo contrario a la segunda etapa ya nos habríamos quedado definitivamente atrás.

—Ésa ha sido siempre la mejor manera de tener controlada a la prensa, pero en este caso particular no me gusta un pelo. Si Serafian está al corriente de lo que ocurre te puede pasar cualquier cosa…

Apuró su cerveza, arrojó como siempre la lata a la vieja caja de cartón que aparecía ya más que mediada, y permaneció en silencio observando cómo uno de los ruidosos y espectaculares Antonov tomaba tierra para encaminarse, muy despacio, al punto en que aguardaba una larga fila de vehículos.

Cuando al fin el gigantesco monstruo mecánico se detuvo apagando los motores, inquirió bajando instintivamente la voz aunque resultaba evidente que no había nadie en las proximidades que pudiera escucharles.

—Creo que lo que debes hacer es salir de aquí cuanto antes. ¿Dónde tienes tus cosas?

—En mi tienda de campaña.

—¿Cuánto tardarás en recogerlas?

—Ni un segundo porque no tengo más que ropa sucia, una vieja máquina de escribir y una sombrilla. Nada por lo que valga la pena ir hasta allí si corro peligro. La cámara, las fotos y la documentación las llevo siempre conmigo.

El piloto lanzó un bufido con el que pretendía manifestar su desconcierto o más bien su malhumor.

—¡Puede que lo corras y puede que no! —replicó—. Tal vez esté exagerando, pero será mejor no arriesgarse. Pensaba ir a ver al tuareg, pero creo que lo mejor será sacarte de aquí… —Hizo un gesto hacia el avión—. Vete hasta allí, mézclate entre la gente, y dentro de media hora da la vuelta por detrás de aquellas dunas, métete en el helicóptero por la puerta trasera y escóndete bajo el asiento posterior. Yo fingiré que regreso de darme una ducha y no me he dado cuenta de nada, pero te advierto que si tengo la más mínima sospecha de que alguien te ha visto, no me arriesgaré. No quiero líos con Fawcett, y mucho menos con ese *Mecánico* de los cojones.

—Confía en mí.

—Confiaré por la cuenta que te tiene, aunque aún no sé por qué coño hago esto.

—Supongo que porque eres un tipo decente.

—¿Y de qué sirve ser decente? —se lamentó el piloto—. Llevo casi veinte años jugándome la vida subido en estos trastos, expuesto a caerme cualquier día en mitad del desierto para acabar de merienda de las hienas, y aún no tengo ni siquiera una casa propia. ¡Maldita sea mi suerte! Y ahora lárgate antes de que me arrepienta.

Cuando el periodista se alejaba le advirtió roncamente:

—¡Y recuerda…! Arrástrate debajo de los camiones si es necesario, pero procura despistar a quien pueda seguirte…

—¡Descuida! ¡Ve a ducharte…!

Hans Scholt no tuvo necesidad de arrastrarse por debajo de los camiones puesto que nadie demostró el menor interés por su persona, por lo que media hora más tarde se encontraba ya volando sobre la soledad de las arenas, momento en que colocó la mano sobre el antebrazo del piloto para apretárselo con fuerza al tiempo que señalaba:

—Gracias por ayudarme.

—Espero no tener que arrepentirme.

—También yo… ¿Por qué no me haces un último favor?

—¿De qué se trata ahora?

—Llévame a ver al tuareg.

—¡Ni hablar!

—¡Por favor…!

—He dicho que no.

—Pero ¿por qué?

—Porque ha puesto como condición que vaya solo, y no pienso poner en peligro vidas humanas por el simple capricho de que tú consigas una entrevista que ni siquiera puedes publicar.

—Existen otros periódicos.

—Dudo que exista un solo periódico al que un tipo como tú pueda acceder que esté dispuesto a buscarse la enemistad de Alex Fawcett… —Nené Dupré se volvió a observarle antes de añadir—: ¡Créeme! Lo mejor que puedes hacer es largarte lo antes posible y lo más lejos posible para dejar pasar el mayor tiempo posible con el fin de que Fawcett se olvide de ti. Le conozco hace años y me consta que no va a permitir que nadie ponga en peligro un negocio tan lucrativo.

—Pero ayer me aseguraste que no piensas seguir con este asunto.

—Que no piense seguir no significa que tenga intención de enemistarme con nadie. No estoy de acuerdo en cómo se están llevando las cosas, pero eso no afecta a mi lealtad para con quienes han sido mis compañeros durante tanto tiempo. Y no todos son como Alex Fawcett. Yves Clos, sin ir más lejos, es un tipo estupendo.

—¿Y por qué no hace nada?

—¿Y qué quieres que haga? —fue la agria respuesta—. ¿Secuestrar a Marc Milosevic y entregárselo a los tuaregs para que lo azoten y le corten una mano? ¡Por Dios…! Lo peor de todo este maldito embrollo es que no existe una solución que contente a todas las partes, porque se da el asqueroso caso de que todos tienen algo de razón pero ninguno tiene toda la razón. Llevo tres días sin pegar ojo, pero por más vueltas que le doy no encuentro una salida lógica.

—Tal vez si yo, que soy neutral, hablara con ese tuareg podría hacerle recapacitar.

—Ni tú eres neutral, ni él tiene el más mínimo interés en recapacitar —le hizo notar el francés—. Están en juego leyes y tradiciones totalmente obsoletas, pero que por eso mismo resulta imposible combatir. Nosotros vivimos en un mundo que cambia día tras día, pero el de los tuaregs continúa inmutable a través de los siglos.

—¿Y cuál es mejor?

—Ninguno es bueno. El ideal sería un mundo que evolucionase técnicamente al tiempo que valores como la honradez, el honor y la ley de la hospitalidad se mantuvieran inalterables, pero eso es tanto como pretender que exista una libertad absoluta sin que con el tiempo la gente se desmadre. ¡Pura utopía…! —Nené Dupré hizo una pausa, pero al cabo de unos instantes añadió—: Lo único que puedo hacer es dejarte a cierta distancia del pozo y preguntarle al tuareg si quiere hablar contigo.

—Me parece una buena idea.

—Pero corres un grave peligro.

—¿Y es?

—Que si por cualquier razón no vuelvo, o vuelvo y no te encuentro, te habrás quedado solo en mitad del Teneré, lo que significaría una muerte segura.

—Difícil me lo pones.

—La decisión es tuya, y tienes que adoptarla pronto porque ese de ahí es el último lugar habitado en el que puedo dejarte.

El austriaco observó con atención el minúsculo grupo de chozas de barro y la media docena de polvorientas palmeras que habían hecho su aparición en la distancia destacando, casi incongruentes, de la impresionante monotonía de la parda llanura pedregosa, y acabó por lanzar un leve silbido al exclamar:

—No parece gran cosa.

—Nada es gran cosa por aquí.

—¿Y cómo se supone que regresaría a la civilización si me dejases ahí tirado?

El piloto no pudo por menos que observarle de reojo para dedicarle una burlona sonrisa.

—Ése es tu problema, no el mío… —dijo—. Ya he hecho bastante con sacarte del campamento.

—Pero es que eso está en mitad de la nada —protestó su acompañante.

—Lo sé, pero por aquí suelen pasar caravanas de sal que se dirigen al sur. Por unos cuantos francos te llevarán hasta algún lugar más o menos civilizado.

—¡Menudo panorama…!

—Recuerda que eres tú quien se lo ha buscado. ¿Quién te mandó meterte en camisa de once varas?

—Nadie, pero ante todo soy periodista. Y cuando un auténtico periodista se enfrenta a una historia que debe ser contada, su obligación es contarla.

—¡Pues cuéntala, hijo! ¡Cuéntala! Pero no te lamentes si para contarla tienes que pasar tres días en lo alto de un camello rodeado de panes de sal y bajo un sol que raja las piedras. —Se volvió para mirarle una vez más de reojo e insistir con manifiesta mala fe—. Aparte de que no sé qué coño quieres contar si nadie te lo va a publicar…

—Alguien lo publicará, puedes estar seguro.

—En ese caso decídete: ¿te quedas aquí, o te dejo más adelante arriesgándote a morir de sed en mitad del desierto?

—Me arriesgo.

Nené Dupré agitó una y otra vez la cabeza con gesto de profundo pesimismo.

—La verdad es que eres mucho más tonto de lo que pareces… —musitó—. ¿No se te ha pasado por la cabeza la idea de que puedo haberme puesto de acuerdo con Fawcett para dejarte abandonado en un lugar en el que no te encontrarían en años?

—Sí que se me ha pasado —reconoció el periodista—. Es lo primero que se me ha pasado…

—¿Entonces?

—No tienes pinta de asesino.

—¿Y qué pinta tienen los asesinos…? —casi se enfureció el francés—. ¿Cuántos asesinos has visto en tu vida, y en qué se les nota que se dedican a matar gente? Los únicos asesinos con cara de asesinos que conoces son actores de cine que siempre hacen de gángsteres, y que en cuanto aparecen en la pantalla ya sabes que intentan estrangular a la chica… —Optó por encogerse de hombros como si reconociera su total impotencia—. Al fin y al cabo se trata de tu vida —sentenció.

El resto del viaje lo hicieron en silencio, limitándose a admirar un paisaje que iba ganando en grandiosidad, puesto que algunas de las doradas dunas casi fosilizadas superaban los doscientos metros de altura con un juego de luces, sombras y curvas tan pronunciado que en ocasiones semejaban un plácido campo de doncellas gigantes totalmente desnudas.

Cuando al fin dejaron atrás el río de dunas para adentrarse en una extensísima llanura pedregosa, hicieron su aparición en el horizonte las negras siluetas dentadas de una minúscula cadena montañosa, por lo que Nené Dupré desvió el rumbo hacia el sudoeste y a los pocos minutos indicó un punto oscuro que destacaba a unos diez kilómetros de distancia.

—Allí está el pozo —dijo—. Y aquí te quedas tú.

En cuanto comenzaron a descender, tanto el pozo y sus palmeras como las lejanas montañas desaparecieron del campo visual, por lo que el austriaco se alarmó al comprender que iba a quedarse absolutamente solo en mitad de una llanura tan plana como una mesa recalentada por el sol, y sin el más mínimo horizonte en cualquiera de las direcciones que mirase.

—¡Jesús! —no pudo por menos que exclamar.

—Siempre he odiado tener que decir eso de «te lo advertí»… —le hizo notar Nené Dupré—. Pero lo cierto es que te lo advertí… —De la parte posterior del aparato extrajo una pequeña mochila a la que se encontraba sujeta una cantimplora llena de agua—. Con esto podrás sobrevivir un par de días, pero si por la mañana no he vuelto dirígete hacia donde se pone el sol y en dos o tres horas habrás llegado al pozo.

—¿Es que piensas dejarme aquí toda la noche?

—Nunca se sabe.

—¿Y las fieras?

—¿Fieras? —Se asombró el piloto—. ¿Qué fieras? ¿Realmente crees que existe alguna fiera tan estúpida como para vivir en este lugar?

Hans Scholt dirigió una larga mirada a su alrededor, se percató una vez más de su abrumadora desolación, y acabó por negar con un gesto.

—¡No! La verdad es que no creo que ni la más misógina de las lagartijas se decidiera a vivir aquí… Pero procura volver esta misma tarde.

—Eso ya no depende de mí… ¡Suerte!

Cuando unos minutos más tarde el helicóptero se alejó de donde se encontraba, el austriaco se vio obligado a realizar un sobrehumano esfuerzo para no echarse a llorar.

En cuestión de horas había pasado del entusiasmo de imaginar que tenía un increíble éxito profesional al alcance de la mano, a encontrarse sin trabajo y expuesto a morir de la forma más aterradora posible.

Nadie nunca se sintió tan solo como se sentía él en mitad de «la Nada». Durante unos minutos permaneció tan inmóvil como una estatua, profundamente abatido y desconcertado, pero al fin recogió del suelo la mochila, se la echó al hombro y casi instintivamente se encaminó hacia el lugar por el que estaba a punto de desaparecer el helicóptero.

Nené Dupré no necesitó mirar atrás con el fin de comprobar que aquello era exactamente lo que el periodista haría, puesto que era lo que sin duda él mismo hubiera hecho en idénticas circunstancias.

Puede que aquel mísero pozo envenenado y sus tres escuálidas palmeras no significasen nada en la inmensidad del Teneré, pero constituían el único punto de referencia, la única sombra y la postrer esperanza de salvación para quien se encontrara en cientos de kilómetros a la redonda.

Lo observó desde lo alto, se reafirmó en la idea de que tan sólo un puñado de tuaregs desesperados serían capaces de sobrevivir en semejante lugar, y experimentó una indescriptible sensación de alivio al distinguir la figura de Gacel Sayah sentado bajo la mayor de las palmeras.

Se posó muy cerca de los tres vehículos que lanzaban metálicos destellos bajo el sol de media tarde para aproximarse al beduino llevando en las manos dos latas de refresco muy frías:

—*Aselam aleikum!* —le saludó—. Humildemente solicito tu hospitalidad.

—*Metulem metulem!* —fue la conocida respuesta—. Los amigos siempre son bien recibidos. ¿Qué nuevas me traes?

—Pocas y malas.

Se sentó junto a él, bebieron en silencio y cuando hubieron concluido le puso al corriente de los últimos acontecimientos para concluir:

—«Oficialmente» han dejado las negociaciones en mis manos, pero tengo la casi absoluta seguridad de que alguien más va a intervenir.

—¿Por la fuerza?

—¿De qué otro modo si no?

—¿Quién?

—Un grupo de ex mercenarios que suelen realizar trabajos sucios para los organizadores. Tipos duros, peligrosos y sin escrúpulos.

—¿Cuántos?

—Quince o veinte quizá… Normalmente suelen ser siete u ocho, pero como aún no han actuado imagino que están esperando refuerzos, y a que la totalidad de los coches y corredores se encuentren ya en Libia.

—¿Cómo vendrán?

—Por el aire imagino. En helicóptero, o más probablemente dejándose caer de noche en paracaídas.

—¿Se dirigirán directamente aquí?

—Lo dudo. Saben tan bien como yo que los rehenes se encuentran en algún lugar de las montañas y aquí no se les ha perdido nada. O mucho me equivoco o lo más probable es que ataquen allí.

—¿Cuándo?

—Imagino que mañana por la noche.

El *imohag* permaneció unos instantes, meditabundo, y por último inquirió:

—¿Por qué haces esto? ¿Por qué te pones de mi parte dándome toda esa información en contra de tus amigos?

—Esos tipos no son mis amigos… —fue la sincera respuesta—. Nunca lo han sido, ni nunca lo serán. Ya te dije que mi intención es resolver este asunto sin derramamiento de sangre, pero tengo la impresión de que a ellos no les importa que corra con tal de acabar con el problema de una vez por todas. Si los rehenes mueren se limitarán a hacer unas cuantas fotografías y entregárselas a la prensa como prueba irrefutable de que «unos desalmados bandidos» asaltaron, robaron y asesinaron a unos inocentes deportistas que ningún daño les habían hecho.

—Pero ésa no es la verdad.

—Será «su verdad» y no creo que dejen con vida a quien pueda ofrecer una versión diferente. Oficialmente los organizadores alegarán que hicieron cuanto estaba en sus manos, contrataron a los mejores profesionales y no escatimaron medios ni dinero con el fin de rescatar a los rehenes, pero que por desgracia llegaron demasiado tarde debido a que una pandilla de salvajes beduinos no estaba interesada más que en robar y asesinar… —Nené Dupré esbozó una leve sonrisa de tristeza—. Ellos manejan la prensa, y a ti nadie te escuchará. El único que estaba dispuesto a hacerlo está allí, solo en mitad del desierto.

—¿Es a ese al que has dejado?

—¿Cómo sabes que he dejado a alguien?

—Tu aparato apareció en el horizonte, luego descendió y tardó varios minutos en volver a emerger nuevamente. La única explicación posible es que aterrizaras para dejar a alguien.

—Está claro que tienes una vista de águila y no se te escapa nada. ¿No has pensado que podría haber traído a algún enemigo?

—No.

—¿Por qué?

—Ya te dije que los tuaregs entendemos poco de máquinas pero mucho de hombres.

—Pero aun así ni siquiera has demostrado curiosidad por saber quién era mi pasajero.

—Esperaba que tú me lo dijeras.

—Continúas sorprendiéndome.

Gacel Sayah hizo un gesto hacia la mayor de las *jaimas*.

—Aún tengo otra sorpresa… ¡Mira allí!

El piloto se puso en pie, se encaminó al punto indicado, observó el interior, se inclinó a comprobar el estado del durmiente, y al regresar su rostro mostraba la magnitud de su preocupación.

—Tiene mucha fiebre —dijo—. Y creo que las heridas se le están infectando.

—Yo también lo creo, pero no puedo hacer nada —le hizo notar el beduino—. ¿Le conoces?

El otro asintió con un gesto.

—Es Pino Ferrara. Si mal no recuerdo ha participado en la carrera en dos o tres ocasiones. Un buen muchacho y un excelente piloto.

—Asegura que su padre es muy importante.

—Por lo que tengo entendido, lo es.

—Ha hablado por teléfono con él y está convencido de que puede hacer que me entreguen al que envenenó el pozo... ¿Tú qué opinas?

Nené Dupré meditó largo rato la respuesta, y no hacía falta conocerle a fondo para comprender que cada vez se sentía más inquieto por el rumbo que estaban tomando los acontecimientos.

Al fin se encogió de hombros al replicar:

—Poco importa lo que yo opine o deje de opinar. Lo que importa es que este asunto cada vez se está complicando más, y que si ahora intervienen los amigos del *comendatore* Ferrara las cosas se nos pueden ir de las manos.

—Que yo sepa, en estos momentos no están en manos de nadie... —le hizo notar Gacel—. Te han elegido como interlocutor, pero no traes ni una sola propuesta digna de ser tenida en cuenta.

—Me han autorizado a ofrecerte un millón de francos por olvidarte del asunto.

—Nunca he oído hablar de una memoria en venta. La memoria acompaña a los seres humanos hasta su tumba, y no existe jabón, por costoso que sea, que pueda lavar los recuerdos.

—Es tan sólo una forma de hablar... —aclaró el piloto—. ¿Te das cuenta de lo que puedes hacer con un millón de francos?

—¡Naturalmente...! Vivir el resto de mi vida como un secuestrador que aceptó un rescate. Mi familia ya no será la familia de Gacel Sayah, el mayor héroe de mi raza, sino una familia de bandidos de los que hasta el último tuareg tendría que avergonzarse...

—No me refería a eso.

—¿A qué entonces? —quiso saber el *imohag*—. ¿A las cosas que podría comprar con todo ese dinero? Los nómadas odiamos las cosas, puesto que cada objeto, por valioso que sea, se convierte un engorro a la hora de viajar. Nos llaman «Los Hijos del Viento», y tal vez sea porque el viento tampoco ama las cosas: las empuja, las destruye o las abandona, pero jamás se queda con ellas.

—¿Cómo puedo en ese caso negociar contigo...? —se lamentó el francés que a cada minuto que pasaba se sentía más y más abatido—. Dame una pista que me permita averiguar qué es lo que quieres.

—No necesitas pistas... —le recordó Gacel Sayah—. Siempre he dicho muy claro qué es lo que quiero.

—Deberías ofrecerme otras opciones.

—¿«Opciones»? —La pregunta tenía mucho de asombro—. ¿A qué clase de «opciones» te refieres? ¿Acaso imaginas que soy un vendedor de alfombras que regatea el precio de su mercancía? Yo no vendo alfombras. Yo no vendo nada. Yo estoy exigiendo justicia y creo que quedamos de acuerdo en que con la justicia no caben componendas.

—¿Prefieres enfrentarte a los mercenarios?

—Mi padre se enfrentó a todo un ejército.

—¿Y ésa es tu única meta? ¿Emular a tu padre y conseguir que te maten como le mataron?

—¿Y por qué no? ¿Qué futuro les espera a los tuaregs más que el de desaparecer con honor?

—Eso, perdona que te diga, es una de las mayores tonterías que he oído nunca... —puntualizó el piloto con absoluta naturalidad—. Tu pueblo ha sido un pueblo temido, respetado y admirado a través de la historia. Forma incluso parte de la leyenda, y se ha escrito casi tanto sobre sus epopeyas en el desierto, como sobre la de los espartanos de Grecia o los sioux de Norteamérica... Ha bastado con que su «Consejo de Ancianos» decida que los coches no deben pasar por sus territorios, para que la carrera se interrumpa. Y eso significa que aún tiene un peso específico en esta parte del mundo.

—No me habías dicho nada sobre esa decisión del «Consejo de Ancianos»

—Me enteré ayer. Al parecer Turki Al-Aidieri se puso abiertamente de tu lado e influyó de un modo decisivo en el acuerdo final.

—¿Turki, *el Guepardo*? —se sorprendió Gacel Sayah—. Imaginaba que había muerto.

—Está muy viejo, pero tengo la impresión de que aún dará bastante guerra.

—Siempre la dio.

—Pues si él, con casi noventa años, aún demuestra ese coraje, no entiendo por qué razón tú, que debes ser casi cuatro veces más joven, consideras que todo está perdido. ¿Acaso no pertenecéis a la misma raza o es que en el paso de dos generaciones os han debilitado tanto?

—Eres muy astuto… —fue la áspera respuesta—. Astuto y retorcido, pero lo cierto es que me alegra saber que mi actitud ha servido para que parte de mi pueblo reaccione y haga un frente común contra esa estúpida carrera. Tal vez el siguiente paso sea hacer de igual modo un frente común contra esa pandilla de sinvergüenzas que nos gobiernan, y amanezca un día en que los *imohag* podamos tener nuestro propio país, con nuestras propias leyes y nuestras propias costumbres.

—Aún estáis a tiempo… —le hizo notar el francés sinceramente convencido de lo que decía—. Aún África no ha concluido de asentar sus auténticas fronteras, ni de delimitar dónde y cómo deben habitar sus distintas etnias. Apenas hace cuarenta años que se les concedió la independencia a la mayoría de estos países, y lo cierto es que se hizo siguiendo los criterios de los colonizadores, con fronteras trazadas con tiralíneas y sin el menor respeto hacia quienes tenían que vivir en cada lugar. Si los tuaregs se organizaran, y creo que tú eres de los que pueden contribuir a conseguirlo, estarían en condiciones de reclamar sus legítimos derechos a una tierra propia, libre e independiente.

—¿«La Nación Tuareg»?

—¿Por qué no?

—¿Y de qué viviríamos?

—De lo que siempre habéis vivido: del desierto.

—Poco es.

—Desde luego, pero más vale un desierto propio que un vergel ajeno… ¿O no?

—¡Naturalmente! —Gacel se volvió para observar a su acompañante de reojo con una cierta inquietud en la mirada en el momento de preguntar—: ¿Realmente no eres más que un simple piloto de helicóptero?

—Que yo sepa, sí. ¿Por qué lo preguntas?

—Porque a menudo hablas como un político.

—¿Tengo que tomarlo como alabanza o como ofensa?

—Tómatelo como quieras. Aunque creo que esta conversación se está prolongando en exceso y no conduce a nada. ¿Tienes alguna propuesta que ofrecerme?

—Una muy concreta: deja que me lleve a ese muchacho. Si sigue aquí morirá.

El beduino tardó en responder, meditó la oferta, y acabó por hacer un leve gesto negativo:

—Lo sé y lo lamento porque me consta que no tiene culpa alguna, pero no puedo dejarlo marchar así como así.

—Te lo puedo cambiar por algo que ahora mismo necesitas.

—¿Qué?

—Un moderno fusil de repetición con mira telescópica y dos cajas de cartuchos. Ese trasto que usas no te servirá de nada a la hora de enfrentarte a la gente del *Mecánico*.

—Lo que ofreces tampoco es como para ganar una batalla… ¿No llevarás a bordo un tanque?

—No, pero llevo unos prismáticos.

—¿Unos prismáticos…? —repitió el otro en tono humorístico—. ¿Para qué quiero yo unos prismáticos? El día que un tuareg necesite prismáticos querrá decir que está totalmente acabado.

—Es que no son unos prismáticos cualesquiera.

—¡Ah!, ¿no? ¿Y qué tienen de especial? —quiso saber el beduino.

—Que son unos prismáticos nocturnos.

Ahora sí que Gacel Sayah se volvió a mirarle directamente sin poder contener su desconcierto:

—¿Qué quieres decir con eso de prismáticos nocturnos?

—Que permiten ver de noche.

—¿Bromeas?

—¡En absoluto! —replicó Nené Dupré con absoluta seguridad—. ¿No me has contado cómo, cuando estabas en la ciudad, te asombrabas al descubrir el modo en que los misiles americanos alcanzaban su objetivo incluso a oscuras? ¿Recuerdas cómo en la televisión todo se veía de un color verdoso a causa de los rayos láser…?

—Sí, naturalmente que lo recuerdo.

—Pues yo llevo siempre conmigo uno de esos prismáticos de rayos láser, que me ayudan a encontrar coches perdidos incluso en mitad de las tinieblas. Te los regalaré y te enseñaré cómo funcionan si permites que me lleve al muchacho.

—Empiezas a ser un aceptable negociador.

—Me alegra oírlo.

—Supongo que lo que menos se podrán imaginar unos mercenarios, por buenos que sean en su oficio, es que un «moro piojoso» que vive en mitad del desierto tenga unos prismáticos de rayos de ésos.

—Supones bien.

—Y está claro que eso me concedería una ventaja muy considerable a la hora de luchar...

—Evidentemente, aunque te advierto que también ellos los utilizarán puesto que cuentan con los equipos más sofisticados.

—Sí, pero yo lo sé mientras que ellos ni siquiera lo sospechan. Y mi padre me enseñó que la sorpresa suele constituir la mitad de la victoria.

—¿Trato hecho entonces?

—Me encantaría, pero si dejo marchar al muchacho pierdo la oportunidad de que su padre consiga que me traigan al culpable.

—Yo me encargaré de que no sea así.

—¿Cómo?

—En primer lugar, convenciéndole de que el hecho de permitir que su hijo viva es una muestra de buena voluntad, y en compensación él deberá cumplir con lo pactado. Y en segundo lugar, haciéndole ver a Pino, que su copiloto, al que me consta que le une una gran amistad desde hace muchos años, continúa en tu poder y sería uno de los condenados a muerte si no presiona a su padre para que haga cuanto esté en su mano por intentar liberarlo.

—Suena lógico.

—Y es que lo es. Te estoy proporcionando medios materiales con los que luchar, y una excelente cobertura en algo de lo que tú no entiendes, pero que se llama «Relaciones Públicas». Si Pino y ese periodista regresan sanos y salvos a Italia, el *comendatore* Ferrara cuenta con la influencia necesaria como para organizar un auténtico escándalo y hacer que todo el mundo conozca la verdad. De otro modo, si el chico muere, no tendrás quién te defienda y todas las culpas recaerán sobre ti.

—Cada vez negocias mejor.

—No será porque tenga un buen contrincante.

—¿Qué quieres decir con eso? —inquirió el otro amoscado.

—Que eres el interlocutor más cabezota con que me he enfrentado nunca.

—No me ofendo porque eres mi huésped y no nos está permitido molestarnos con los huéspedes digan lo que digan.

—Pues en este caso renuncio a ese derecho, porque si no aceptas lo que te estoy proponiendo demostrarás que eres más terco que una acémila.

—¿Qué es una acémila?

—La más testaruda de las mulas de carga. Peor que el peor de los camellos en celo.

—No creo que exista nada más testarudo que un camello en abril.

—Un tuareg intransigente... —insistió el piloto—. ¡Y dejémonos ya de tonterías! Piensa un poco y admite que la propuesta es buena.

—No necesito pensarlo. ¡De acuerdo!

—¡Gracias a Dios! ¿Te interesa conocer al periodista?

—¿Puede servirme de algo?

—No lo sé, pero si llega un momento en que tenga que intervenir, más vale que hable con conocimiento de causa que de oídas. Daño no puede hacerte.

—De acuerdo... Tráelo. Pero nada de fotografías.

—¿Qué diablos importan unas cuantas fotografías si no se te ven más que los ojos, y lo mismo podrías ser tú, que un escocés con turbante? —quiso saber Nené Dupré—. Lo que importa es el pozo, los coches y las *jaimas*. De ese modo podrá certificar que ha estado aquí, que ha hablado contigo, y que se limita a contar lo que ha ocurrido en un perdido rincón del desierto por culpa de una pandilla de desaprensivos... —Se puso en pie

encaminándose al helicóptero—. ¡Vuelvo enseguida!
—señaló a modo de despedida.

Gacel Sayah no movió un músculo hasta que quince minutos más tarde Hans Scholt se acuclilló frente a él con el fin de observarle con una extraña mezcla de temor, respeto y admiración.

—¡Gracias por recibirme! —musitó con innegable timidez—. Desde este momento me pongo bajo su protección.

—No se dice así —le recriminó el beduino—. Se dice que solicitas mi hospitalidad.

—¡Bueno! Pues eso... Solicito su hospitalidad.

—Concedida... ¿Qué quieres saber?

—Si realmente está dispuesto a matar a esos hombres.

—Sólo si me obligan...

—¿Por qué?

—¿Cuántas veces voy a tener que repetirlo? —quiso saber el tuareg visiblemente molesto—. ¿Tan brutos sois los franceses?

—Yo soy austriaco.

—Para mí todos sois «franceses». —Hizo un gesto hacia Nené Dupré que permanecía apoyado en una de las palmeras—. Que él te cuente la historia.

—Ya me la ha contado.

—En ese caso fíjate en esas cabras: se están muriendo. Y en los camellos, que ya apenas se mantienen en pie. Únicamente aquellos tres, a los que no he permitido aproximarse al pozo, sobrevivirán. Y eso era cuanto tenía mi familia. No es mucho, pero nos costó años conseguirlo, y alguien lo destruyó, por capricho, en menos de un minuto... —Observó a su interlocutor con aquellos ojos oscuros y penetrantes que cuando se enfurecían parecían lanzar destellos—. Hasta que el culpable no pague por ello no habrá paz... —Se irguió sin prisas para concluir—. Y ahora te ruego que me disculpes; tengo que regresar a las montañas.

—Yo te llevaré… —se ofreció Nene Dupré.

El *imohag* dirigió una despectiva mirada al helicóptero al tiempo que exclamaba:

—¿En ese trasto…? ¡Ni loco!

—¡No puedo creer que tengas miedo…! —se burló abiertamente el francés.

—No es miedo… —replicó el beduino con hosquedad—. Es que me molesta el ruido. Aparte de que no podría cargar con tres camellos.

—¿Vas a volver allí con los camellos…? —Se sorprendió Nené Dupré, y ante el mudo gesto de asentimiento inquirió—: ¿Por qué?

—Ahora los necesito.

—¿Para qué?

—Me ayudarán a luchar contra mis enemigos.

—¿Tres camellos famélicos? —se escandalizó el otro incapaz de aceptar lo que estaba escuchando.

—Cuando poco tienes, todo vale. Lo que importa no es el poder de tus armas, sino saber emplearlas.

—¡Como quieras! —admitió el desconcertado piloto—. Al fin y al cabo será mejor no desviarme demasiado porque si tengo que llevar a estos dos a un lugar medianamente civilizado me arriesgo a quedarme sin combustible y no podría volver luego a mi base.

Gacel Sayah penetró en la *jaima*, despertó al durmiente, que por un momento le observó como si no tuviera idea de quién era o dónde se encontraba, y tras cerciorarse de que efectivamente ardía de fiebre y las heridas presentaban un aspecto preocupante, señaló:

—Te dejaré marchar si me prometes que nuestro acuerdo continúa en pie.

—No quiero marcharme —replicó el italiano convencido—. O nos vamos los seis o ninguno. Ése fue el trato.

—No —le contradijo—. Ése no fue el trato. Te advertí que no haría distinciones por el hecho de que tu padre fuera rico, pero nada mencioné sobre que vivan todos o ninguno, y tú ya has hecho cuanto estaba en tu mano. ¿Cómo se llama tu copiloto?

—Belli. Mauricio Belli.

—¡Bien…! Ahora el trato es el siguiente. Te irás en el helicóptero, procurarás regresar a Italia lo más pronto posible, y presionarás a tu padre para que consiga que sus amigos me entreguen al culpable. Si dentro de diez días no están al pie de las montañas, tu amigo será el primero el morir… ¿Lo has entendido?

—¡Perfectamente! Pero te repito que prefiero quedarme. De ese modo mi padre se sentirá mucho más presionado.

—Si te quedas morirás y todos habremos salido perdiendo.

—¡No estoy de acuerdo! Yo creo que…

El beduino le interrumpió con un gesto impaciente.

—No importa lo que tú creas —dijo—. Importa lo que yo crea. Haz lo que te he dicho y confía en Dupré que ha demostrado ser un hombre honrado, y me ha hecho ver la conveniencia de permitir que te marches. ¿Tienes dinero?

—En el coche.

—Empléalo para intentar regresar a casa cuanto antes… —Le apretó con fuerza la mano en un ademán afectuoso y raro en él—. Eres un buen muchacho —musitó—. Y estoy seguro de que cumplirás tu palabra.

—Puedes jurarlo… ¿Piensas matar a ese cerdo?

—¿Matarle? —se sorprendió su interlocutor—. ¡En absoluto! Si le matara no estaría cumpliendo con lo que marca la ley, y en ese caso sería tan culpable como él, por lo que todo esto carecería de sentido… ¡Suerte!

—Suerte.

En el exterior le aguardaba Nené Dupré que le entregó el rifle, las municiones y los prismáticos nocturnos explicándole detalladamente cómo se utilizaban.

—Sobre todo no los dirijas hacia una fuente de luz intensa —le advirtió—. Son tanto más prácticos cuanto más oscura es la noche.

—Los franceses nunca dejaréis de asombrarme —admitió el *imohag* agitando la cabeza con gesto de asombro—. ¡Nunca! ¿Estás seguro de que esos mercenarios también los usan?

—Para un profesional estos prismáticos son hoy en día casi tan necesarios como un arma.

—Me alegra saberlo… —Le estrechó la mano con fuerza—. Ahora es mejor que os marchéis —dijo—. ¡Gracias por todo!

A los pocos minutos el helicóptero se había perdido de vista, momento en el que Gacel cargó sobre los tres únicos dromedarios que aún continuaban sanos cuatro de las moribundas cabras, para emprender, con paso vivo, el camino hacia las lejanas montañas.

Sabía que allí tendría que librar una difícil batalla, pero empezaba a tener una clara idea de cómo plantearla.

—No puede habérselo tragado la tierra.

—Pues lo parece. La última vez que le vieron rondaba cerca del Antonov que despegó hace una hora, por lo que imagino que debe de estar volando rumbo a Libia.

—¿Y nadie le vio subir?

Bruno Serafian se encogió de hombros dando a entender que no tenía la más mínima idea.

—Tanto los coches como los camiones estaban abiertos y con las llaves puestas con el fin de embarcarlos. Probablemente se escondió en cualquiera de ellos.

Alex Fawcett hizo un leve gesto de contrariedad, pero pareció comprender que de momento no había mucho que hacer al respecto.

—¿A cuántos hombres has enviado a Libia? —quiso saber.

—A tres.

—Avísales para que comprueben si ese cretino aparece por allí. ¿Cuándo te marchas?

—Mañana por la tarde. En cuanto se haya ido el último de tus aviones aterrizará un Hércules que habrá salido muy temprano de Angola. En él viajan los refuerzos que necesito. —El siempre mugriento *Mecánico* se aproximó al mapa y señaló con el índice un punto muy concreto—. Esa noche nos dejará caer sobre las montañas para volver a recogernos dentro de cuatro días. Si hemos conseguido rescatar a los rehenes, los llevaremos de vuelta a Europa. En caso contrario regresaremos a Angola.

—¿Por qué Angola?

—Allí nadie hace preguntas. Hay una guerra civil, y están demasiado ocupados matándose los unos a los otros... Luego, dentro de tres o cuatro meses, me ocuparé del «Consejo de Ancianos».

—Espero que no haya más problemas, pero en todo caso ya conoces mi modo de pensar con respecto a los rehenes: o todos libres, o todos muertos.

—No tienes por qué preocuparte.

—Tengo mucho por que preocuparme y lo sabes mejor que nadie —le contradijo el inglés—. Siempre he confiado en ti, pero siempre he desconfiado de esos malditos tuaregs. En el desierto se mueven como pez en el agua.

—Cuento con los mejores «pescadores».

—No sé si serán los mejores, pero sí está claro que son los más caros.

—Son tan caros porque no hay mucho loco dispuesto a lanzarse en plena noche sobre unas lejanas montañas del Sahara. Vete tranquilo; en tres días se habrán acabado todos tus problemas.

—Así lo espero... Y de ahora en adelante no quiero que tengamos el más mínimo contacto.

—¿Qué tiene que hacer mi gente de Libia con ese periodista?

—Lo primero encontrarlo. Luego, ya veremos...

—¿Y con Milosevic?

—De momento ni tocarlo. Aunque me encantaría que algún día, cuando menos se lo espere y en el lugar más insospechado, alguien le ajuste las cuentas aunque tan sólo sea por los quebraderos de cabeza que me está proporcionando.

—Si, como dicen, era amigo de Arkan, a nadie le sorprenderá que también tenga un final violento... ¿Quieres que me ocupe de él?

—A su debido tiempo... Y ahora es mejor que me dejes solo. Tengo que hacer unas llamadas y recoger todo esto porque dentro de una hora levantamos el campamento.

—¿Esperas llegar a tiempo a El Cairo?

—¿Acaso lo dudas?

—Conociéndote como te conozco, no.

Diez minutos más tarde, *el Mecánico* hacía su entrada en el camión-remolque que le servía de cuartel general, y en el que los hermanos Mendoza —Julio y César—, desertores del ejército argentino y fugitivos de una justicia que los buscaba por tortura, secuestro y asesinato, dormían a pierna suelta.

—¡Basta de hacer el vago! —fue lo primero que dijo—. Empieza el baile.

—¡Pero si todo está listo desde hace dos días...! —protestó el mayor de los hermanos.

—Para mí no —gruñó el armenio—. Para mí, «nunca está todo listo» porque la experiencia me ha enseñado que siempre te pueden reservar una sorpresa...

—¿Y qué sorpresa esperas de unos mugrientos beduinos que no cuentan más que con un par de viejos fusiles?

—Si lo supiera no tendría por qué inquietarme —le hizo notar su jefe—. Pero durante los años que combatí en el Chad aprendí que en el desierto un par de «mugrientos beduinos» que no cuentan más que con viejos fusiles te pueden dar más disgustos que media docena de carros de combate a los que ves llegar y sabes cómo combatir. Esos «mugrientos» surgen de donde menos te lo esperas y te degüellan como a un chivo para desaparecer tal como aparecieron. Mi consejo es que mantengáis los ojos muy abiertos, pero que aun así nunca os fiéis ni de lo que estáis viendo porque raramente será lo que parece. Y ahora, vamos a repasar esas fotografías.

—¿Otra vez…?

—Y mil veces si fuera necesario…

Extrajo de una resobada cartera una docena de enormes fotografías aéreas, las extendió sobre la pequeña mesa central y aguardó a que sus acompañantes se aproximaran.

—En ésta se distinguen perfectamente el pozo, las palmeras, las *jaimas* y los coches —señaló—. Pero resulta evidente que no hay sitio en el que ocultar a los rehenes, por lo que lo más probable es que los hayan trasladado a alguna cueva de estas montañas.

—No creo que necesitemos más de un día para «peinar» toda esa zona metro a metro… —le hizo notar Julio, el mayor de los Mendoza—. Parece más pelada que el culo de una mona.

—Ya veo que está pelada, pero ten en cuenta que incluso desde esta altura se distinguen gargantas estrechas y profundas porque probablemente por aquí debió circular un río bastante caudaloso que erosionó la roca… Y cada vez que tengamos que subir o bajar al fondo de una de esas quebradas nos estaremos exponiendo a que nos peguen un tiro porque esos hijos de puta nunca fallan y suelen esconderse en los lugares más insospechados.

—Si no te conociera diría que estás acojonado.

—Quien tenga que enfrentarse a un tuareg en su terreno y no esté en cierto modo «acojonado» es un cretino que merece que le degüellen a las primeras de cambio… —Bruno Serafian alzó la cabeza para sonreír apenas, al tiempo que guiñaba un ojo—. Sin embargo… —añadió—, contamos con algo importante a nuestro favor.

—¿Y es…?

—Que como se trata de una de las regiones más desoladas del planeta no existe casi ningún tipo de vida animal, y eso significa que todo lo que se mueva tiene que ser necesariamente un enemigo.

—¡Y plomo con él…! —comentó Julio Mendoza en tono levemente irónico—. Tranquiliza saber que algo está a nuestro favor.

Su jefe le dirigió una dura mirada de reconvención.

—Guarda esa ironía para cuando todo acabe si es que aún conservas el pellejo… —masculló—. Y reza para que esos cabrones no nos estén reservando alguna de sus famosas sorpresas.

—¿Sorpresas…?

—Eso he dicho.

—¿Y a qué clase de «sorpresas» te refieres?

—¡Si lo supiera ya no sería ninguna sorpresa, pedazo de imbécil…! Pero de lo que puedes estar seguro es de que los tuaregs siempre se las ingenian para darte por el culo cuando menos te lo esperas.

Resultaba evidente que Bruno Serafian no se fiaba en absoluto de los tuaregs y de su muy especial forma de entender la lucha armada, y de igual modo resultaba evidente que razones le sobraban puesto que casi a la misma hora en que insistía en hacer tan severas advertencias a sus lugartenientes, «su mugriento enemigo», Gacel Sayah, acababa de introducir la punta de su cuchillo en la yugular de la más debilitada de las cabras que colgaban del arzón de los camellos, con el fin de conseguir que su sangre gotease hasta el punto de ir dejando a su paso un rastro inconfundible.

Empezaba a poner de ese modo en práctica las enseñanzas de aquel gran guerrero que fuera su padre, así como de generaciones de combativos *imohag* que a lo largo de siglos habían aprendido a convertir el árido paisaje que les rodeaba y sus escasas criaturas en sus mejores aliados.

Cuando la primera claridad del alba hizo su aparición en el horizonte dos de las cabras habían sido sacrificadas ya, por lo que su sangre regaba la arena de la llanura y las rocas de la falda de las montañas, provocando que muy pronto los primeros buitres hicieran su aparición volando muy alto.

Poco después Gacel hacía su entrada en «La Cueva de las Gacelas», abrazaba a su madre y sus hermanos, y tras aceptar de buena gana un reconfortante vaso de té muy caliente les ponía al corriente de los últimos acontecimientos, así como del plan de acción que había venido madurando.

—¿Crees que dará resultado? —quiso saber Suleiman.

—Tiene que darlo —fue la sencilla respuesta—. Saben que estamos aquí y por lo que me han contado son auténticos profesionales dispuestos a todo. O los vencemos, o podemos considerarnos muertos.

—Nos queda un tercer camino… —le hizo notar Aisha—. Dejar en libertad a los rehenes.

—Demasiado tarde, ¿no crees? Ya no tenemos pozo ni lugar adonde ir. Ya no tenemos ni huerto ni animales. Y lo único que nos queda, el orgullo de ser tuareg, también se habrá perdido para siempre. Si ahora nos damos por vencidos estaremos ensuciando la memoria de nuestro padre.

—En estas circunstancias él lo entendería… —susurró quedamente Laila—. Hay ocasiones en que la victoria resulta de todo punto imposible.

—Recuerda que él nunca luchaba pensando en una improbable victoria… —puntualizó su hijo mayor—. Luchaba porque su obligación era luchar aun a sabiendas de que no tenía la más mínima esperanza de vencer.

—Y acabaron matándole. ¿Qué hemos ganado con ello los que le amábamos? ¿Qué ganó él mismo, más que el odio de muchos, la admiración de unos pocos y la compasión de la inmensa mayoría? —La buena mujer tomó asiento sobre una roca y se llevó las manos a la cabeza con gesto de profundo cansancio al añadir—: Desde el día en que tu padre salió en busca de Abdul-el-Kebir mi vida ha sido el peor de los infiernos, pero ahora resulta que el destino se ha empeñado en repetir tan triste hazaña. No le parece suficiente que perdiera a un marido al que adoraba; ahora pretende que pierda de igual modo a mis hijos… ¿Por qué? —quiso saber—. ¿Qué delito he cometido para que se me castigue de este modo?

—Tú no has cometido ningún delito… —se apresuró a consolarla Aisha—. Son otros los que lo cometieron, pero tal vez en esta ocasión no tengamos que pagar por ello. Nuestro padre tuvo que enfrentarse a todo un ejército y tan sólo le vencieron cuando se vio obligado a abandonar el desierto. Nosotros únicamente nos enfrentaremos a un puñado de mercenarios que ni siquiera conocen estas montañas. El plan de Gacel parece bueno y lo que tenemos que hacer es seguirlo al pie de la letra.

—¡Pero ni siquiera sabemos a cuántos de esos mercenarios tenemos que enfrentarnos! —se lamentó Laila.

—El piloto me ha asegurado que no llegarán a veinte… —puntualizó Gacel—. Y parecía bastante seguro.

—¿Confías en él?

—Absolutamente. De otro modo no estaría aquí. —Mostró con orgullo el arma que portaba—. La he probado por el camino y le acierto a un pedrusco a trescientos pasos. —Sonrió feliz al añadir—: Por si fuera poco tenemos unos prismáticos nocturnos… —Se inclinó a rozar apenas con los labios la mejilla de su madre—. No te aflijas —rogó—. Saldremos de ésta, pero para conseguirlo es preciso que nos pongamos a trabajar desde ahora.

Casi de inmediato se dirigió al extremo de la caverna en que se encontraban los cautivos para inquirir en tono apremiante:

—¿Quién es Mauricio Belli?

El más joven musitó apenas:

—¡Yo!

—¡Ven conmigo!

—¿Adónde?

—¡No hagas preguntas!

Su tono era tan seco y cortante, que el pobre muchacho no pudo por menos que dirigir una angustiada mirada a sus compañeros, para acabar por ponerse trabajosamente en pie.

Gacel le empujó con suavidad hasta muy cerca de la salida donde le colocó una venda en los ojos y le obligó a inclinarse con el fin de permitirle llegar al exterior sin golpearse con las rocas.

—¿Qué me vas a hacer? —casi sollozó el italiano cuando comprendió que se encontraba al aire libre.

—¡Ya lo verás!

Le ayudó a subir a tientas a un camello a cuya silla le ató con firmeza, y obligando al animal a ponerse en pie se alejó tirando del ronzal a través de los intrincados vericuetos del oscuro macizo rocoso.

Aproximadamente una hora más tarde se detuvo, chistó a la bestia para que se arrodillara, y con ayuda de una afilada gumía cortó las correas de su prisionero para acabar por despojarle de la venda.

—¡Puedes irte! —dijo.

El otro guiñó repetidamente los ojos hasta lograr que se acostumbraran a la violenta luz del mediodía, pero cuando se percató que se encontraban en mitad de una región rocosa, desolada y calcinada por un sol que caía a plomo, no pudo evitar que se le escapara un leve gemido de terror.

—¿Irme? —Se horrorizó—. ¿Adónde?

—Si sigues hacia el nordeste, en tres días llegarás a un pozo frecuentado por las caravanas de sal. Tienes agua suficiente para el camino, y te he traído esta brújula que arranqué de uno de los coches.

—Pero ¿por qué yo?

—Pino Ferrara pagó por tu libertad. A él tienes que agradecérselo. Por lo visto es muy buen amigo de sus amigos.

—Pero hubo otros que también te ofrecieron dinero… —le hizo notar el italiano—. ¿Por qué no lo aceptaste?

—Porque prometí que mataría a cuatro, y son esos cuatro los que van a morir —replicó el tuareg con absoluta calma—. Tú has tenido más suerte.

—No es justo.

—Si no te parece justo volveremos atrás y te cambiaré por otro… —Gacel Sayah abrió las manos con las palmas hacia arriba al puntualizar con marcada intención—. Estoy seguro de que alguno aceptará. ¡Piénsalo, pero decídete rápido porque no tengo tiempo que perder!

—¡Dios Bendito! ¿Dónde está Pino?

—A salvo, y supongo que a estas horas volando hacia Italia.

—¿Cuánto pagó por mí?

—Probablemente más de lo que vales.

Mauricio Belli fue a decir algo, pero el sonido de una lejana detonación que se extendía de una parte a otra de las montañas repitiéndose en mil ecos le obligó a prestar atención.

—¿Qué ha sido eso? —inquirió al fin.

—Un disparo. Ya se ha cumplido el plazo y mi hermano ha ejecutado al primero de los rehenes. Cada día mataremos a uno.

—¡Salvajes!

—Hasta que llegasteis vosotros jamás le habíamos hecho daño a nadie —fue la respuesta—. ¿Realmente quieres volver a la cueva?

El aterrorizado muchacho negó con un decidido ademán de la cabeza.

—¡Bien…! —insistió el tuareg—. En ese caso, quédate aquí hasta que empiece a caer el sol y luego sigue en aquella dirección. Mi consejo es que camines a primera hora del día y a última de la tarde. De lo contrario te deshidratarás o te perderás en la oscuridad. —Hizo un leve gesto alzando la mano—. ¡Que Alá te acompañe y no vuelvas nunca por aquí!

Dio media vuelta y apenas cinco minutos después se había perdido de vista tras un grupo de rocas, dejando al infeliz Mauricio Belli aterrorizado y tan desmoralizado como no lo había estado ni en sus peores pesadillas.

Rompió a llorar.

Hacía días que necesitaba hacerlo abiertamente, pero tan sólo se lo había permitido de forma furtiva y silenciosa en mitad de la noche. Ahora, consciente de que nadie podía verle, lloró e hipó desconsoladamente vencido por el miedo y por la compasión que sentía por sí mismo y por quienes había dejado atrás y que sabía que estaban condenados a morir.

Uno ya había caído, pero ¿cuál?

¿Cuál de ellos, Dios Santo?

Pronto comprendió que resultaba inútil obsesionarse intentando averiguar algo que en el fondo carecía de importancia, puesto que dentro de cuatro días todos habrían sido de igual modo ejecutados.

Se limpió los mocos con el dorso de la mano, hizo un esfuerzo por tranquilizarse, e intentó echar mano de su innegable experiencia como copiloto en tres carreras a través del desierto con el fin de hacerse una idea de dónde se encontraba y cómo conseguiría arreglárselas para alcanzar aquel lejano pozo, si es que en verdad existía.

De existir, se trataba sin duda de *Sidi-Kaufa*, su punto de destino el malhadado día en que erraron el rumbo por culpa de un libro de rutas equivocado, y se concentró en intentar recordar cuanto había aprendido en los mapas, aunque resultaba evidente que dichos mapas no eran en absoluto dignos de confianza.

Si la memoria no le fallaba, aquel aislado macizo rocoso tenía que haber quedado muy al sur, sirviéndoles de lejana referencia siempre a su derecha.

Según eso, cuanto se le ofreciese a unos treinta kilómetros a partir de aquel lugar no debía de ser más que una infinita llanura salpicada de pedruscos por la que les habían advertido que los vehículos tendrían que progresar con infinitas precauciones si no querían arriesgarse a destrozar los neumáticos.

Sin embargo ahora se vería obligado a recorrerla sin más compañía que la de un estúpido camello al que ni siquiera se sentía capaz de montar.

Lo observó.

Era una bestia sarnosa, desgarbada y casi esquelética, de tristes ojos y belfos babeantes, tan lejana e indiferente, que cabía imaginar que no tenía cerebro o el poco del que disponía se había secado años atrás. Un animal totalmente incapaz de provocar temor, pero incapaz de igual modo de provocar ningún tipo de simpatía.

Estaba allí, tumbado a menos de tres metros de distancia, era, probablemente, el único ser vivo en varios kilómetros a la redonda, pero no constituía compañía alguna, ni disminuía un ápice la terrible sensación de soledad que se experimentaba en aquel lugar maldito de los dioses.

Comenzaba a caer la tarde y resultó evidente que, al perder el sol su verticalidad, la luz oblicua permitía distinguir con mayor nitidez los contornos del agreste paisaje circundante.

Ante él, las montañas habían pasado a transformarse en islotes de muy distintas formas y tamaños, casi como altivas fortalezas desparramadas aquí y allá a todo lo largo y ancho de una ondulada extensión de arena, conformando una especie de extraño y agresivo laberinto en el que resultaba muy difícil discernir, a simple vista, si era mayor la superficie ocupada por la negra lava que por la rojiza arena, o viceversa.

Comprendió de inmediato que de momento le resultaría de todo punto imposible avanzar en línea recta, por lo que se vería obligado a serpentear una y otra vez buscando los pasos más apropiados entre las rocas y las dunas, corriendo en todo momento el riesgo de equivocar el rumbo, y teniendo que depositar por tanto todas sus esperanzas de salvación en la correcta utilización de la pequeña brújula.

«Siempre hacia el nordeste…», había puntualizado su verdugo, pero Mauricio Belli sabía por experiencia que en la inmensidad del desierto del Sahara, «el nordeste» podía llegar a ser un lugar tan perdido y vacío como cualquiera de los restantes puntos cardinales.

Allí, a tres o cuatro días de terrible andadura se suponía que debía existir un diminuto oasis, pero resultaba evidente que bastaría con que se desviase unos cuantos kilómetros a un lado u otro para que no alcanzara a verlo y pasara de largo.

—¡Que Dios me ayude! —musitó.

Pero apenas lo había dicho comprendió que en aquel lugar, aquel momento y aquellas circunstancias, no era Dios sino él quien debía ayudarle, por lo que haciendo de tripas corazón se puso en pie, se apoderó del ronzal del dromedario y le chistó como había visto que hacía el tuareg con el fin de que se alzara a su vez y le siguiera.

Cuando media hora más tarde pisó por primera vez la arena se sintió en cierto modo reconfortado, como si su suavidad y morbidez alejase en parte el terror que le producía la negra y ardiente lava.

Caía la tarde y ante él su sombra se alargaba.

Huyó de la lógica tentación de seguirla, consciente de que de ese modo se estaría desviando hacia el este, y permitió que aquella estilizada sombra avanzara oblicuamente como si, pese a estar tan indefectiblemente unidos, sus destinos fueran, no obstante, diferentes.

Una serpiente de poco más de un metro de longitud se cruzó en su camino para desaparecer de inmediato entre unas dunas.

Se preguntó cómo era posible que pudiera vivir en semejante lugar, y de qué demonios se alimentaría.

El mundo era un lugar muy extraño.

Y aquél el más extraño de los mundos.

Cerró la noche y se detuvo, sentándose a esperar, impaciente, a que la luna iluminase lo suficiente como para permitirle continuar avanzando sin temor a desviarse de su ruta.

Le vino a la memoria la serpiente y sintió un escalofrío al imaginar lo que podría ocurrir si una de ellas o un simple escorpión le picaba.

Su agonía sería la más larga y terrible que nadie pudiera imaginar, para acabar tendido, cara al cielo, transformado en un montón de huesos calcinados por el sol.

Los buitres le sacarían los ojos y las tripas.

Había visto muchos buitres horas antes, y al parecer todos volaban en dirección a las montañas que iban quedando atrás, probablemente atraídos por el cadáver del primer infeliz al que aquellos salvajes habían asesinado.

—¡Que Dios me ayude! —musitó una vez más.

La luna tardaba en cobrar fuerza.

Los nervios y la impaciencia le corroían las entrañas y comprendió que necesitaba andar puesto que el solo hecho de advertir cómo cada nuevo paso le aproximaba un poco más a su destino contribuía a relajar la tensión que parecía habérsele instalado en la boca del estómago.

Le sobresaltó la lejana carcajada de una hiena.

Un nuevo y más intenso escalofrío le recorrió la espalda.

Las hienas rara vez se atrevían a enfrentarse abiertamente a un hombre.

Eso era lo que siempre le habían dicho, pero también le habían contado terribles historias sobre hienas hambrientas que en su desesperación no dudaban a la hora de atacar en grupo.

Y él no contaba con un fusil, ni un cuchillo o tan siquiera una simple estaca con que hacer frente a las fieras.

Había pasado largas horas en los gimnasios y había invertido mucho dinero en su desmedido afán por convertirse en un experto en «defensa personal», pero no pudo por menos que preguntarse de qué le servía tanto «cinturón negro» y tanto «karate» a la hora de enfrentarse a una jauría de las más repelentes de las bestias, una silenciosa serpiente o un minúsculo escorpión.

Buscó una gruesa piedra, pero su contacto no le tranquilizó, sino que más bien contribuyó a acrecentar sus temores al permitirle comprender hasta qué punto se había convertido en la más vulnerable de las criaturas del desierto.

Cuando por fin la luz de la luna le permitió distinguir qué dirección marcaba la aguja, reemprendió la marcha aunque en esta ocasión el camello no parecía dispuesto a colaborar, remoloneando bastante más de lo que ya de por sí tenía por costumbre.

Se amarró el extremo del ronzal a la muñeca por temor a que en un descuido o uno de sus muchos tropiezos el renuente animal pudiera echar a correr perdiéndose en la noche, y todo ello pareció confabularse con el fin de que no consiguiera progresar con la rapidez que había imaginado.

La temperatura comenzó a descender como el agua que escapa por el desagüe de una bañera.

El viento del norte inició entonces, como casi cada noche, su andadura, primero a rachas y más tarde manteniéndose como la nota de un violín que pugnara por alcanzar su punto álgido sin caer en la estridencia, y cuando minúsculos granos de arena comenzaron a incrustársele en el rostro entendió la auténtica razón por la que los tuaregs lo ocultaban tras un velo.

Era como si una legión de invisibles enanos se divirtieran en ir clavándole alfileres en cada centímetro del cuerpo que quedaba al descubierto, en lo que constituía a la larga una especie de sofisticadísimo suplicio que le obligaba a mantener los ojos entrecerrados.

Envidió las pestañas del camello, tupidas y gruesas como las cerdas de un cepillo y al cabo de poco tiempo advirtió cómo los ojos se le irritaban por momentos y cómo cada vez le resultaba más difícil distinguir qué dirección marcaba la aguja de la brújula, por lo que llegó a la amarga conclusión de que se arriesgaba a cansarse sin progresar satisfactoriamente en la dirección correcta.

Por fin se dejó caer hastiado y agotado, trabó una pata de la bestia tal como había visto que solían hacer los beduinos, cerró los ojos y se quedó profundamente dormido sin importarle ni poco ni mucho la más que probable presencia de serpientes, hienas o escorpiones.

Los sofisticados «parapentes», oscuros y rectangulares, capaces de depositar a un paracaidista experto sobre una simple moneda que brillara en mitad de un campo en barbecho, se deslizaron atravesando la noche en el momento mismo en que la luna dejó de prestar su fría y tímida luz a la extensa llanura.

El tiempo había sido calculado con precisión cronométrica, por lo que el panzudo Hércules alcanzó el macizo rocoso en el momento en que las tinieblas eran más densas, y tan sólo la perfección de su GPS y de un sofisticado radar de última generación habían permitido al piloto determinar, sin la menor sombra de duda, que se encontraban sobrevolando el punto elegido para el lanzamiento.

Al abrir por completo la compuerta trasera el aparato comenzó a trazar un círculo de unos veinte kilómetros de diámetro, momento que se aprovechó en primer lugar para arrojar al vacío tres grandes bidones de agua.

Casi de inmediato dieciséis hombres les siguieron sin la menor vacilación y a intervalos de no más de quince segundos, de tal modo que ya en el aire conformaban un anillo que tenía como epicentro la cumbre de mayor altura de la zona.

Se trataba de magníficos profesionales, de eso no

cabía la más mínima duda, excelentes no sólo en el manejo de las armas y la táctica de guerrillas, sino también de los dóciles paracaídas bajo los que se diría que quedaban como suspendidos en el aire, disponiendo de tiempo más que suficiente como para consultar sus brújulas y elegir el punto exacto en el que se les había ordenado que tomaran tierra.

Pocos minutos más tarde, y al ocupar cada cual la posición predeterminada, doce de ellos marcaban con notable exactitud las doce horas de un imaginario reloj de enormes dimensiones.

Así, el «Número Tres» quedaba al este, el «Seis» al sur, el «Nueve» al oeste y el «Doce» marcaba sin lugar a dudas el norte exacto.

Los ocho restantes se intercalaban en las horas restantes.

Por su parte *el Mecánico* avanzaba ligeramente por delante del resto de sus compañeros y los hermanos Mendoza lo hacían de igual modo por el extremo opuesto.

Años de perseguir enemigos a todo lo ancho de las praderas y las selvas africanas habían impulsado al armenio a decidirse por una táctica que sabía por experiencia que solía darle magníficos resultados a la hora de obligar a salir de su escondite a los francotiradores mejor apostados.

Avanzando siempre a la vista los unos de los otros confiaba en ir estrechando el círculo a base de prudencia, paciencia y una perfecta coordinación, sin dejar atrás un solo metro cuadrado que no hubiera sido exhaustivamente examinado.

Todo parecía meticulosamente previsto, pero pese a la exactitud del lanzamiento, un rumano al que la mala suerte parecía perseguir con especial perseverancia casi desde la misma cuna se encontró con la desagradable sorpresa de que un pequeño monolito de oscura piedra sobresalía de la arena en el punto exacto en que estaba a punto de aterrizar, y contra él fue a estrellarse su pierna izquierda que de inmediato se quebró por un incontable número de partes.

Perdió el conocimiento, y el *harmattan* que soplaba cada vez con más fuerza a medida que avanzaba la noche tomó en sus manos la oscura seda para divertirse arrastrándole como un pelele llanura adelante hasta acabar por golpearle la cabeza contra una enorme roca.

El resto de sus compañeros no había tenido sin embargo ningún tipo de inconveniente a la hora de tomar posiciones, por lo que pocos minutos más tarde todos y cada uno de ellos se apresuraron a establecer contacto por radio con el fin de notificar que ocupaban sus puestos.

Bruno Serafian aguardó unos minutos y por último llamó a su vez:

—¡«Siete»! —musitó—. ¡«Siete», contesta! ¿Dónde te encuentras?

Pero el número «Siete» parecía encontrarse en esos momentos en el limbo, por lo que el armenio optó por impartir una corta orden:

—¡«Seis y Ocho», buscad a «Siete»! El resto dedicaos a estudiar el terreno sin avanzar por el momento.

Transcurrió casi media hora hasta que una voz anunció secamente:

—¡Aquí «Seis»! «Siete» ha quedado fuera de combate.

—¿Recuperable...?

—No sabría qué decir... —replicó una voz totalmente carente de emociones—. Tiene una enorme brecha en la cabeza y una pierna hecha polvo... ¿Qué quieres que haga?

—Déjalo donde está. Cuando todo acabe volveremos a buscarle.

—Entendido...

—César y Julio juntaos un poco. Ahora cada uno de

nosotros tendrá a su cargo cuatro hombres... ¿Algún movimiento sospechoso?

Esperó respuesta y cuando se cercioró de que nadie tenía nada que notificar, añadió:

—¡Adelante entonces! Despacio y ojo avizor...

Se iniciaba la cacería.

Paso a paso, con el oído atento y echando mano a cada instante de los visores nocturnos, los quince veteranos de innumerables contiendas africanas avanzaron al unísono, conscientes de que la precipitación se convertiría en su peor enemigo, mientras que el tiempo y una cuidada coordinación serían siempre las mejores armas con las que contaran en tan delicados momentos.

Al cabo de unos veinte minutos, a través de la radio se escuchó una voz seca y segura de sí misma:

—Aquí número «Dos». Tengo algo a la vista.

—¿De qué se trata?

—Parece un camello tumbado, y yo diría que un hombre duerme muy cerca.

—¿Distancia?

—Unos trescientos metros.

—¿El hombre se mueve?

—De momento no.

—Obsérvale con mucha atención. En cuanto se mueva dispara, pero procura no matarle. Quiero interrogarle.

De nuevo la paciencia. Una larga espera hasta que súbitamente retumbó un estampido que recorrió la llanura y fue a golpear las paredes de roca repitiéndose en incontables ecos que se alejaron hacia el sur.

—Le he dado. Está gritando.

—Avanza con cuidado. Al menor gesto sospechoso cárgatelo.

De nuevo la espera y el silencio, hasta que al fin la voz del número «Dos» resonó, en este caso notablemente excitada:

—Ese hijo de puta está pidiendo socorro en italiano. Es posible que le haya atizado a uno de los rehenes.

—¡No jodas!

—Aúlla como un cerdo.

—Pregúntale su nombre.

Al poco llegó, desconcertante, la respuesta:

—Mauricio Belli.

—¡La puta que lo parió! ¿Qué coño hace ahí ese gilipollas?

—Asegura que ayer los tuaregs le dejaron marchar.

—¿Y el resto?

—Continúan retenidos aunque parece ser que ya han matado a uno.

—¡Mierda…! —Bruno Serafian meditó unos instantes calibrando las posibles consecuencias de la nueva situación, y por último señaló—: Cerciórate de que no hay enemigos cerca e intenta tomar contacto, pero no uses la linterna. «Uno» y «Tres», cubridle…

—¡De acuerdo!

El llamado número «Dos» era un hombre prudente y acostumbrado a obedecer órdenes, por lo que permaneció varios minutos muy quieto hasta que se cercioró de que no se distinguía a nadie y que sus compañeros de izquierda y derecha se aproximaban cubriéndole las espaldas.

Tan sólo entonces se decidió a recorrer sin prisas la corta distancia que le separaba de un herido que no cesaba de lamentarse y sollozar.

Cuando se encontraba casi a tiro de piedra, el número «Dos» gritó:

—¡Tranquilo! Hemos venido a rescatarle pero le advierto que puedo verle y al menor movimiento sospechoso me lo cargo.

—Estoy desarmado… —fue la inmediata respuesta—. Y me estoy desangrando.

La noche seguía siendo muy oscura, el número

«Dos» se cercioró por enésima vez que no corría peligro ya que resultaba imposible distinguir nada a menos de diez metros de distancia, y tras aspirar profundamente se decidió a continuar su lenta marcha siempre con el arma lista y amartillada.

Apenas una docena de metros le separaban de su objetivo cuando de detrás de una roca que se encontraba a unos cuatrocientos metros frente a él, surgió un fogonazo y antes de que tuviera tiempo de reaccionar una pesada bala le destrozó el corazón.

—¿Qué ha sido eso? —inquirió de inmediato *el Mecánico*—. ¡«Dos», qué ha ocurrido! ¡«Dos», responde!

Pero lógicamente en esta ocasión tampoco recibió respuesta.

Lo que sí llegó poco después fue una voz que denotaba nerviosismo y frustración:

—¡Aquí «Tres»! «Dos» ha caído y el hijo de puta que le disparó se ha perdido de vista entre las rocas… Todo ha sido muy rápido y se encontraba demasiado lejos para dispararle.

—Pero ¿cómo puede haberle alcanzado en plena noche?

—¡Ni puñetera idea! Pero que le ha dado, le ha dado.

—¡Bien! Todos quietos. En cuanto amanezca iré hacia allá.

La primera luz se hizo esperar.

Cuando al fin el sol hizo su aparición en el horizonte, y el armenio se convenció de que no se advertía presencia humana alguna en todo cuanto alcanzaba la vista, se encaminó dando un rodeo al punto en el que le esperaba el número «Uno» y juntos se aproximaron al grupo que formaban el rígido cadáver de «Dos», el ahora inconsciente Mauricio Belli y el eternamente indiferente dromedario.

Apenas dedicaron una corta mirada al difunto, convencidos de que nada podían hacer por él, limitándose a intentar reanimar al italiano que a los pocos minuto[...] abrió los ojos y les observó perplejo:

—¿Qué ha ocurrido? —fue l[...] que dijo.

—[...] que yo querría saber… —masculló el malhumorado Serafian—. ¿Mi compañero encendió la linterna?

El herido negó convencido:

—Ni siquiera llegué a verle —dijo.

—¿Cómo se explica entonces que pudieran acertarle a esa distancia? El disparo tuvo que venir de aquellas rocas.

—No puedo saberlo. Advertí cómo se aproximaba, escuché el estampido y al instante lanzó un estertor. Luego, nada.

—¿Cómo te encuentras?

—Creo que he perdido mucha sangre.

El Mecánico sacó un afilado cuchillo, le rajó la pernera del pantalón y observó la herida con aire experto.

—Saldrás de ésta pero me temo que andarás renqueando el resto de tu vida… —Hizo un significativo gesto a su alrededor al añadir con una leve sonrisa burlona—: Vistas cómo están las cosas, puedes darte por contento porque tus compañeros lo tienen más difícil.

—Ya han matado a uno.

—Eso parece… ¿Por qué te dejaron marchar a ti?

—Tan sólo pensaban ejecutar a cuatro y Pino Ferrara, que ya va camino de Italia ha pagado por mi libertad.

—¿Que Pino Ferrara va camino de Italia? —Se sorprendió su interlocutor—. ¿Quién lo ha dicho?

—El tuareg.

El Mecánico meditó la respuesta pero al fin se encogió de hombros al señalar:

—Me temo que te han engañado y que Pino Ferrara está muerto, aunque eso ahora carece de importancia. Más bien me inclino a pensar que te han utilizado como cebo y les ha dado resultado… ¡Esos piojosos se las saben todas! ¿Cuántos son?

—Dos hombres y dos mujeres.

—¿Seguro que no han recibido refuerzos?

—No, que yo sepa.

—¿Dónde se esconden?

—En una cueva muy grande con una entrada muy angosta.

—¿Serías capaz de localizarla?

El muchacho negó con un decidido ademán de la cabeza al replicar seguro de sí mismo:

—La única vez que me dejaron salir sin tener los ojos vendados era de noche.

—¡Lástima! ¿Tienes por lo menos una idea de dónde se encuentra?

—En una zona escarpada y de muy difícil acceso, en pleno corazón de la zona más rocosa.

—Era de suponer, pero no te preocupes. Con un poco de paciencia la encontraremos. —*El Mecánico* sonrió de nuevo al musitar—: Y ahora procura descansar. Lo necesitas.

Se irguió y dio unos pasos sin aparente rumbo fijo, pero a los pocos instantes extrajo de la funda una gruesa pistola, y girando apenas sobre sí mismo disparó una sola vez.

Alcanzado en la nuca Mauricio Belli cayó hacia adelante, sin ni siquiera darse cuenta de que le habían matado

El número «Uno», un flemático sudafricano llamado Sam Muller, que había asistido a la escena sin pronunciar palabra, se volvió a dirigirle una fría mirada al ejecutor:

—¿Y eso? —quiso saber

—¿Qué querías que hiciera? —fue la calmada respuesta—. ¿Dejarle aquí achicharrándose a pleno sol del mediodía? De todos modos iba a morir y le he ahorrado sufrimientos.

—Pero se supone que hemos venido a salvar gente, no a rematarla.

—No podíamos llevarle con nosotros y desde luego tampoco podíamos quedarnos aquí cuidándole. Si esos hijos de puta ya han empezado a cargarse rehenes ¿por qué razón no pudo haber sido éste el primero?

—Porque está claro que no lo ha sido —replicó con acritud el sudafricano—. Y no me gusta matar tontamente a alguien que no me ha hecho nada y además está herido.

—¡Escucha…! —puntualizó *el Mecánico* en un tono de voz que no admitía réplica y en el que incluso podría advertirse un leve deje de amenaza—: No tengo intención de regresar llevando a cuestas a alguien que el día de mañana vaya contando a todo el que quiera escucharle que le pegamos un tiro por error. Mis órdenes son concretas: o vivos, o muertos, pero sanos. —Apuntó con un dedo los cadáveres para puntualizar con absoluta calma—: A estos dos se los cepillaron los tuaregs y no hay más que hablar. ¿Ha quedado claro?

—Muy claro —admitió Sam Muller con desconcertante parsimonia.

—Me alegra que lo hayas entendido puesto que se te paga mucho dinero, tanto por hacer tu trabajo, como para mantener la boca cerrada. Así es nuestro oficio y ésas suelen ser las normas… ¿Alguna pregunta?

—Sólo una: ¿qué hacemos ahora?

—Continuar con el plan previsto.

—Por mí de acuerdo, pero te hago notar que apenas hemos avanzado unos cuatro kilómetros, ni siquiera nos hemos aproximado aún a la zona que podemos considerar de auténtico peligro, pero ya hemos perdido dos hombres. A ese ritmo mañana por la tarde nos habrán frito a todos.

—¿Alguna idea mejor?

El otro se limitó a negar con un gesto.

—Tú eres quien manda —murmuró.

—¡Sí! —refunfuñó el armenio al que se le advertía molesto y desconcertado—. Yo soy quien manda y el plan es bueno. Es una táctica que siempre me ha dado magníficos resultados aunque continúo sin explicarme cómo diablos pudieron acertarle a ése en mitad de la noche y a tanta distancia.

—Hay quien asegura que los beduinos ven en la oscuridad, como los gatos.

—¿A casi cuatrocientos metros…? ¡No digas bobadas! Me considero buen tirador, pero no lo conseguiría ni con la ayuda de una mira telescópica nocturna.

—Tal vez la tengan.

—¿Cómo has dicho? —se sorprendió *el Mecánico*.

—Que tal vez esos a los que tú llamas «piojosos» no lo sean tanto y nos estén combatiendo con nuestras propias armas.

—Pero ¿de qué coño hablas…? —le espetó impaciente su interlocutor—. Se trata de una miserable familia de nómadas que lleva años viviendo en el culo del mundo… ¿De dónde crees que pueden haber sacado esas armas?

—¿Y a mí qué me preguntas? —replicó el siempre hierático Sam Muller—. Hace tres días me encontraba en Angola y no tenía ni la menor idea de lo que estaba ocurriendo aquí. ¡Y tampoco me importa demasiado! A mí me contratan, acudo y hago mi trabajo sin meterme con nadie… —Con un significativo gesto señaló de arriba abajo a su acompañante—. Pero lo que sí te digo, es que estos uniformes de camuflaje puede que sean muy prácticos en la selva, pero aquí el verde nos delata a kilómetros porque no se distingue un solo matorral en cuanto alcanza la vista y nos convierte en un blanco perfecto para unos tipos que tienen fama de que donde ponen el ojo ponen la bala.

—En eso tienes razón.

—¡Naturalmente que la tengo! Y es más...: cuando veo cómo a un compañero lo dejan frito en plena noche a casi cuatrocientos metros de distancia el asunto empieza a no gustarme.

—Tampoco a mí me gusta, pero me niego a aceptar que esos cerdos nos puedan ver en la oscuridad.

—Ése es tu problema, pero te aconsejo que, por si acaso, esta noche procures que nos movamos lo menos posible. En un asedio, y este operativo empieza a parecerlo, el que se ve obligado a avanzar lleva siempre la peor parte frente al que únicamente tiene que limitarse a esperar.

—Lo tendré en cuenta.

Bruno Serafian echó una vez mano a su diminuta radio, carraspeó por dos veces, y al fin ordenó procurando que su voz sonara firme y autoritaria:

—¡Reanudamos la marcha! Despacio y atentos. Puede que estos cabrones tengan armas de largo alcance. A la menor señal de peligro cuerpo a tierra... ¿Alguna duda? —Esperó unos instantes y como no le llegó respuesta añadió—: ¡Adelante entonces!

Los catorce supervivientes reanudaron la tarea de estrechar el cerco, pero apenas una hora más tarde la mayor parte de ellos empezaron a tomar plena conciencia de dónde se encontraban.

El sol, ya casi en su cenit, parecía pretender aplastarles contra el suelo, no se distinguía ni la más diminuta sombra en todo cuanto alcanzaba la vista, y la temperatura superaba ampliamente los cincuenta grados centígrados.

Allí no había más que negra roca y rojiza arena.

Absolutamente nada más.

Arena y roca, roca y arena.

Un aire ardiente y un sol de fuego.

Y buitres. Docenas de buitres que volaban muy alto en amplios círculos, sin tan siquiera molestarse en agitar las alas, limitándose a dejarse llevar por las corrientes de aire, como si incluso para ellos aquélla fuera una hora en la que la tierra se convertía en un lugar demasiado caluroso como para arriesgarse a descender hasta su superficie.

«Cuando el buitre come, el beduino acecha. Cuando el buitre vuela, el beduino descansa.»

Para los tuaregs del Sahara más profundo los buitres se convertían en una especie de termómetro viviente que indicaban con notable precisión cuándo la temperatura superficial había superado los límites soportables, momento en el que se hacía necesario que los seres humanos permanecieran a la sombra y absolutamente inmóviles, visto que no poseían la facultad de elevarse en busca del frescor de las alturas.

Pese a la extendida opinión de cuantos habían sufrido la violencia de sus métodos, los mercenarios también eran seres humanos y tampoco podían elevarse en busca de temperaturas más soportables, debido a lo cual Bruno Serafian llegó muy pronto a la conclusión de que resultaba de todo punto imposible continuar caminando bajo tan infernales circunstancias.

—¡Alto! —ordenó—. Descansaremos hasta las cuatro. Los números pares que duerman dos horas. Luego lo harán los impares.

Los hombres se dejaron caer, empapados en sudor y destrozados, pero casi de inmediato llegaron a la desagradable conclusión de que sus metralletas eran demasiado cortas y sus camisas demasiado pequeñas. Y por si todo ello fuera poco tampoco disponían de espadas.

Una de las principales razones por las que un beduino prefiere los rifles largos y las largas espadas se debe al hecho de que con su ayuda y la de un amplio *jaique* es capaz de montar en un instante una minúscula *jaima* que le proporciona sombra, le protege del viento y mantiene la temperatura ambiente a un nivel constante.

Sentado en un pequeño hueco de arena bajo su improvisada pero resistente «tienda de campaña», es capaz de dejar pasar las más ardientes horas del mediodía en mitad de la más inhóspita de las llanuras sin que el fuego que está cayendo en el exterior le afecte en exceso.

Sin embargo, la más moderna y mortífera de las metralletas había sido diseñada con el fin de que ocupara el menor espacio posible, y el tamaño de una camisa de uniforme jamás podría compararse con el de un *jaique* beduino. El resultado lógico era que los catorce hombres se vieron obligados a tomar asiento sobre la arena o las piedras sin contar con el más mínimo asomo de sombra.

Pronto descubrieron que la sensación debía parecerse mucho a la que experimentarían en caso de que les estuvieran aplicando hierros candentes en la espalda.

Pese a tratarse de un irlandés extraordinariamente fuerte, el número «Nueve» fue el primero en caer y las razones de su inesperado colapso había que buscarlas en la inexperiencia sobre el medio en que se desenvolvían por parte de quien le había colocado en aquel puesto.

En efecto, su número correspondía a las nueve de un reloj, es decir, al oeste exacto, lo cual significaba que durante toda la mañana había tenido que caminar en dirección al este, punto por el que se había levantado un sol que durante horas le estuvo golpeando directamente en el rostro.

Por si ello no fuera castigo suficiente, los rayos de ese sol se reflejaban en millones de granos de arena, transformando el paisaje por el que se veía obligado a avanzar en una especie de gigantesco espejo, lo cual provocó que muy pronto su rojiza piel se hubiera achicharrado, y, pese a llevar gafas oscuras, sus azules ojos fueran incapaces de distinguir más que sombras.

«El que se carga el sol a la espalda puede sobrevivir al desierto. El que lo carga en brazos siempre acaba pereciendo.»

Aquel que hiciera oídos sordos a una vieja máxima que resumía en pocas palabras cientos de años de experiencia de incontables viajeros de «la tierra que sólo sirve para cruzarla» estaba condenado de antemano a morir en el intento.

Por lo general, una cabeza, una nuca y una espalda bien protegidas resisten al sol, al calor y a la reverberación de la arena cinco veces más que un pecho, un rostro o unos ojos, y si estos últimos no son lo suficientemente oscuros, su indefensión acaba siendo patética.

Al número «Nueve» nadie le había advertido que en el Teneré nunca se debe caminar de cara al sol, por lo que a media mañana apenas alcanzaba a distinguir los objetos a cien metros de distancia, y a media tarde el mundo se había convertido para él en una especie de glauca nebulosa.

—¡Aquí «Nueve»! —musitó roncamente a través de la radio—. Necesito ayuda.

—¿Qué clase de ayuda? —quiso saber de inmediato el armenio.

—Cualquier clase de ayuda… —fue la amarga petición impropia de un hombre de la reconocida entereza del irlandés—. Este maldito sol me ha abrasado los ojos.

Bruno Serafian podía ser cualquier cosa menos estúpido, y las horas que había pasado bajo lo que le había dado la impresión de constituir una impalpable lluvia de plomo derretido le habían permitido reflexionar sobre el incontable número de errores que había cometido a la hora de plantear lo que en un principio pareció constituir una rutinaria operación de búsqueda y captura.

Resultaba evidente que su reconocida experiencia en la larga y agotadora guerra del Chad de nada le había valido, puesto que los durísimos desiertos chadianos en los que con tantas penurias había combatido podían considerarse casi como un vergel comparados con la pétrea fortaleza natural a la que se enfrentaba en aquellos momentos.

Ni la temperatura era la misma, ni era el mismo el paisaje, ni nada de cuanto pudiera recordar se semejaba en lo más mínimo a un infierno del que incluso los propios demonios se diría que habían renegado en su momento.

No más de seis kilómetros en línea recta le debían separar de su objetivo, al parecer tan sólo dos «piojosos beduinos» se oponían a su avance, pero en la reseca boca había hecho ya su aparición el conocido sabor metálico de la derrota, puesto que comenzaba a invadirle la desagradable sensación de que no se estaba encarando ni a la naturaleza ni a los hombres, sino a una fuerza infinitamente superior cuyo poder estaba muy por encima de cualquier ejército.

No se trataba ya del sol, el calor, la sed, la arena, el viento o incluso de las emboscadas o las balas...

Se trataba quizá de que el supremo creador había decidido que aquél era un lugar inviolable; un último refugio o la definitiva demostración de su inconmensurable poder, y que por lo tanto *el Mecánico* como sus hombres no eran apenas algo más que míseras hormigas que hubieran osado desafiar a un gigantesco «tiranosaurio».

—Todos necesitamos ayuda... —musitó al fin para sus adentros—. Cualquier tipo de ayuda.

Gacel Sayah abrió los ojos, calculó la altura a la que volaban los buitres y decidió que había llegado el momento de abandonar su tranquilo refugio a la sombra de un saliente de piedra para trepar hasta una pequeña atalaya desde la que dominaba la mayor parte de la vertiente oriental del macizo rocoso.

Tal como imaginaba, sus enemigos también habían comenzado a moverse, pero le intrigó descubrir que no continuaban esforzándose en estrechar el cerco, sino que parecían haber decidido cambiar de táctica.

Ahora una mitad se encaminaba hacia el norte y la otra hacia el sur con la evidente intención de reagruparse y constituir dos únicos frentes.

Los observó a través de la mira telescópica del rifle de Nené Dupré y no pudo evitar una leve sonrisa de satisfacción.

Tal como suponía, el sol y el viento les habían golpeado con dureza.

Con extrema dureza.

Si el *imohag* hubiera asistido en alguna ocasión a una corrida de toros, tal vez habría podido comparar el estado de ánimo de aquellos sudorosos caminantes con el de una poderosa bestia de agresiva cornamenta que, tras surgir briosamente del toril dispuesta a comerse el mundo, hubiera sufrido inesperadamente y con excesivo ensañamiento el cruel castigo del tercio de varas a manos de un implacable picador.

Incluso desde aquella distancia resultaba perceptible que la firmeza de su andadura y la marcialidad de la noche anterior había dado paso a una evidente desidia y dejadez, ya que las piernas parecían pesarles como si les hubieran sujeto a los tobillos una bola de acero.

El principal aliado que desde los más remotos tiempos habían tenido los tuaregs había ganado ya su primera batalla.

El desierto era un poderosísimo guerrero que raramente bajaba la guardia, y tanto más daño hacía cuanto más tiempo pasaba.

La mejor táctica que podían continuar empleando por tanto los hermanos Sayah era la de evitar cualquier tipo de confrontación, golpear corto y rápido, y permitir que la inclemencia de los elementos continuara su devastadora labor de desgaste.

Gacel tenía muy claro que aquélla era una guerra, aún no estaba en absoluto ganada y cualquier sorpresa desagradable cabía esperar de la siempre imprevisible tecnología «francesa», pero también tenía de igual modo muy claro que sus enemigos se encontraban lo suficientemente desmoralizados como para verse obligados a cambiar de forma muy sustancial su planteamiento inicial.

A partir de aquel momento el cerco original pasaría a convertirse en una especie de enorme «tenaza», pero a su modo de ver ello no impediría que la arena continuase siendo arena, la roca, roca, el sol, sol y el calor, calor.

Y a la arena, las rocas, el calor y el sol, lo mismo le daban los «cercos» que las «tenazas».

Cada vez que uno de aquellos hombres diera un paso tendría que darlo por sí solo, cada vez que tuviera la impresión de que el cerebro estaba a punto de estallarle no podría recibir ayuda alguna, y cada vez que el terror a morir deshidratado se le asentara en la boca del estómago de nada le servirían las palabras de consuelo.

La mayoría había nacido en climas templados, por mucho que lo intentaran el desierto nunca podría ser su hábitat, y debido a ello el hecho de moverse, incluso tan despacio como lo estaban haciendo, provocaba que cada poro de su piel rezumara ininterrumpidamente una diminuta gota de sudor.

Y allí, en el corazón del Teneré, cada gota de sudor tenía casi el mismo valor que una gota de sangre.

Quietos perderían unos ocho litros de sudor al día, más del doble si se veían obligados a caminar, y como no consiguieran reponer de inmediato al menos la mitad de ese líquido comenzarían a sentir mareos, fatiga, fiebre e irritabilidad. Las capas superiores de la piel se ennegrecerían, tensándose y apergaminándose, y descubrirlo les provocaría un súbito ataque de pánico, puesto que los mercenarios sabían por experiencia que ése constituía siempre el paso previo a un inevitable colapso renal.

En semejantes circunstancias ningún europeo sería capaz de controlar su ritmo cardíaco, por lo que entraría rápidamente en coma.

Al poco, una llamada larga y sostenida atravesó las quebradas, y al instante Suleiman hizo su aparición sobre una lejana colina.

Gacel se despojó del turbante, lo lanzó al aire y permitió que cayera al suelo sin hacer la menor intención de recogerlo, lo cual constituía una clara indicación de que deseaba que se reuniesen a mitad de camino.

Media hora después tomaban el té sentados el uno frente al otro como si la más absoluta paz reinara en cientos de kilómetros a la redonda.

—Hay algo que no entiendo… —puntualizó un desconcertado Suleiman cuando hubieron concluido de cambiar impresiones sobre los acontecimientos del día—. ¿Por qué razón han asesinado a ese muchacho…?

—Tampoco yo me lo explico. —Se vio obligado a responder su hermano—. Admito que pudieran dispararle por error en la oscuridad, pero no me cabe en la cabeza que lo ejecutaran de ese modo a plena luz del día.

—¿Crees que podía estar gravemente herido?

—No daba esa impresión. Hablaba con naturalidad cuando de pronto, el que parece el jefe, le descerrajó un tiro en la nuca…

—Puede que lo haya hecho para acusarnos… —sentenció Suleiman.

—Lo he pensado, pero no es eso lo que ahora me preocupa… —le hizo notar Gacel—. Me preocupa que esa «ejecución» es una prueba de que vienen dispuestos a acabar con todo y por las malas. ¿Qué se puede esperar de alguien que remata a sangre fría a un herido?

—No creo que tengamos nada que esperar… —musitó en un tono apenas perceptible el menor de los Sayah—. Que yo recuerde siempre nos hemos tenido que valer por nosotros mismos y ése parece seguir siendo nuestro destino: una vez más se trata de ellos o de nosotros.

—Nunca quise llegar a estos extremos, pero me temo que no nos dejan demasiadas opciones. —Gacel hizo un gesto a su hermano para que le siguiera hasta un pequeño altozano desde el que se dominaba la rojiza llanura arenosa, apoyó el rifle de mira telescópica en un saliente, enfocó con sumo cuidado y por último señaló hacia el SUDESTE.

—¿Qué ves en la ladera de aquella duna? —inquirió.

El otro tardó en replicar puesto que resultaba evidente que no estaba acostumbrado a mirar a través de una lente por lo que se veía obligado a guiñar cómicamente los ojos una y otra vez, pero al cabo de un rato alzó el rostro para señalar no demasiado seguro de sí mismo:

—Parece un barril.

—Eso es lo que yo creo… —admitió su hermano— Un barril unido a un paracaídas.

—¿Agua?

El beduino asintió convencido al tiempo que puntualizaba:

—Probablemente contiene una buena parte de sus reservas de agua.

—Y ¿qué hace ahí?

—Está claro que lo lanzaron sobre las dunas con el fin de evitar que se rompiera al golpear contra las rocas, y que de momento lo han dejado donde cayó porque aún no lo han necesitado.

—Aunque aún no lo hayan necesitado, nadie es tan estúpido como para abandonar tanta agua en mitad del desierto.

—Y ¿quién podría quitársela? —quiso saber su hermano—. No la han abandonado porque saben que ningún animal conseguiría abrir nunca uno de esos barriles metálicos, y nosotros ni siquiera podemos aproximarnos. Tal vez incluso hayan pensado que ése es el lugar más seguro para guardarlo: en mitad de una duna y a la vista de todos.

—Una tentación demasiado grande.

—O quizá una trampa. Si se nos ocurriera la estúpida idea de intentar acercarnos aprovechando la oscuridad, nos volarían la cabeza puesto que pueden vernos de noche.

—Por fortuna no saben que lo sabemos.

—Eso es algo que tendremos que agradecer a Nené Dupré.

—Y tampoco saben que tú puedes verles.

—Me temo que eso es algo que empiezan a sos-

pechar porque el tiro me salió demasiado preciso...
—Gacel hizo una corta pausa antes de inquirir—:
¿Cuánta agua puede contener uno de esos barriles?

—No creo que llegue a los doscientos litros. ¿Imaginas lo que ocurriría si consiguiéramos arrebatársela?
—Suleiman no pudo evitar una leve sonrisa—. Un puñado de europeos escasos de agua en mitad del desierto se cagaría patas abajo.

—¿A qué distancia puede estar?

—¿El barril...? Calculo que a unos tres kilómetros. Demasiado lejos como para intentar nada.

—Demasiado lejos, en efecto. Sin embargo, se me ha ocurrido una idea.

—¿Y es...?

—Hacer aquello que nunca esperarían que hiciera un tuareg...

—¿Como qué...?

Dos horas más tarde, cuando ya el sol comenzaba a declinar y las primeras sombras se alargaban por la llanura preludiando el fin del insoportable bochorno, un veloz dromedario montado por un hábil jinete hizo de improviso su aparición surgiendo de entre las rocas, para echar a correr directamente hacia el este.

Los siete hombres que habían reiniciado tiempo atrás su lento avance desde el sur tardaron un par de minutos en advertir su presencia, y quizá otro tanto en discutir sobre si se trataba o no de un acobardado fugitivo que intentaba escapar del asedio.

Tan sólo cuando advirtieron que el jinete variaba bruscamente su rumbo enfilando hacia las dunas del sudeste, parecieron comprender cuáles eran sus auténticas intenciones.

—¡El agua! —aulló fuera de sí Julio Mendoza—. ¡Ese hijo de puta va a por el agua!

De inmediato iniciaron una loca estampida tratando de cortarle el paso, pero Gacel Sayah se había desviado lo suficiente como para estar en condiciones de dar un gran rodeo buscando aproximarse a su objetivo llegando desde el nordeste.

Unos hombres corrían y otros disparaban alocadamente, pero muy pronto la mayoría llegó a la conclusión de que se encontraban demasiado lejos como para tener la más mínima posibilidad de abatir a un brioso animal que daba la impresión de volar sobre la arena.

El tuareg parecía haber calculado al detalle la velocidad y resistencia de su montura, exigiéndole el máximo a base de golpearla en el cuello y los lomos con una larga fusta, hasta el punto de que cabría asegurar que era aquélla una carrera en la que el animal estaba condenado a morir reventado.

Metro a metro, zancada a zancada, el bravo «mehari» continuó su marcha ante la desesperación de quienes comprobaban, horrorizados, que no existía forma humana de detenerlo, y cuando al fin la noble bestia dio el primer traspié y resultó evidente que había llegado al límite de sus fuerzas, menos de setecientos metros le separaban del nacimiento de las dunas.

En esos momentos Gacel Sayah saltó de la montura, rodó sobre la arena, giró sobre sí mismo como un gato, e inició a su vez una veloz carrera de poco más de doscientos metros con el arma en la mano para tumbarse cuan largo era sobre un montículo de arena.

Aguardó unos instantes con el fin de tomar aire y serenar el pulso, se encaró el rifle, ajustó la mira telescópica y rápidamente efectuó una docena de disparos.

Al menos cinco balas impactaron en el blanco perforando la dura chapa de acero y permitiendo que de inmediato gruesos chorros de agua escaparan en todas direcciones.

Los siete hombres gritaban, maldecían, corrían y disparaban.

Dudaban entre intentar acabar con su atacante o

procurar llegar al barril con intención de contener la sangría del precioso líquido, pero Gacel Sayah ni siquiera reparaba en su presencia, atento únicamente a continuar con su destructiva labor, hasta que al fin pareció darse por satisfecho convencido de que había causado un daño irreparable.

Tan sólo entonces se puso en pie para iniciar una rítmica carrera en dirección opuesta a la que había traído.

Cuatro de los mercenarios se lanzaron tras él.

Eran hombres recios y bien entrenados a los que la ira y la frustración parecían haber dado alas, ya que sacando fuerzas de flaqueza consiguieron cortarle el paso al fugitivo, obligándole a desviarse de su natural ruta de escape y empujándole cada vez más hacia el interior de una llanura en la que confiaban en poder abatirle fácilmente.

Fueron unos largos y casi angustiosos, momentos de tensión, en los que un espectador neutral no hubiera sabido decidir sobre quién tenía que apostar.

Al beduino se le advertía más ágil y menos cansado, acostumbrado desde que nació a correr sobre la arena, pero sus perseguidores se encontraban muy bien situados y mejor armados, por lo que resultaba evidente que nunca le permitirían regresar a la protección de las rocas.

No obstante, a los pocos minutos, de entre esas misma rocas surgió un nuevo dromedario montado en esta ocasión por Suleiman Sayah, que se dirigió hacia el este buscando reunirse con su hermano en un lejano punto de la llanura previamente determinado.

Al descubrirlo los cuatro hombres parecieron llegar a la conclusión de que todos sus esfuerzos estaban condenados al fracaso, por lo que se dejaron caer sudorosos, frustrados, sedientos y agotados, para observar cómo el fornido jinete llegaba a la altura del hombre que corría, le aferraba del brazo y lo alzaba como una pluma para permitir que cabalgara a sus espaldas regresando, sin prisas, al seguro refugio del macizo montañoso.

Cuando Julio Mendoza transmitió a Bruno Serafian la mala nueva de que en el fondo del barril tan sólo habían quedado unos cuantos litros de agua y cinco balas, el armenio se vio obligado a echar mano de toda su reconocida capacidad de autocontrol con el fin de evitar que sus hombres se contagiaran del terror que súbitamente se había apoderado de su ánimo.

En cuestión de minutos, y por culpa de un audaz golpe de mano en verdad imprevisible, había pasado de una posición dominante, a una situación verdaderamente angustiosa.

Confiaba en sus hombres, convencido como estaba de que eran sin duda los mejores profesionales con los que se podía contar en aquellos momentos, pero también tenía plena conciencia de que si bien estaban acostumbrados a soportar todo tipo de penalidades, la sed constituía un implacable enemigo contra el que ni el más avezado de los mercenarios había aprendido a enfrentarse.

En semejante lugar y con los escasos recursos de agua que los tuaregs les habían dejado, perdían toda posibilidad, no ya de salir triunfantes, sino incluso de sobrevivir.

A más de cincuenta grados de temperatura ese agua se convertía en un elemento absolutamente imprescindible y tomó plena conciencia de que a partir de aquel momento nadie pensaría ya en la misión que les había llevado hasta allí, sino en la forma de conseguir continuar respirando.

—¿Qué vamos a hacer ahora?

Se volvió al número «Once» que era el primero que se había atrevido a musitar apenas la escabrosa pregunta que se había adueñado del ánimo de la mayoría de sus hombres.

—¿Tú qué crees? —replicó con evidente acritud.

—Prefiero no creer nada, pero cuando acepté este trabajo lo último que pude imaginar era que fallara la logística.

—Lo que ha fallado no es la logística, sino la lógica… —fue la áspera respuesta—. Que siete profesionales no sean capaces de defender sus reservas de agua frente a un piojoso beduino carece de toda lógica. —*El Mecánico* hubiera deseado lanzar un escupitajo, pero no disponía de suficiente saliva—. Por fortuna aún nos queda otro barril, pero me temo que con eso no basta para todos.

—¡Resulta increíble! —protestó alguien—. Un solo tipo ha sido capaz de darnos por el culo. ¡Sencillamente increíble!

—Admito que en parte la culpa es mía… —reconoció honradamente el armenio—. Había previsto cualquier tipo de estratagema, menos el hecho de que se decidieran a luchar a campo abierto.

—Los tuaregs tienen fama de ser magníficos guerreros en campo abierto —le hizo notar otro de los presentes—. Tenías que haberlo previsto.

—Pues lo cierto es que no lo había previsto y lo siento. ¿Qué más puedo decir?

—Nada, porque de nada sirven ahora las palabras ni las lamentaciones.

—Hay algo que tampoco entiendo… —se decidió a intervenir el sudafricano Sam Muller, que seguía evidenciando ser un hombre incapaz de perder los nervios bajo ninguna circunstancia—. O yo he entendido mal, o nos habías asegurado que éste era un lugar desolado en el que cualquier cosa que se moviera no podía ser más que un enemigo.

—Eso dije.

—Pues lo cierto es que me he pasado el día viendo buitres, hienas y chacales. Más que el último rincón del Teneré, esto parece un zoológico.

—Ya me había dado cuenta, y está claro que acuden al olor de la carroña.

—¿Qué clase de carroña?

—Supongo que la de los cadáveres de los rehenes.

—Pues si los rehenes se han convertido en carroña… ¿qué coño pintamos aquí?

—Intentamos liberar a los que continúan con vida. Si es que queda alguno.

—A mi modo de ver no debe quedar ninguno puesto que esos buitres vuelan sobre cuatro puntos diferentes. —Sam Muller chasqueó la lengua en un claro ademán de fastidio al añadir—: Ahora, cinco, ya se están dando un auténtico banquete con los cuerpos del muchacho y del número «Dos». —Observó de medio lado a su jefe al inquirir—: ¿De verdad crees que eso significa que ya han matado a los rehenes que quedaban?

—No sabría qué decirte.

El sudafricano meditó unos instantes para acabar señalando el cielo y negar con un gesto de la mano:

—A mí no me cabe en la cabeza que nadie se dedique a ejecutar a cuatro personas en cuatro puntos diferentes y muy separados entre sí. ¡Eso sí que no me lo trago!

—¡Tampoco yo…! —admitió el armenio—. Pero no encuentro ninguna otra explicación… ¿Y en realidad qué importa ahora sobre quién vuelan los buitres? Como no reaccionemos, muy pronto estarán volando sobre nuestras cabezas.

—¿Cuándo está previsto que regrese el avión?

—Dentro de tres días.

—¡Tres días! —se horrorizó otro de los presentes que se había limitado a escuchar en silencio sentado sobre una roca—. ¿Y no hay forma de comunicarse con los pilotos para que vuelvan?

—Su base está en Angola y tienen que volar siempre de noche y dando grandes rodeos. No vale la pena intentar ponernos en contacto con ellos, porque no creo que pudieran ganar ni siquiera una hora ya que tenían previsto aterrizar al amanecer, y a oscuras no pueden hacerlo.

—¿Y cómo se supone que vamos a sobrevivir durante tres días si andamos escasos de agua?

—Tenemos dos opciones.

—¿La primera?

—Improvisar tiendas de campaña con los paracaídas, meternos dentro y resistir consumiendo lo menos posible.

—¿Y la segunda?

—Avanzar todo lo aprisa que podamos, encontrar la cueva, y apoderarnos del agua que trajo el helicóptero. Si han matado a los rehenes a esos hijos de puta debe quedarles más que suficiente.

—Nos estarán esperando en cada recodo del camino.

—Es de suponer.

—Y han demostrado ser unos magníficos tiradores que según Mendoza cuentan con rifles de mira telescópica.

—Eso parece.

—¿Cuántas cuevas puede haber ahí dentro?

—Eso nadie lo sabe, pero si las montañas se levantaron a causa de una antiquísima erupción volcánica, pueden ser muchas. Cuando se enfría la lava tiende a dejar grandes cavidades de difícil acceso.

—¿Y aun así crees que sería una buena idea atacar a pecho descubierto sabiendo que en cada una de esas cuevas nos puede estar acechando un tipo armado hasta los dientes?

—Yo no he dicho que sea una buena idea… —puntualizó quisquilloso *el Mecánico*—. He dicho que es una de las dos que se me ocurren.

—Un par de cagadas.

—Admito que son malas, pero la cuestión es decidir cuál de las dos sería la menos mala.

—¿Tú por cuál te inclinas?

La sorprendente respuesta de Bruno Serafian evidenció sin ningún género de dudas hasta qué punto se sentía desmoralizado.

—Creo que dadas las circunstancias no tengo derecho a opinar —dijo—. Aceptaré lo que decida la mayoría.

—Puede que exista una tercera... —intervino el número «Tres», un norteamericano alto y flaco, veterano de la guerra del Golfo.

—¿Y es?

—Caminar toda la noche hasta el pozo, sacar el agua y dejarla que repose para que el aceite se quede arriba. Tal vez podamos utilizar la que quede debajo.

—El problema no es el aceite... —le hizo notar Sam Muller—. El problema está en que no sabemos de qué clase de aceite se trata, ni qué tipo de productos químicos utiliza. Son esos productos los que se disuelven en el agua y nos pueden matar, dejarnos ciegos o paralíticos. Por lo que a mí respecta no estoy dispuesto a correr ese riesgo.

La mayor parte de sus compañeros expresaron de una u otra forma que compartían su opinión, por lo que llegó un momento en que *el Mecánico* se vio obligado a alzar los brazos pidiendo calma.

—¡Está bien! —exclamó—. Sometámoslo a votación. ¿Atacamos o esperamos?

—Yo atacaría ahora.

Gacel Sayah apartó la vista del compacto grupo que formaba una especie de conciliábulo en la distancia para volverse a su hermano que permanecía acuclillado con la espalda apoyada en el farallón de negra piedra.

—Yo también… —admitió—. Cuanto más tiempo pase, más difícil lo tienen. Pero son «franceses» y nunca se sabe cómo van a reaccionar.

—Nunca he conocido ninguno que no pierda los nervios cuando se enfrenta a la sed y el calor.

—Ese tipo de gente está acostumbrada a las situaciones más peligrosas y, a no ser que esperen ayuda, imagino que optarán por jugarse el todo por el todo.

—¿Sinceramente crees que tenemos alguna posibilidad de éxito si les plantamos cara?

—Sinceramente, no. Pero ¿qué otra cosa podemos hacer?

Suleiman se encogió de hombros como si ni siquiera él mismo estuviera convencido de lo que iba a decir.

—Ocultarnos y esperar. Les llevaría semanas registrar una por una todas las cuevas de la zona y no creo que encontraran nunca la entrada de la nuestra.

—En ese caso seríamos nosotros los que acabaríamos muriendo de sed. Pronto o tarde alguien acudirá a buscarlos y si trae agua se pueden sentar a esperar pacientemente a que salgamos de nuestra madriguera...

—El *imohag* negó con un leve ademán de cabeza—. Nuestra única posibilidad de salvación estriba en convencerles de que éste es un reducto inexpugnable; un laberinto en el que pueden acabar por volverse locos. ¿Cuánto hace que venimos a cazar aquí, y cuánto tiempo hemos necesitado para llegar a conocerlo tal como ahora lo conocemos?

—Seis o siete años.

—Ésa es nuestra mejor arma —sentenció Gacel—. La necesidad nos obligaba a perseguir a las piezas hasta el último rincón de la última caverna, y recuerdo que incluso nos perdimos en más de una ocasión. Conocemos el terreno hasta en sus más mínimos detalles y tenemos que aprovecharlo.

—Pero es que son muchos, y cuantos más matemos, más tiempo y más oportunidades les damos a los demás, puesto que serán menos a repartirse el agua —le hizo notar su hermano.

—En eso tienes razón...

—¿Y...?

—Se me ocurre una idea... —El targui sonrió apenas al tiempo que guiñaba picarescamente un ojo—. No mataremos a nadie.

—Entonces ¿cómo vamos a acabar con ellos?

—Hiriéndoles. Un muerto no necesita agua, pero un herido sí. Y a veces más que un hombre sano.

—Eso es muy cierto... —admitió Suleiman admirado por la muestra de malvada astucia que acababa de dar su hermano—. Pero ¿y si ellos mismos se dedican a rematarles como hicieron con ese muchacho?

—Dudo que se atrevan. El muchacho no era uno de ellos, y me juego la cabeza a que en cuanto un mercenario vea que rematan a un compañero y que él puede ser el siguiente en caer, preferirá deponer las armas. Una cosa es que te maten en plena lucha, y otra que te peguen un tiro cuando estás indefenso.

—No cabe duda de que eres digno del nombre que llevas. Ésa era la forma de actuar que convertía en invencible a nuestro padre.

—Me enseñó muchas cosas. Tú aún eras muy pequeño y no puedes acordarte, pero cada vez que hablaba era para decir algo que habría de servirte en un futuro.

El menor de los Sayah hizo un leve gesto con la cabeza hacia la llanura.

—Se mueven —dijo.

—Era de esperar.

—Alcanzarán aquellas rocas al oscurecer.

—«*La noche es buena amiga de los tuaregs, que clavan las estrellas en la punta de sus lanzas con el fin de que les iluminen el camino*» —sentenció Gacel evocando un viejo dicho del desierto.

—Pero ellos pueden ver de noche mejor que yo.

—Ya te he enseñado cómo funcionan esos aparatos… —fue la respuesta—. Lo primero que tenemos que hacer es conseguirte uno.

—¿Cómo?

—Quitándoselo a quien lo tenga.

—A veces dices las cosas de una manera que parece que todo resulta muy fácil.

—Nada en nuestra vida resulta fácil, hermano. Nos arrebataron a nuestro padre cuando éramos niños, pasamos infinidad de calamidades cuando todavía no éramos hombres, y ahora, ya de adultos, nos persiguen como si nos hubiéramos convertido en el último antílope de la llanura. Si hemos sido capaces de sobrevivir al acoso de un ejército y a la desolación del Teneré, ¿qué problema puede significar tender una emboscada a una triste pandilla de atemorizados extranjeros?

—¿Cuándo quieres que lo hagamos?

—En la hora gris. Recuerda el refrán: «*Quien se*

enfrenta por la mañana a un "francés", tiene todas las de perder. Quien se enfrenta al oscurecer, tiene muchas posibilidades de vencer.»

—¿Y eso por qué?

—Porque en el desierto la mayoría de los europeos usan gafas de sol, pero aun así su luz les deslumbra y les molesta durante el día. Luego, al oscurecer se las quitan, pero tardan en acostumbrarse a la penumbra debido a que tienen los ojos enrojecidos e irritados.

—¿Y eso los vuelve vulnerables?

—Mucho, porque es el momento en que suele soplar con más fuerza un viento que hace volar la arena, lo que contribuye a cegarlos, y la hora en la que se encuentran sudorosos, cansados, nerviosos y asaltados por nubes de mosquitos, hasta el punto de que ni el mejor tirador sería capaz de acertarle a un elefante a diez metros.

—Nunca me había fijado en esos detalles.

—Pues ya es hora de que empieces porque la primera obligación de un *imohag* es estudiar cada movimiento del cielo, la tierra, los hombres, las plantas o las bestias, porque de la profundidad de sus conocimientos dependerá la longitud de su vida.

—¿Todos esos refranes los aprendes en los libros? —quiso saber Suleiman al que se le advertía en cierto modo avergonzado por la magnitud de su ignorancia.

—Algunos, aunque la mayoría se han ido transmitiendo de boca en boca. Nuestra madre sabe muchos, pero tú raramente le prestas atención. Conviene escucharlos e intentar desentrañar la enseñanza que ocultan, porque si generaciones de nuestros antepasados se esforzaron para que llegaran hasta nosotros, es porque de ese modo nos dejaron en herencia lo único que en verdad importa cuando nos vemos obligados a vivir en el desierto: la experiencia que impide que el sol nos derrita, la sed nos vuelva locos o la arena nos entierre antes de tiempo.

—Te prometo que si salimos de ésta prestaré más atención a los refranes.

—Pues recuerda éste en primer lugar…: «*Culo en la arena no quita las penas*», así que ponte en marcha…

Empezaba la caza.

El sol permitió que el último de sus rayos se deslizara sobre la llanura para ir a despedirse de los picachos de piedra negra, y casi de inmediato se hundió tras una pequeña duna con la flácida dejadez de quien ha cumplido una larga jornada de trabajo en la que durante doce horas ha estado golpeando un duro yunque con un martillo de hierro incandescente.

Por unos instantes el paisaje se tiñó de un rojo pálido, como de sangre aguada, y podría creerse que ese rojo difuminaba sin estridencias al resto de los colores, ya que pasaban a convertirse uno tras otro en una infinita gama de matices de grises, que se apoderaban del mundo como paladines y adelantados de su verdadero amo y señor, el negro, cuyas huestes ondeaban ya sus estandartes allá en el horizonte.

Miríadas de mosquitos surgieron de una antiquísima salina que se vislumbraba hacia el noroeste, y llegaron atraídos por el olor a sangre que desde hacía tres días flotaba como un manto invisible sobre las viejas montañas.

Nunca, en milenios, se había producido un fenómeno semejante en aquellos perdidos confines del desierto.

Jamás se había dado el caso de que coincidieran tantas vidas…

Y tantas muertes.

Centenares de buitres, docenas de hienas y chacales, y casi una veintena de seres humanos, compartían un espacio reservado desde siempre a un puñado de famélicos antílopes y cabras salvajes.

Y hedían los cadáveres. ¡Un montón de cadáveres!

Para los mosquitos de la olvidada salina aquél constituía sin duda el prodigioso festín que llevaban siglos esperando.

Para las eternas moscas una orgía inimaginable.

Bruno Serafian se despojó de unas gafas ya inútiles para frotarse una y otra vez los ojos con los dedos y acabar por pinzarse con fuerza el entrecejo.

Lanzó un corto reniego.

Aborrecía el desierto.

A cualquier hora y en cualquier época del año.

Una vez más se preguntó la razón por la que había elegido aquella absurda forma de ganarse la vida, y por qué llevaba tanto tiempo en un gigantesco continente que había acabado odiando.

Echaba de menos el humo y el asfalto.

Echaba de menos la nieve y el frío.

Echaba de menos el ruido del tráfico.

En aquellos momentos hubiera dado cualquier cosa por alzar la cabeza y poder contemplar el vuelo de cientos de golondrinas.

Pero lo que volaban eran buitres.

Docenas de buitres que descendían trazando círculos cada vez más estrechos, puesto que pronto la tierra comenzaría a enfriarse y había llegado para ellos la hora del banquete.

Pese a que la arena se le había introducido en las fosas nasales, pudo advertir que un fétido hedor se había apoderado del ambiente.

Olor a muerte.

¡Mierda! ¿Dónde estarían los vivos y dónde los muertos?

Observó el farallón que avanzaba como la proa de un gigantesco navío que se adentrara en la arena del desierto, y se vio obligado a admitir que un buen tirador apostado allá arriba conseguiría muy fácilmente que el número de cadáveres aumentara.

Aquellas tristes «montañas», que de tan míseras ni

siquiera nombre tenían, y que apenas alcanzarían los doscientos metros de altura, constituían no obstante una impresionante fortaleza natural contra la que podían estrellarse varios ejércitos.

Recorrió con la vista cada rincón en busca de posibles enemigos, pero muy pronto comenzó a parpadear una y otra vez, puesto que le escocían los ojos y le asaltaba la extraña impresión de que los objetos carecían de relieve.

Se volvió al hombre que se situaba a su derecha aunque ligeramente retrasado:

—¿Qué te parece? —quiso saber.

—Acojonante.

—¿Ves algo?

—¿Qué coño quieres que vea? Me apuesto una bola a que esos hijos de la gran puta no se van a dejar ver ni muertos.

—¿Lo intentamos o esperamos a que caiga la noche?

—La noche puede ser aún peor y el tiempo apremia.

El armenio aún dudó unos instantes, pero al fin alzó el brazo e hizo un inequívoco gesto de avanzar al tiempo que mascullaba:

—¡Que sea lo que Dios quiera!

Luego gritó a pleno pulmón:

—¡Desplegaos!

Repitió la orden a través de la radio con el fin de que el segundo grupo, que aguardaba al otro lado del macizo rocoso, se pusiera a su vez en marcha.

Se iniciaba el asalto.

Cada paso parecía constituir una victoria puesto que cada hombre lo daba convencido de que él y no otro era el blanco elegido por sus invisibles enemigos, y tenían plena conciencia de que eran aquéllos unos enemigos que jamás erraban el tiro, por lo que estaban expuestos a pasar de respirar a pleno pulmón a estar muertos en apenas una fracción de segundo.

El viento arreciaba.

La arena volaba.

Los mosquitos se cebaban en cada centímetro del cuerpo que permaneciera al descubierto.

Milagrosamente alcanzaron la punta del farallón e iniciaron su avance por entre las primeras rocas sin que nadie los acosara, y eso pareció infundirles nuevos ánimos alimentando la esperanza de que tal vez los beduinos hubiesen decidido no plantar cara de momento.

Diez metros.

Luego veinte.

Retumbó un disparo atronando las montañas y su eco se escurrió a lo largo del desfiladero acompañado del alarido del mercenario que marchaba justo a espaldas de Bruno Serafian.

—¡Me han dado! ¡Me han dado! —repetía como una obsesiva cantinela—. ¡Me han dado! ¡Me han dado!

—¡Ya lo hemos oído! —gruñó *el Mecánico*—. ¿Dónde te han dado?

—En la pierna. Me estoy desangrando.

—¡Improvisa un torniquete, agacha la cabeza y deja de quejarte! —fue la áspera respuesta—. ¿Alguien ha visto algo?

No obtuvo respuesta.

—¡Mierda…! Nos quiere cazar como a conejos. ¡Todos quietos y abrid bien los ojos!

El tiempo parecía desgranarse muy lentamente, pero a cada minuto la oscuridad iba en aumento.

Nadie se movía consciente de que mantenerse ocultos tras una roca o un montón de arena era la única forma de no correr la misma suerte de quien continuaba maldiciendo y lamentándose mientras se esforzaba, sin demasiado éxito, por contener la sangre que le manaba a borbotones de la destrozada pierna.

De improviso, y casi con la postrera claridad del día, la delgada figura de Gacel Sayah se recortó por un instante en la cima del farallón, por lo que alguien gritó indicando el punto exacto:

—¡Allí está! ¡Allí está! ¡A la izquierda!

Tronaron al unísono las armas, pero la fantasmal silueta se había ocultado tras una roca de tal forma que podría pensarse que lo que en verdad había pretendido era dejarse ver con el exclusivo fin de atraer por unos instantes la atención de sus enemigos.

Y así era, puesto que apenas unos segundos más tarde, la pequeña duna que se encontraba a tres metros por detrás del último de los mercenarios pareció cobrar vida. Suleiman Sayah surgió de la tumba de arena en la que había permanecido enterrado todo ese tiempo y, apoyando la rodilla en la espalda del desprevenido número «Once», le aferró por el cuello y le quebró el espinazo sin darle tiempo a lanzar ni tan siquiera un grito de alarma.

En un abrir y cerrar de ojos se apoderó de su arma, sus municiones, sus prismáticos de visión nocturna y la semivacía cantimplora, y echó a correr para perderse de vista entre las sombras antes de que nadie tuviera oportunidad de reaccionar.

Media hora más tarde, ya en plena noche y sintiéndose seguro protegido por un pequeño anfiteatro de rocas, Bruno Serafian lanzó un hondo resoplido con el que evidenciaba su suprema fatiga, bebió un corto sorbo de agua con el fin de aclararse la reseca garganta, e inquirió:

—¿De dónde coño salió ese cerdo?

—De la arena —fue la respuesta—. Debimos pasar a menos de tres metros de donde estaba enterrado y ni siquiera le vimos.

—¿Cómo es posible?

—Se supone que tú eres el experto —le hizo notar el sudafricano—. Pero he oído decir que se tumban boca arriba, se cubren bien de arena, se colocan una tela muy fina sobre la nariz y respiran a través de ella. Por lo visto pueden permanecer así, como si estuvieran muertos, durante horas.

—Pero ¿cómo ha sabido en qué momento tenía que salir?

—Imagino que por el ruido de los disparos. Su compinche no quiso atacarnos hasta estar seguro de que habíamos llegado al lugar exacto, acabábamos de sobrepasarlo y ya le dábamos la espalda. Debían tenerlo todo muy bien planeado.

—¡Hijos de la gran puta! —no pudo por menos que exclamar el armenio—. Y lo peor no es que nos hayan dejado un muerto y un herido. Lo peor es que se han llevado un visor nocturno, lo cual significa que saben cómo usarlo.

—Probablemente era eso lo que venían buscando.

—¿Tú crees?

—Yo ya no creo nada... —se apresuró a responder su interlocutor—. Pero lo que resulta innegable es que nos las están dando todas en el mismo carrillo y no me gusta... ¡No me gusta nada!

—¿Alguna idea?

—¿Alguna idea? ¿Alguna idea? —refunfuñó despectivamente un número «Doce» al que se diría fuera ya de sus casillas—. Yo no he venido aquí a tener ideas, sino a enfrentarme a unos enemigos a los que aún no he conseguido ni olerles los pies. Nos matan, nos hieren, nos roban, nos dejan sin agua, y si no nos violan debe ser porque no les gustan nuestros culos. ¡Estoy hasta los huevos!

—Si quieres, puedes irte.

—¿Adónde?

—No hay mucho donde elegir: montaña o desierto...

—¿Y qué tal el coño de tu madre?

—¡Tengamos la fiesta en paz! —medió Sam Muller

que por enésima vez demostraba ser el más equilibrado de los presentes—. Con estas cosas lo único que conseguimos es seguirles el juego a esos cabrones. Somos profesionales, y la primera obligación de un buen profesional es encarar las adversidades sabiendo conservar la sangre fría.

—Resulta difícil conservar algo frío en semejante lugar y en semejantes circunstancias.

—Estoy de acuerdo, pero ésta es la forma de vivir que elegimos, y su mérito no estriba en arrasar un poblado de civiles, sino en hacer de tripas corazón cuando nos están pateando los cojones. —Hizo un inequívoco gesto con la mano—. Yo voy a salir ahí afuera, a cazar o a que me cacen, porque me consta que si en estos momentos no lo hiciera, jamás podría volver a empuñar un arma.

—¡De acuerdo! ¡Vamos allá!

Bruno Serafian conectó la radio y aguardó a que Julio Mendoza respondiera para ordenar roncamente:

—¡Adelante hasta llegar a la cima cueste lo que cueste!

—Nos ponemos en marcha.

—¡Y fuego contra todo lo que se mueva!

—¡Entendido!

—¡Una cosa más…! —advirtió el armenio—. ¡Olvídate de los visores nocturnos! Esos cabrones también los tienen. Emplea las bengalas.

Diez minutos más tarde, el cielo de uno de los lugares más desolados del planeta se iluminó como si en tan remoto rincón del desierto se estuviera celebrando una alegre verbena.

Rojas bengalas ascendían lanzando un leve silbido, para estallar y caer muy lentamente alejando las tinieblas a base de conferir al ya de por sí fantasmagórico paisaje un aspecto aún más tenebroso si es que ello resultaba tan siquiera concebible.

La noche se hizo día.

Y el silencio algarabía, porque casi al instante docenas de buitres alzaron el vuelo agitando ruidosamente las alas, mientras que hienas, chacales, «fenec», antílopes, cabras y hasta las ratas, las serpientes y un ágil guepardo, que acababa de llegar atraído por la pestilencia que el viento había extendido hasta el corazón mismo de la llanura, iniciaron una enloquecida carrera sin rumbo fijo, puesto que era aquél un diabólico fenómeno antinatural que ninguno de ellos había contemplado anteriormente.

Y al igual que los hombres habían conseguido desconcertar y desasosegar a las bestias, las bestias consiguieron desconcertar y desasosegar a unos hombres, que ni por lo más remoto imaginaban que con su acción iban a desencadenar semejante estampida.

Los minutos que siguieron tuvieron más de comedia que de tragedia.

La insoportable pestilencia de los cadáveres dejaba constancia de que la muerte se había adueñado indiscutiblemente del lugar, pero las disparatadas idas y venidas de las bestias que se estorbaban entre sí e incluso chocaban con los seres humanos constituían un divertido espectáculo digno de ser contemplado con una sonrisa en los labios.

Por su parte los buitres alzaban el vuelo graznando en los momentos en que se iluminaba el cielo, pero se precipitaban contra el suelo en cuanto reinaba de nuevo la oscuridad, en un continuo trajín en el que parecían no saber nunca a qué carta quedarse, puesto que desde la creación del mundo ningún ser alado recordaba que los días y las noches pudiesen sucederse con tan vertiginosa rapidez.

Alguien disparó contra una hiena cojitranca que se le echaba encima enseñando amenazadoramente los colmillos, alguien creyó que el disparo iba destinado a su persona y disparó a su vez, alguien replicó desde las sombras, y así entre todos consiguieron que el maremágnun alcanzara proporciones auténticamente dantescas, sin que nadie fuera capaz de entender qué era lo que en verdad estaba sucediendo y a que se debía tamaño alboroto.

Las reglas de un mundo que se regía desde siglos atrás por unas normas muy estrictas se habían alterado por completo.

Al amanecer la paz se había apropiado una vez más del islote de negras rocas desperdigado sobre un mar de rojizas arenas.

Bruno Serafian hizo un recuento de bajas y le sorprendió constatar que pese a cuanto había sucedido y que sus dos grupos habían conseguido establecer contacto cerrando la tenaza, nadie había muerto pese a que cuatro de sus hombres se encontraban heridos de más o menos consideración.

En un principio le sorprendió que sus enemigos, que habían demostrado poseer una magnífica puntería, hubiesen fallado en esta ocasión blancos supuestamente fáciles, pero no tardó en lanzar un reniego al comprender que cada herido que se desangraba o tenía fiebre consumía muchísima más agua que un hombre muerto.

—¡Cabrones!

La primera claridad del día le había permitido descubrir, además, que los cadáveres que habían atraído la atención de buitres, hienas y chacales no pertenecían, tal como habían imaginado, a los cautivos que venía buscando, sino tan sólo a cuatro tristes cabras hábilmente colocadas en puntos de difícil acceso, y ello le obligó a reconsiderar una vez más la idea de que estaba siendo víctima de un diabólico plan perfectamente estructurado.

Los beduinos les habían permitido conquistar su fortaleza pero el precio que había tenido que pagar se le antojaba excesivo, sobre todo teniendo en cuenta que dicha «fortaleza» no era más que un desolado montón de piedras calcinadas por el sol e infestada por una apestosa legión de bestias carroñeras que no paraban de pulular de un lado para otro.

—¡La madre que los parió!

—¿Qué ocurre ahora?

—Que empiezo a sospechar que lo que esos piojosos pretenden es que nos pasemos el día subiendo y bajando por las quebradas, rebuscando paso a paso por entre tanto vericueto, acojonados, sudando a mares y gastando energías, mientras se dedican a dormir plácidamente convencidos de que ni en un mes seríamos capaces de descubrir dónde coño se esconden.

—Yo haría lo mismo —reconoció con absoluta honestidad Sam Muller—. ¿Para qué diablos necesitan liarse a tiros sabiendo que les superamos en número y nos sobran balas, cuando lo que tienen que hacer es obligarnos a consumir un agua de la que carecemos?

—¿Y es por eso por lo que se han limitado a herirnos evitando matarnos?

—Evidente.

—¡Si serán malnacidos…! —Al armenio casi le rechinaban los dientes a causa de la mal contenida furia—. Prefieren acabar con todos a la vez matándonos de sed, que uno por uno a base de balazos.

—¡Son listos! —se vio en la necesidad de reconocer el sudafricano que continuaba mostrándose tan flemático como siempre—. ¡Tan puñeteramente listos que han sido capaces de llevarnos a un callejón sin salida!

—¿Realmente crees que no hay salida? —quiso saber el mayor de los hermanos Mendoza que había sido atento testigo de la conversación sentado en el fondo de una alta cueva de ancha entrada en la que el grueso del grupo había buscado momentáneo refugio.

—Me temo que sí —fue la inequívoca respuesta—. Un hombre puede enfrentarse al hombre, la fatiga, el miedo e incluso a un enemigo infinitamente superior en número y armamento. Con un par de huevos y mucha suerte, quizá consiga salir adelante en las circunstancias más jodidas, pero hay algo contra lo que ningún ser viviente ha sido nunca capaz de luchar: la sed. Las bestias más resistentes y las civilizaciones más poderosas desaparecieron de la faz de la tierra en cuanto les faltó el agua. O mucho me equivoco, o eso es lo que está a punto de sucedernos, aquí y ahora.

—Si racionamos la que nos queda aún estamos en condiciones de resistir —masculló puntilloso *el Mecánico* que continuaba sintiéndose responsable del previsible desastre que les amenazaba—. Éste es el momento de echarle cojones al asunto.

—Yo sé muy bien cuándo tengo que echarle cojones a algo —replicó su interlocutor al tiempo que hacía un amplio gesto indicando al grupo de heridos que aparecía desperdigado por el suelo de la caverna—. Presumo de tenerlos bien puestos, porque de lo contrario no estaría en este negocio, pero me consta que unos hombres que están perdiendo sangre y que dentro de un par de horas sudarán a mares se deshidratarán a marchas forzadas.

—Aquí no hace demasiado calor —le hizo notar Julio Mendoza.

—¡De momento…! —admitió el otro—. Pero fíjate en la entrada; se encuentra orientada al sur, lo cual quiere decir que muy pronto el sol se colará hasta tus mismos pies y seguirá así hasta convertir este lugar en un horno. ¿Qué pasará entonces?

—Con amigos así, ¿quién necesita enemigos? —intervino en tono quejumbroso el menor de los Mendoza al que se le advertía absolutamente agotado—. A tu lado hasta los buitres parecen cachondos. ¿Te han dicho alguna vez que más que un mercenario pareces un ave de mal agüero?

El número «Uno» asintió con un leve ademán de cabeza:

—Siempre que advierto con antelación de algún tipo de peligro que otros se empeñan en no querer ver cuando aún se está a tiempo de solucionarlo.

—Y según eso, ¿qué deberíamos hacer? —quiso saber el armenio—. ¿Bajarnos los pantalones y permitir que nos den por el culo de una vez por todas?

Sam Muller negó con un gesto.

—Intentar negociar de igual a igual antes de que sea demasiado tarde. Una cosa es estar derrotado, y otra muy distinta saber que no se puede ganar, que es lo que nos está ocurriendo a nosotros. Y una cosa es haber vencido, y otra saber que no se puede perder, que es lo que les sucede a ellos. En ajedrez eso se considera el momento justo de ofrecer tablas. A mi modo de ver éste es ese momento justo de llegar a un acuerdo beneficioso para todos.

—Yo nunca me he dado por vencido.

—Yo sí, especialmente cuando lo que están en juego son vidas humanas frente a intereses económicos que la mayor parte de las veces ni nos van ni nos vienen. No está en juego nuestra patria, ni nuestra familia, ni tan siquiera nuestro honor. Lo que está en juego es la posibilidad de que el año que viene unos cuantos tipos muy listos se forren de nuevo a base de convencer a unos cuantos tipos muy tontos para que se sientan héroes correteando como ladillas locas por el desierto.

—¡No son «ladillas locas»! —protestó de inmediato *el Mecánico*—. Son muchachos sanos, fuertes y valientes con ganas de vivir aventuras y conocer el mundo.

—¿Conocer el mundo a más de cien por hora y rodeados de nubes de polvo…? —se asombró su oponente—. A mi modo de ver, ésa no es forma de conocer nada. Quien quiera conocer África, o cualquier otro lugar, tiene que tomárselo con calma, paso a paso, y dejando transcurrir las horas fijándose en cada detalle o hablando con sus gentes. El mundo no es tan sólo un paisaje; es cultura y seres humanos.

—Nunca imaginé que tuvieras alma de filósofo —ironizó Julio Mendoza.

—Los de nuestro oficio no podemos tener alma de filósofos. Incluso se supone que ni siquiera podemos tener alma, pero eso no significa que seamos estúpidos. —El sudafricano encendió sin prisas un cigarrillo al tiempo que dedicaba una nueva mirada al grupo de heridos que le escuchaba en silencio para concluir en su parsimonioso tono de siempre—: Y sigo convencido de que morir por esta «noble causa» es una de las mayores estupideces que nadie podría cometer.

—¡En eso estoy de acuerdo!

—¡Y yo!

—¡Y yo!

Bruno Serafian pareció escandalizarse al inquirir:

—¿Realmente me estáis pidiendo que negociemos?

—Y ¿por qué no? ¿Qué otra cosa podemos hacer?

—¡Pero es que si negociamos vamos a quedar como una mierda! —protestó el armenio—. ¡Como una auténtica mierda!

—Y eso es lo que somos —replicó el hombre del torniquete en la pierna—. Mierdas que matan por dinero, y que únicamente en las malas películas se regeneran a base de realizar un acto heroico… —Se golpeó levemente la ensangrentada venda al añadir—: Este operativo estuvo pésimamente planteado desde el primer momento, y éste es el resultado. Más vale admitir un fracaso que lamentar un desastre.

—¿Alguien más está de acuerdo...?

—Aquí empieza a hacer calor y tengo sed —señaló una voz anónima.

—Y a mí me jodería cantidad servirle de merienda a los buitres.

El Mecánico observó con atención a la desmoralizada tropa, pareció llegar a la conclusión de que ninguno de aquellos rudos hombres de armas se mostraba en absoluto dispuesto a realizar un acto heroico más propio de las malas películas que de la auténtica catadura moral lógica en una pandilla de aventureros a sueldo, y concluyó por encogerse de hombros evidenciando su desinterés por el asunto.

—¡De acuerdo! —dijo—. Intentaré parlamentar.

El herido en la pierna señaló con un gesto hacia Sam Muller al comentar seguro de lo que decía:

—Será mejor que sea él quien lo intente.

—¿Y eso por qué?

—Lo que ahora necesitamos es un buen negociador que sepa regatear. Él es más dialogante que tú, y a los árabes les encanta regatear.

—Éstos no son árabes. Son tuaregs.

—Aún no he aprendido a diferenciarlos, aunque tampoco creo que existan grandes diferencias. —El tono de voz cambió intentando volverse persuasivo—. ¡Hazme caso! —pidió—. ¡Deja que vaya Sam!

El armenio recorrió con la vista los rostros de los presentes y lo que vio en sus ojos le llevó al convencimiento de que la mayor parte estaba de acuerdo con la propuesta, por lo que optó por encogerse de hombros por segunda vez en muy corto espacio de tiempo:

—¡No se hable más! —dijo—. Lo dejo en sus manos.

—Pero es que yo no he solicitado tal honor —protestó el sudafricano—. Y de hecho no tengo el menor interés en convertirme en negociador.

—Eres el más capacitado.

—¿Quién lo ha dicho?

—¡Oh, vamos…! —estalló fuera de sí Julio Mendoza—. ¡No es momento de discutir bobadas! Te pedimos, y si lo prefieres, «te suplicamos», que intentes convencer a esos «miserables piojosos» a los que pensábamos aniquilar sin ~~~~~~~~~~~~~~, ~~ ~~~ ~~~~~~~ dispuestos a bajarnos los pantalones a cambio de un poco de agua.

—¿Por qué será que todo el que va a la guerra lo hace convencido de que la va a ganar sin despeinarse, pero acaba siempre bajándose los pantalones? —masculló Sam Muller como si hablara para sus adentros—. Haré lo que pueda —añadió—. ¿Alguien ha tenido la precaución de traer una bandera blanca?

—El sarcasmo no sirve de ayuda… —le hizo notar Bruno Serafian—. Y te recuerdo que al fin y al cabo la idea es tuya.

—Y como mía la defenderé… —El sudafricano extrajo del bolsillo posterior de su pantalón un sucio y arrugado pañuelo para anudarlo cuidadosamente al cañón de su arma y encaminarse con paso decidido a la salida al tiempo que comentaba con un cierto tono humorístico—: Al menos confío en que tengan una idea de lo que significa una bandera blanca y no me vuelen la cabeza antes de haber abierto el pico…

Salió al violento sol de la mañana agitando al aire su improvisada bandera, y de inmediato uno de los heridos inquirió dirigiéndose al armenio:

—¿Crees que le escucharán?

—No lo sé —replicó el aludido—. Lo único que sé es que ahora deberíamos quedarnos quietos y callados con el fin de no malgastar energías, porque al fin y al cabo, aquí la energía es siempre agua.

Se sumieron por tanto en una especie de pesado abotargamiento al que contribuía en gran medida un bochorno que se hacía más y más intenso a medida que avanzaba la mañana, hasta el punto de que llegó un momento en que hubiera sido difícil imaginar que en el interior de aquella silenciosa caverna intentaban sobrevivir una docena de desesperados seres humanos que sudaban a mares.

Sam Muller sabía muy bien que ese sudor se convertiría a partir de aquel momento en su peor enemigo, y por ello a la hora de adentrarse en el laberinto de piedra y roca lo hizo muy lentamente y buscando siempre las sombras, con la blanca bandera alzada y la mirada atenta a las alturas, temiendo por igual que el enemigo decidiera no dar la cara, o que lo hiciera de pronto disparándole a quemarropa.

Recorrió más de un kilómetro sin distinguir ni a un solo ser viviente, rechazó la idea de encender un cigarrillo convencido de que contribuiría a secarle aún más la garganta, y empezaba a perder toda esperanza de obtener algún resultado positivo en su penoso deambular, cuando una autoritaria voz resonó a sus espaldas.

—¡Deja el arma en el suelo!

Obedeció para volverse muy despacio y observar al hombre alto, vestido con un largo *jaique* de color azul y que se cubría el rostro con un velo, que le apuntaba con un moderno rifle de mira telescópica.

De dónde había salido y cómo era posible que se encontrara allí sin que un profesional tan experimentado como él lo hubiera advertido era algo que jamás lograría comprender, pero en aquellos momentos de lo único que se preocupó fue de alzar los brazos mostrando a las claras que se encontraba indefenso.

—¡Vengo en son de paz! —se apresuró a indicar.

—¡Ya me he dado cuenta! ¿Qué quieres?

—Parlamentar.

Gacel Sayah meditó apenas un instante para hacer un gesto indicando que se encaminara al punto en que un saliente de rocas ofrecía una pequeña sombra bajo la que tomar asiento.

—¿Tú dirás? —indicó.

—Queremos poner fin a este insensato enfrentamiento... —comenzó con su calma de siempre el sudafricano—. Con un poco de buena voluntad se puede conseguir que nadie más continúe sufriendo.

—¿Cuál es tu propuesta?

—Paz a cambio de agua.

—No tenemos mucha agua.

—Nos conformamos con la suficiente para sobrevivir hasta que llegue el avión que debe recogernos.

—¿Y quién me garantiza que a partir de ese momento no se reanudarán las hostilidades? —quiso saber el tuareg.

—Es lo que he venido a discutir. Si alcanzamos un acuerdo sobre las garantías, todos saldremos ganando.

—¿Cuándo tiene que llegar ese avión?

—Pasado mañana.

—¿Y cómo sé que no os trae refuerzos?

—No puedes saberlo, porque ni siquiera yo lo sé —admitió con total honestidad Sam Muller—. Pero me consta que no resulta fácil reclutar con rapidez gente dispuesta a venir a un lugar como éste. —Alzó las manos con las palmas hacia arriba en lo que cabría interpretar como un ademán de fatiga o impotencia—. Lo único que queremos es largarnos de aquí cuanto antes —dijo—. Ésta no es una misión por la que merezca la pena continuar derramando sangre.

Gacel Sayah meditó unos instantes, clavó los ojos en los de su interlocutor, y por último inquirió secamente:

—¿Por qué matasteis al muchacho?

—Yo no lo maté y puedes creerme que de haber sabido lo que iba a ocurrir, lo hubiera impedido, pero me cogió por sorpresa.

—Ya me di cuenta. ¿Fue tu jefe el que lo hizo? —Ante el mudo gesto de asentimiento el *imohag* insistió—: ¿Es ese al que llaman *el Mecánico*?

—¿Cómo lo sabes?

—Sé muchas más cosas de las que imaginas… —sonrió bajo el velo por lo cual el otro no pudo advertirlo—. Gracias a eso, estás intentando concertar «una paz honrosa» un día antes de verte obligado a aceptar una rendición incondicional.

—Nunca nos rendiríamos sin luchar.

Gacel Sayah tardó de nuevo en responder, se apoyó en el muro de piedra, observó largamente a su interlocutor, y por último puntualizó remarcando mucho las palabras:

—Os rendiríais y tú lo sabes. Sin agua, mañana, a estas horas ni siquiera podríais ordenar a vuestras propias manos que empuñaran un arma.

—Es muy posible.

—Es seguro. Los tuaregs sabemos mucho sobre los efectos de la sed, y por eso no nos gusta que ni aún el peor de nuestros enemigos sufra lo que es sin duda la más terrible de las muertes. —Apuntó a su oponente con el dedo—. Ten por seguro que en cualquier otra circunstancia jamás accedería a parlamentar. Os pasaríamos a cuchillo sin contemplaciones, pero las leyes de mi pueblo son muy estrictas a ese respecto. Se debe usar la sed como arma, pero no se debe llevar al extremo de matar con ella.

—Se me antoja muy justo —admitió el sudafricano—. Nadie merece sufrir de esa manera.

—Cientos de tuaregs han muerto de sed desde el ya muy lejano día en que decidimos establecernos en el desierto. Mucho hemos padecido por su causa y debido a ello la mayor parte de nuestras más antiguas normas de conducta se rigen sobre la base de que nadie debe pasar por eso si está en nuestras manos evitarlo.

—Es una noble forma de ver la vida.

—¡No intentes darme coba! No es necesario. La tradición me exige que me muestre benévolo e intente llegar a un acuerdo. Si me ofreces suficientes garantías os ayudaré a sobrevivir.

—¿Qué clase de garantías?

—En primer lugar, necesito un documento por el que se reconozca que fuisteis vosotros los que matasteis a ese muchacho cuando lo habíamos dejado en libertad.

—¿Podemos decir que se trató de un error?

—Podéis decir lo que os apetezca, siempre que admitáis que la responsabilidad es únicamente vuestra.

—De acuerdo.

—¿Lo aceptará *el Mecánico*?

—Si no lo acepta lo firmaremos otro compañero y yo como testigos. ¿Qué más?

—Entregad las armas.

—¿Todas las armas? —se escandalizó Sam Muller—. ¿Te das cuenta de lo que me estás pidiendo?

—Naturalmente.

El otro negó convencido.

—Eso nunca lo haremos. Quedaríamos a vuestra merced. Lo que podemos hacer es entregar parte de las armas, pero conservando las suficientes como para defendernos en caso de ataque.

—¿De verdad imaginas que estaríamos tan locos como para intentar atacaros?

—Después de lo que he visto, me lo creo todo. Si no estuvierais locos nunca se os hubiera ocurrido empezar todo este asunto.

—Nosotros no lo empezamos.

—¡Cierto! Pero también es cierto que podríais haber evitado que se enconase aceptando una compensación. Nadie me quita de la cabeza que quien le da más valor a una mano muerta que a un millón de francos está más loco que una cabra.

—El dinero no lo es todo.

—Pero una mano muerta es mucho menos.

—Depende de cómo se mire.

—Yo no puedo verlo más que de una forma; cortar esa mano no es más que un vano intento de acallar tu orgullo, y me parecería muy bien si no arrastrase tras sí tantos problemas como ha arrastrado, ni provocase tantas muertes como ha provocado.

—En eso estoy de acuerdo —admitió el *imohag* provocando la perplejidad de su oponente—. No hay nada en todo este estúpido asunto que justifique la muerte de un ser humano.

—Me alegra oírlo, ya que eso es lo que he venido diciendo desde el primer momento. —El sudafricano hizo un leve gesto hacia la *girba* que el beduino había dejado a la sombra—. ¿Puedo...? Tengo la boca llena de arena.

El otro hizo un leve gesto de asentimiento y, cuando al fin se sintió satisfecho, Sam Muller lanzó un sonoro suspiro de alivio al exclamar:

—¡Dios bendito! ¡Personalmente nunca me había dado cuenta de la increíble importancia que tiene el agua! Quizá resultaría interesante que los gobiernos de los países ricos obligasen a sus ciudadanos a pasar sed un par de días al año para que aprendieran a valorar lo que tienen. Pero continuemos... —añadió—. Supongamos que estamos de acuerdo en entregar la mitad de nuestras armas y municiones. ¿Qué más quieres?

—Un rehén.

Sam Muller le observó horrorizado.

—¿Otro?

—Uno muy especial, que sirva para eliminar todas nuestras dudas sobre la eventualidad de un nuevo ataque.

—¿No estarás pensando en...?

—... *El Mecánico.* —La respuesta vino acompañada con un asentimiento de cabeza—. ¡Exactamente!

—¡No jodas!

—Es una propuesta justa.

—Es nuestro jefe.

—Razón de más… —le hizo notar el beduino—. Si es el jefe parece lógico que tenga un especial interés en salvar a sus hombres, y por lo tanto no creo que dude a la hora de sacrificarse.

—Creo que no estás viendo las cosas desde el ángulo apropiado —le hizo notar Sam Muller con un cierto tono irónico en la voz—. Tal vez un heroico capitán del ejército se sacrificaría por sus pobres soldados de reemplazo, pero dudo que un jodido jefe de jodidos «soldados de fortuna» esté dispuesto a hacerlo.

—Pues míralo tú desde este otro ángulo… —le hizo notar a su vez Gacel Sayah—. Tal vez unos pobres soldados de reemplazo nunca sacrificarían a su heroico capitán, pero unos jodidos «soldados de fortuna» es muy posible que estén dispuestos a sacrificar a su jodido jefe.

El sudafricano no pudo evitar lanzar una corta carcajada pese a encontrarse en peligro de muerte y en pleno corazón del Teneré.

—¡Qué condenadamente listo eres! —exclamó—. ¿Me estás proponiendo que traicionemos a Bruno Serafian…?

—Te estoy proponiendo que le ofrezcas una alternativa justa y, que si no la acepta, le empujéis a aceptarla. —Abrió los brazos en un ademán en verdad expresivo—. De no hacerlo, mañana a estas horas os estaréis matando los unos a los otros por un sorbo de agua.

—¿Y qué le pasará si te lo entregamos?

—En cuanto todo esto acabe y mi familia se encuentre a salvo, lo dejaré marchar.

—¡La leche…! —no pudo por menos que lamentarse casi cómicamente el otro—. ¡Hay que ver cómo se están complicando las cosas!

—«*Para el estúpido el todo le nace de la nada, y para el inteligente, el todo se convierte en nada…*» —señaló Gacel—. Es un dicho nuestro que viene a significar que los problemas crecen o desaparecen según quién los encare.

—Pues a mí me están creciendo más de la cuenta… —Sam Muller hizo una corta pausa para inquirir como si tuviera interés en desviar el curso de la conversación—: Por cierto, ¿cómo se encuentran los rehenes?

—Supongo que bien.

—¿Cómo que lo supones? —se sorprendió el otro—. ¿Es que no estás seguro?

—Hace dos días que no los veo, pero las mujeres los cuidan y tienen agua y comida.

—¿Pensabas matarlos?

—Sí.

—¿Continúas pensándolo?

El nómada negó y su voz sonaba sincera:

—La muerte de Mauricio Belli me ha hecho cambiar de idea.

—¿Y qué pasará con la famosa mano?

—Nada. La vida de Milosevic no vale lo que un dedo del muerto. Ahora lo sé, y también sé que esa muerte es una losa sobre mi conciencia, pero no puedo hacer que las cosas vuelvan atrás.

—Ha habido más muertes… —le recordó su interlocutor—. Y todas partieron de la misma causa.

—Pero de esas otras no me siento responsable —fue la respuesta—. Luchar contra los *imohag* en el desierto siempre constituyó un suicidio, y mucha suerte habéis tenido al salir tan bien librados.

—¿Suerte? —se escandalizó su acompañante—. ¿De qué coño hablas? Hemos tenido toda la mala suerte del mundo.

—Te equivocas… —replicó Gacel con absoluta naturalidad—. Habéis tenido toda la suerte del mundo, puesto que aún no os habéis enfrentado al peor de los enemigos.

—¿Peor que el calor y la sed? ¡Bromeas…!

—No bromeo. El peor enemigo en el desierto no es el calor ni la sed. En el desierto, el peor enemigo ha sido siempre el viento. En esta zona, abierta al norte y fuera de la protección de las montañas, el *harmattan* suele soplar con fuerza y con demasiada frecuencia se transforma en tormenta. —La afirmación no dejaba sombra a la duda—: ¡Ninguno de vosotros hubiera sobrevivido a una auténtica tormenta de arena!

—He oído hablar de ellas y tengo entendido que son realmente terribles —se vio obligado a admitir el sudafricano.

—No puedes imaginar hasta qué punto... El tiempo ha sido excepcionalmente bueno este último mes, pero ruega para que el *harmattan* no se presente antes de que regrese vuestro avión, porque de ser así le resultará imposible aterrizar, y en ese caso podéis daros por muertos.

—¡Bien! —exclamó Sam Muller lanzando un hondo suspiro al tiempo que se ponía cansinamente en pie—. Rezaré para que el *harmattan* no se despierte. Dentro de una hora tendrás aquí a Bruno Serafian y la mitad de nuestras armas.

—En ese caso, dentro de una hora tendréis agua suficiente para sobrevivir un día. ¡Pero ni una gota más! —Alzó el dedo amenazante—. ¡Y si se os ocurre volver por aquí ya no habrá compasión!

Bruno Serafian dejó escapar un grosero reniego antes de inquirir:

—¿Que me convierta en rehén…? ¿Es que te has vuelto loco?

—Es lo que exigen.

—Pero ¿por qué yo?

—Porque eres el jefe, y el culpable de que todo esto haya estado planificado con el culo, subestimando al enemigo, y no me refiero únicamente a los tuaregs. Me refiero a todo, porque tú puede que seas muy bueno asustando a la gente con ayuda de unos cuantos matones, pero está claro que como estratega eres un auténtico imbécil.

El Mecánico hizo un claro ademán de apoderarse del arma que permanecía apoyada en una piedra, pero Sam Muller se lo impidió apuntándole directamente a los ojos con la suya.

—¡Tranquilo! —dijo—. No quiero más violencia, y te garantizo que no se tomará ninguna decisión hasta que se acepte por mayoría.

—¿Te das cuenta de que te estás amotinando?

—¡No digas bobadas! —fue en cierto modo irónica la respuesta—. Esto no es *La Bounty*, ni nosotros marinos de la armada inglesa. No somos más que una pandilla de mentecatos a los que has metido en un lío en el que no quieren dejarse la piel.

—¡Te mataré por esto! —le amenazó casi fuera de sí el armenio.

—Sin «esto» mañana estaríamos todos muertos. ¿Y tienes una idea de lo que significa morir de sed? Yo no, pero no quiero imaginarlo. Me basta con lo que he pasado ahí fuera.

—¡Te perseguiré hasta los mismísimos infiernos! —insistió el otro.

—¡Oh, vamos…! ¡Déjate ya de chiquilladas…! —replicó el sudafricano con su habitual parsimonia—. No estamos en el patio de un colegio. De lo que se trata es de intentar salir de aquí de una pieza… —Se volvió a quienes asistían a la escena sin demostrar ni el más remoto deseo de intervenir para inquirir con una leve sonrisa en los labios—: Los que estén de acuerdo, que alcen la mano.

Los hermanos Mendoza fueron los primeros en apresurarse a alzarla, y uno tras otro la práctica totalidad de los presentes les imitaron.

Sam Muller hizo un amplio gesto mostrando las manos para señalar casi humorísticamente:

—¿Te das cuenta? Ha habido consenso.

—¿«Consenso»…? —repitió un indignado Serafian—. ¡Y una mierda! Aún soy el que paga y el que manda, y no estoy dispuesto a que esos hijos de puta me pongan la mano encima.

—«Eres» el que paga, en eso estoy de acuerdo —fue la respuesta—. Pero ya no eres el que manda, puesto que para mandar hay que demostrar que sabe hacerse, y tú has demostrado que no sabes.

—¿Y quién lo dice?

—¡Yo! Que llevo más de veinte años en esto. Mucho visor nocturno, mucha arma automática, mucho «parapente» negro, mucha radio de largo alcance, mucho plan de ataque y mucha absurda parafernalia, pero te olvidaste de lo que en verdad importaba: que nos estábamos enfrentando al desierto, y que lo único importante era el agua…

—No me olvidé de ella.

—¡Ah no? ¿Y cómo es posible que no trajéramos más que dos bidones?

—Trajimos tres… —intervino César Mendoza—. Calculamos que con las cantimploras llenas y tres barriles, uno para cada día, tendríamos más que suficiente.

—¿Tres…? —repitió sorprendido el sudafricano—. ¿Y dónde está el tercero?

—El paracaídas no se abrió. Se destrozó al caer.

Podría creerse que la inesperada confesión tenía la extraña virtud de desconcertar por primera vez a un hombre en apariencia imperturbable, que tras unos instantes de duda lanzó un largo silbido para acabar por dirigir una helada mirada al armenio.

—¿Tú lo sabías? —dijo, y ante el mudo gesto de asentimiento insistió—: ¿Lo sabías desde el primer momento y no hiciste nada?

—¿Y qué podía hacer? —protestó el aludido—. Cuando vi que caía en picado la mayoría de los hombres habían saltado ya. ¿De qué servía contarlo…?

—Hubiera servido para que tuviéramos más cuidado con el agua que quedaba… —le hizo notar uno de los presentes—. Y hubiera servido para no dejar a la vista el maldito bidón…

—Nunca se me pasó por la cabeza que se les ocurriera lanzar aquel loco ataque.

—Por lo visto a ti nunca se te pasa nada por la cabeza. ¡Dios bendito! No sé por qué coño no te la volamos aquí mismo…

—Lo siento.

—¿Lo sientes…? —repitió estupefacto el herido en

la pierna—. Cuatro hombres han muerto, varios nos estamos desangrando, y si esos tuaregs no nos ayudan, mañana por la noche estaremos sirviendo de cena a los buitres. Y tú te limitas a decir que lo sientes. —Le lanzó un sonoro escupitajo para concluir—: ¡Vete a tomar por el culo!

El Mecánico tomó asiento sobre una roca, ocultó por unos instantes el rostro entre las manos, se atusó los sucios cabellos con los dedos y por último asintió con la cabeza:

—¡De acuerdo! —dijo—. Me ofrezco como rehén.

—¡Tú no te ofreces! —le espetó el herido—. Nosotros te entregamos contra tu voluntad, y puedes jurar que no se me escapará una lágrima si te cortan el gaznate.

—Ni a mí si revientas desangrado.

—¡No continuemos llevando este asunto al terreno personal…! —medió una vez más Sam Muller que había realizado un notable esfuerzo por recuperar su flema habitual—. No me agrada la idea de entregar a un compañero, y jamás imaginé que tuviera que hacerlo, pero supongo que me estoy haciendo demasiado viejo para este oficio. Por desgracia en ocasiones no queda más remedio que tragar sapos como mal menor.

—¿Sapos…? —repitió alguien—. «Camellos» nos están obligando a tragar.

—Sapos o camellos, ¿qué más da? No siempre se gana.

—Yo ya ni siquiera recuerdo lo que es eso… —puntualizó el número «Ocho» que hasta ese momento no había dicho esta boca es mía—. La última vez gané «por puntos»; a mí tuvieron que darme treinta y a mi contrincante sólo cuatro. ¡Este oficio se está volviendo un asco! Resulta más rentable convertirse en pirata informático.

El sudafricano le dirigió una severa mirada.

—No es momento para chistes malos —dijo—.

Cuando esto se sepa, el poco prestigio que nos quedaba se habrá ido al carajo. ¿Quién va a querer contratarnos para algo más que para matón de discoteca? —Se volvió al armenio para inquirir—: ¿Estás listo?

—¡Qué remedio...! —fue la agria respuesta—. Cuanto antes acabemos, mejor.

—¡Andando entonces! Y tranquilo; el tuareg me ha jurado que no corres peligro.

—¿Y tú le crees?

El otro asintió al tiempo que le tomaba del brazo y le empujaba suavemente y casi con afecto hacia la salida.

—Si no le creyera no estaría haciendo lo que hago —dijo.

—Confío en que nunca tengas que arrepentirte.

Sam Muller descargó cuatro metralletas, y le hizo un gesto para que se las echara al hombro mientras él hacía lo propio con otras tantas al tiempo que replicaba sin aparente acritud:

—De lo único que me arrepiento es de haber aceptado un trabajo como éste sin cerciorarme antes de cómo se hacían las cosas. Tu organización tiene fama de eficiente con respecto a pruebas deportivas, pero en lo que se refiere a una guerra de verdad, habéis demostrado ser unos auténticos chapuceros... ¡Anda, vamos, que el tiempo apremia!

Al poner el pie en el exterior el sol les golpeó con la fuerza de la coz de una mula, y por unos instantes ambos tuvieron la impresión de que con semejante carga no conseguirían avanzar ni un solo metro.

Las oscuras lajas de piedra del macizo montañoso, orientadas al sur y levemente inclinadas, comenzaban a recalentarse casi desde el amanecer, y, a aquellas horas, cercano ya el mediodía, se habían convertido en una especie de planchas de cocina sobre las que se podría haber freído un huevo sin más ayuda que un chorro de aceite.

Pronto descubrieron que las gruesas gotas de sudor que les caían de la frente ni siquiera llegaban al suelo, puesto que se evaporaban poco antes, y era aquél un extraño fenómeno que tan sólo podía observarse en los contados lugares del planeta donde la sequedad del ambiente era absoluta y la temperatura extrema.

Aziza, en Libia, las salinas del norte del Chad, algún rincón del Valle de la Muerte, en Arizona, y por supuesto el Teneré disfrutaban del dudoso honor de ofrecer al viajero semejante espectáculo, pero ni el sudafricano Sam Muller, ni mucho menos el armenio Bruno Serafian se encontraban en condiciones de entretenerse en admirarlo.

Buscaron la protección de alguna sombra pero no encontraron ninguna, pues sabido es que al mediodía en el Sahara incluso las sombras se derriten bajo un calor que no respeta más que las rocas y la arena.

—Esto no hay quien lo soporte... —musitó al cabo de quince minutos y muy a duras penas Bruno Serafian—. Creo que voy a desmayarme.

—Si te desmayas date por muerto... —fue la franca e inequívoca respuesta—. ¡Haz un esfuerzo!

—¡No puedo! —Casi sollozó su compañero de fatigas—. Las botas se me han recalentado y es como si estuviera pisando carbones encendidos.

—Pues yo no estoy en condiciones de cargar contigo, y puedes jurar que ninguno de tus hombres acudirá en tu ayuda. Así que tú mismo...

Los quinientos metros siguientes fueron como los últimos quinientos metros de la cumbre del Everest para un montañero congelado y sin oxígeno.

Les faltaba el aire y los pulmones amenazaban con estallarles.

Las armas quedaron desparramadas por el camino.

Su valor, su moral, su capacidad de resistencia, e incluso sus ansias de sobrevivir, también.

El cerebro ya no sabía enviar órdenes concretas.

El resto del cuerpo tampoco estaba en condiciones de interpretar ninguna orden.

El Mecánico fue el primero en perder el control sobre sus piernas que iban de un lado a otro como las de un borracho que estuviera realizando ímprobos esfuerzos por mantener el equilibrio para no precipitarse de bruces contra un suelo del que jamás volvería a levantarse.

—¿Qué te ocurre?

—Esto se acaba.

—¿Qué…?

—Se acaba…

Fue lo último que recordó haber dicho, y al despertar fue para advertir que una mano se empeñaba en obligarle a tragar un poco de agua que a punto estuvo de ahogarle.

Se sumió de nuevo en la inconsciencia y cuando al cabo de varias horas recuperó el sentido se encaró por fin con el hombre al que había venido a aniquilar, que lo observaba recostado contra la pared de una pequeña cueva.

—¿Qué ha ocurrido? —quiso saber.

—Que has estado a punto de morir.

—¿Me has salvado?

—Si un *imohag* permite que alguien muera de sed, se cierra para siempre las puertas del paraíso.

—¿Aunque se trate de un enemigo?

—La ley de la hospitalidad no hace distinción entre amigos o enemigos.

—Pero yo no he solicitado tu hospitalidad.

—En tu estado no necesitas solicitarla. La costumbre me obliga a concedértela aun en contra de mi voluntad.

—Sois gente muy extraña.

—En el desierto, no. En el desierto el único extraño es aquel que no antepone esos principios a cualquier otra razón.

—En ese caso, cómo debo considerarme: ¿prisionero o huésped?

—De momento huésped —replicó con voz tranquila Gacel Sayah—. Luego, cuando te hayas repuesto, te convertirás en prisionero, pero no te inquietes; no tengo intención de hacerte daño.

—Yo venía dispuesto a matarte.

—Lo sé.

—¿Y aun así me dejarás en libertad?

—Es lo acordado y los tuaregs siempre cumplimos nuestros acuerdos... —El beduino hizo una corta pausa para añadir—: Pero sólo una vez.

—Con una sola vez, me basta. Si salvas a mi gente jamás volveré a molestarte.

—Tu gente se salvará si el avión llega a tiempo. Pero si el *harmattan* se le adelanta y no consigue aterrizar estarán condenados porque no les proporcionaré más agua... —Gacel hizo una corta pausa y por último se inclinó levemente para observarle mejor al tiempo que inquiría—: ¿Realmente imaginabas que podías acabar con nosotros?

—Medí mal mis fuerzas.

—Todo el que intente derrotar al desierto está midiendo mal sus fuerzas —fue la severa respuesta—. Desde que el mundo es mundo, desde que los faraones soñaron con conquistarlo, cientos de ejércitos han desaparecido entre sus arenas. Tan sólo el que se humilla aceptando de antemano su indiscutible superioridad tiene alguna remota posibilidad de sobrevivir.

—¿Los tuaregs por ejemplo?

El otro asintió sin falsa modestia.

—Los tuaregs, por ejemplo. Somos un pueblo lo bastante orgulloso como para no inclinarnos ante ningún hombre, pero lo suficientemente humilde como para inclinarnos ante la naturaleza porque sabemos que Alá creó al mundo millones de años antes que al hombre, y éste tan sólo es un viajero que está aquí de paso.

Bruno Serafian no respondió. Se sentía agotado y tan molido como si le hubiesen golpeado un millón de veces con un calcetín relleno de arena, sin que pareciese existir un solo centímetro de su cuerpo que no hubiera experimentado los efectos de semejante paliza.

Incluso el simple hecho de hablar le hacía daño, por lo que optó por cerrar de nuevo los ojos y permitir que la paz de la inconsciencia se adueñara una vez más de toda su persona.

Durmió plácidamente, como un niño en su cuna, puesto que de improviso le había invadido la extraña sensación de que por primera vez alguien que no fuera él mismo se preocupaba por su seguridad.

El Mecánico llevaba muchos años en África, demasiados tal vez, pero durante todo ese tiempo nunca se le había pasado siquiera por la mente la idea de que poner su vida en manos de un «piojoso beduino» tuviese la virtud de ejercer una influencia tan relajante sobre su subconsciente.

Ocurriera lo que ocurriera, y cualquiera que fuera el peligro que le acechara, los hombres del «Pueblo del Velo» permanecían vigilantes para que nada le sucediese.

Le despertaron los gritos del viento.

La cueva estaba oscura, pero una tímida luna menguante, cuya luz luchaba por abrirse paso a través de millones de granos de arena que volaban de un lado a otro, recortaba la silueta de Gacel Sayah que parecía una estatua sentado junto a la entrada.

Se aproximó, arrastrándose, hasta él, observó el inquietante panorama e inquirió casi con un hilo de voz:

—¿El *harmattan*…?

—No —fue la tranquila respuesta—. Viento del este, fuerte, pero aún no parece peligroso. El peligro llegará si comienza a girar hacia el norte.

—¿Crees que lo hará?

—Eso sólo Dios lo sabe… —sentenció el tuareg con absoluta naturalidad—. Cuando la luna tiende a desaparecer los vientos se vuelven imprevisibles y caprichosos. Ha llegado el momento de afianzar las *jaimas* y rezar. Sin embargo, cuando la luna comienza a crecer, los vientos se calman, y llegan los días de levantar el campamento y viajar. Por eso, y porque Mahoma era en realidad un beduino, nuestras banderas se adornan con una media luna.

—No tenía ni idea de que ése fuera el motivo.

—La luna en creciente es sinónimo de nuevos horizontes, nuevos pastos y nuevas esperanzas.

—¿Qué harás cuando todo esto acabe? ¿Buscarás nuevos pastos y nuevos horizontes?

—¿Qué remedio me queda?

—Volver a tu pozo.

—Allí ya nunca estaremos seguros —sentenció Gacel Sayah convencido de lo que decía—. Y hace tiempo que me rondaba por la cabeza la idea de marcharme. Mi hermana necesita un marido.

—Y tú una esposa… —le hizo notar Bruno Serafian.

El otro se volvió a mirarle y de no haber tenido el rostro oculto por el velo, el armenio podría haber advertido que sonreía con una cierta tristeza:

—Eso resulta mucho más difícil —fue la respuesta—. Siempre he sido pobre, pero lo poco que tenía lo he perdido. Ni mi hermano ni yo tenemos nada que ofrecer a una mujer y en nuestro mundo resulta imposible conseguir esposa en esas condiciones.

—¿Puedes vender las armas que te hemos entregado?

—Yo no trafico en armas… —replicó el tuareg con acritud—. Quien lo hace está invitando a otros a matarse. El gran problema de África es que se gasta demasiado en armamento y demasiado poco en resolver los problemas de su gente. Un hombre honrado jamás debe prestarse a colaborar en que las cosas continúen así.

—¿Y tú te consideras ante todo un hombre honrado?

—¿Qué otra cosa me queda más que esa honradez? Si la perdiera me convertiría en el más miserable de los parias. Bastantes errores he cometido últimamente como para aumentarlos convirtiéndome en un despreciable traficante de armas.

—¿Todos los tuaregs piensan como tú?

—Supongo que no. Entre los tuaregs existen también hombres despreciables puesto que Alá no hace distinción de razas a la hora de repartir virtudes o defectos. Pero así es como me criaron, y ésas son las normas que quiero seguir. Lo que hagan otros, poco importa.

—El viento aumenta —musitó de improviso el armenio.

—Aún se mantiene estable en el este —replicó el beduino—. Reza para que siga así o perderás a tus compañeros. El peor momento llegará al amanecer.

—¿Por qué?

—Es entonces cuando el viento duda entre irse a dormir o azotar con furia. Serán los buitres los que nos avisen.

—¿Por qué los buitres?

—Aquí hiede a carroña. Si llegan volando desde lejos significará que el viento tiende a calmarse. Si buscan refugio y esconden la cabeza entre las alas, significa que habrá tormenta. Ellos son los únicos que saben lo que va a ocurrir en el desierto porque lo ven desde las alturas.

—¡Jamás imaginé que me alegrara el hecho de ver buitres! —no pudo por menos que exclamar *el Mecánico*—. Siempre me parecieron los seres más repugnantes del planeta.

—Y de hecho lo son, pero cumplen dos misiones muy concretas: limpian el desierto e informan a sus habitantes... —Gacel se puso en pie—. Y ahora he de irme —dijo—. Mi hermano lleva ya mucho tiempo de guardia.

—¿Y tú no descansas nunca?

—Ya tendré tiempo de descansar. Los nómadas aprendemos desde niños a pasar largas temporadas de inactividad que se alternan con otras durante las cuales nos vemos obligados a caminar día y noche.

—¿Y nunca os sentís desentrenados?

—¿«Desentrenados…»? —repitió el otro como si no entendiera a qué se refería—. ¡Oh, vamos! —exclamó al poco—. ¡No digas tonterías! El día que un nómada esté «desentrenado» se lo tragará el desierto.

No fue el desierto sino la noche la que se lo tragó casi al instante, puesto que desapareció de improviso sin que su interlocutor tuviera tiempo de responder, o tan siquiera de hacerse una idea de cómo se las había arreglado para esfumarse de aquella forma.

El viento continuaba arreciando.

Sentado allí, junto a la entrada de una pequeña cueva de lo que se le antojaba el lugar más absurdo y desagradable del planeta, el ahora insomne Bruno Serafian dejó que pasara el tiempo repasando mentalmente la vertiginosa sucesión de acontecimientos que habían tenido lugar desde el momento en que Alex Fawcett le mandó llamar a su despacho.

Nada había ocurrido tal como había previsto que ocurriera, y sabiéndose tan sólo como se sabía, sin nadie a quien verse obligado a dar cuentas de sus actos, no tuvo el menor reparo en aceptar su indiscutible responsabilidad en tan dramático y estrepitoso fracaso.

Demasiado agotado, física y moralmente, como para ejercitar su cerebro en la tarea de buscar disculpas, resultaba mucho más sencillo admitir honradamente sus errores y admitir de igual modo que la mayor parte de su vida —como la de la mayoría de la gente— no constituía en el fondo más que una tremenda farsa.

Con el transcurso de los años se había ganado lo que hasta días antes había considerado una bien cimentada fama de hombre duro, pero escudriñando ahora en su interior se veía obligado a reconocer que tal dureza había nacido, como nace casi siempre, de una desesperada necesidad de ocultar sus propias debilidades.

En su ya más que lejana juventud, un mal día de amargo recuerdo el miedo le obligó a reaccionar con inusitada violencia, y cuando, como por desgracia ocurre demasiado a menudo, a algún estúpido se le ocurrió atribuir dicha violencia a una supuesta firmeza de carácter, acabó por atribuirse tal mérito, y era ésa una falsa imagen de sí mismo que le había acompañado durante la mayor parte de su vida.

Lo acontecido durante los últimos días le había devuelto, no obstante, y de modo harto brusco, a la realidad, puesto que el miedo continuaba presente, y en esta ocasión no tenía oportunidad de reaccionar con la violencia de aquel día, ya que se trataba de miedo al desierto, al viento, a la arena, a la espantosa soledad, y a una muerte cuyo hedor inundaba las oscuras montañas.

El miedo sin testigos, aquel que no necesita maquillarse puesto que tan sólo actúa para un espectador muy concreto y muy comprometido, es el único que otorga al que lo experimenta la medida exacta de sus capacidades, y el que le obliga a sincerarse consigo mismo marcándole el camino que debe seguir en un futuro si es que desea alejar pasa siempre esos temores.

Bruno Serafian tenía los suficientes años como para ser capaz de reconocer —«sin testigos»— que se le había pasado el tiempo de continuar siendo el temido *Mecánico*, y llegaba la hora de conformarse con ser el hombre tranquilo y sosegado que a decir verdad tendría que haber sido si unas circunstancias muy puntuales y por completo ajenas a su voluntad no se hubieran cruzado aquel maldito día en su camino.

Lo peor que puede ocurrirle a un ser humano es no llegar a ser lo que en justicia debiera haber sido, sino convertirse en el resultado de una jugarreta del destino, que se divierte trastocándolo todo con la misma inconsciencia con la que un niño se divierte arrancándole las plumas a un canario.

Bruno Serafian estaba llamado a ser un magnífico orfebre capaz de crear joyas deslumbrantes que le hubieran proporcionado admiración, riqueza, hermosas mujeres y respeto, pero la suerte quiso que se detuviera justo en el umbral de tan apetecible futuro.

Ahora era ya demasiado tarde para recuperar el rumbo perdido, y lo sabía.

La luna se ocultó, la noche se hizo aún más negra y en las tinieblas su imaginación se disparó obligándole a creer que el rugir del viento se volvía insoportable.

Todas sus esperanzas se centraron en conseguir ver buitres volando al amanecer.

Volaba muy alto, trazando círculos.

Bajo él, con la incierta claridad del alba despuntando apenas en la distancia, todo era una masa amarillenta de polvo en suspensión que obligaba a pensar que el mundo se había convertido en una sopera de polenta de la que tan sólo sobresalía, como un garbanzo negro, la cima del aislado macizo rocoso.

—¡Mierda! ¡No se ve un carajo!

—¿Qué hacemos?

—Esperar… ¿Qué remedio?

Una gran vuelta. Luego otra. Y otra más.

Abajo, unos hombres que habían empleado las dos últimas horas en arrastrarse hasta el punto en que estaba previsto que aterrizara el avión asistían angustiados a sus evoluciones, consciente de que si el piloto desistía en su empeño estaban irremisiblemente condenados a la más espantosa de las muertes.

Algunos, los que aún conservaban fuerzas, agitaban los brazos con desesperación aun a sabiendas de que casi con toda seguridad los de arriba no podían verles.

—¡Aquí, aquí! —gritaban en la más estúpida e inútil de las llamadas.

El sol comenzó a ganar altura en el horizonte.

El viento dudaba.

El viento ha sido siempre, y lo seguirá siendo hasta el fin de los siglos, el rey indiscutible del desierto, el que forma los ríos de dunas, el que entierra las mayores ciudades y los más fértiles oasis, o el que deja al descubierto de improviso viejas ruinas que se complació en ocultar durante generaciones.

Y los reyes que se saben indestronables suelen ser caprichosos.

Les basta con alzar un dedo para que viva o muera la gente.

¿Cuántos seres humanos y cuántas bestias habían muerto en el Sahara por culpa del viento?

Nadie sería capaz de calcularlo.

El sol estaba ya frente al morro del avión pero aún se le podía mirar abiertamente puesto que una sucia cortina formada por millones de granos de arena lo difuminaba como si se ocultara tras la más espesa de las nubes.

—¡Esto se pone feo!

El copiloto asintió con un levísimo ademán de cabeza al confirmar:

—¡Feo de cojones!

—Y esa gente lo debe estar pasando mal.

—Peor lo pasaremos nosotros si no aclara el panorama.

—¿Quién nos manda meternos en estos líos?

—El dinero.

—Pues ahora mismo devolvería todo lo que nos han pagado con tal de no encontrarme aquí arriba.

—Y ellos por no encontrarse ahí abajo. ¿Qué hacemos?

—Seguir dando vueltas.

El viento rugió con más fuerza.

Luego, de improviso, pareció haberse cansado de repetir una y mil veces idéntica canción y se volvió a la cama.

Sin el aliento de su música, la arena se aburrió de bailar y comenzó a regresar, muy lentamente, a su lugar de origen.

El sol brilló con la fuerza de siempre y ya resultaba imposible mirarle de frente.

En el cielo hicieron su aparición los primeros buitres.

Quince minutos más tarde el pesado Hércules se posó en la amplia explanada del norte para deslizarse rugiendo y levantando nubes de polvo hasta el lugar exacto en que un grupo de hombres lloraban, reían y se abrazaban, conscientes de que habían esquivado por centímetros el afilado filo de la guadaña.

Sin tan siquiera detener los motores el piloto aguardó a que sus maltrechos pasajeros estuvieran a bordo para lanzarse de nuevo pista adelante cruzando los dedos y rogando que la arena que aún se mantenía en suspensión no bloquease los filtros de aire.

Luego se perdió de vista volando muy alto, rumbo a la lejana y siempre agitada Angola.

El silencio se apoderó una vez más de aquel olvidado rincón del desierto.

Cuando el rumor de los motores se alejó para siempre, Bruno Serafian apoyó la cabeza en las rodillas y por primera vez en muchísimos años lloró mansamente.

No experimentaba el más mínimo afecto por quienes consideraba que le habían traicionado, pero no deseaba pasar el resto de su vida con la carga de tantas muertes sobre sus espaldas.

Las consecuencias de sus muchos errores comenzaban a hacerse más llevaderas.

La tensión de las últimas horas se relajó de improviso, por lo que cerró los ojos y permitió que el sueño le invadiera.

Cuando se despertó continuaba estando solo, y solo permaneció durante los tres días que siguieron, puesto que le habían proporcionado agua y provisiones, pero a no ser por el hecho evidente de que alguien tenía que haberlas dejado en la cueva podría creerse que el avión se había llevado consigo hasta el último habitante de la zona.

Fueron tres días extraños que pusieron a prueba su entereza, sin más compañía que el hedor que desprendían los cadáveres, y que tan sólo desapareció cuando los hambrientos chacales dieron buena cuenta de hasta el último hueso, momento en que los buitres desaparecieron en la distancia y el vacío más absoluto se adueñó una vez más del macizo rocoso.

Por fin, y cuando menos lo esperaba, la delgada silueta del tuareg se recortó contra el cielo.

—*Metulem, metulem...* —le saludó—. ¿Cómo te encuentras?

—A punto de volverme loco. ¿Dónde estabas?

—Durmiendo.

—¿Tres días seguidos?

—Ya te advertí que un beduino debe estar «entrenado» para la máxima acción o el máximo descanso según las circunstancias. ¿Necesitas algo?

—Compañía. ¿Dónde está el resto de los rehenes?

—En lugar seguro, pero si te llevo con ellos tendrás que pasar la mayor parte del tiempo maniatado. —Hizo un gesto con el que pretendía abarcar la desolación del paisaje que les circundaba—. Sin embargo aquí puedo dejarte libre. No creo que se te ocurra huir.

—¿Y adónde podría ir?

—A ninguna parte, desde luego.

—¿Y por qué no los dejas libres también a ellos?

—Son demasiados y están alterados a causa del encierro. No quiero correr riesgos.

—¿Cómo están de salud?

—Bien, dentro de lo que cabe —fue la sincera respuesta—. Y algo más animados puesto que saben que ya no corren peligro y que su liberación es tan sólo cuestión de tiempo.

—¿Cuánto tiempo?

—Eso ya no depende de mí… —le hizo notar Gacel—. No creo que estén en condiciones de cruzar el desierto, y por lo tanto no queda más remedio que confiar en que vengan a buscarnos.

—¿Quién podría hacerlo?

—El piloto del helicóptero.

—¿Nené Dupré…? —inquirió Bruno Serafian y ante el gesto de asentimiento añadió—: No sé por qué siempre tuve la impresión de que se había puesto de tu lado.

—No creo que esté de ningún lado. Lo único que pretende es ayudar.

El armenio se encogió de hombros al comentar:

—Al fin y al cabo eso es algo que carece ya de importancia. Lo que ahora importa es que venga pronto.

Nené Dupré hizo su aparición dos días más tarde, sobrevoló la zona durante largo rato, aguardó a que Gacel Sayah lo saludara con inequívocos gestos de que todo estaba tranquilo, y por fin se decidió a tomar tierra sobre una ancha explanada de piedra.

Cuando poco más tarde el tuareg le hubo puesto al corriente de cuanto había sucedido durante las últimas y difíciles jornadas, no pudo por menos que agitar la cabeza con gesto pesaroso.

—Lo lamento por los muertos… —dijo—. Sobre todo por ese pobre muchacho que ninguna culpa tenía, pero en el fondo me alegra que todo haya acabado mejor de lo que imaginaba.

—¿Mejor…? —se sorprendió su interlocutor—. ¿Qué otra cosa esperabas?

—Una masacre en la que tú y los tuyos hubieseis llevado la peor parte.

El *imohag* hizo un amplio gesto abriendo los brazos y mostrando la desolación del paisaje que le rodeaba.

—¿Aquí…? —inquirió casi desconcertado—. Los franceses tenéis un dicho muy acertado: *«Más sabe el tonto en su casa que el listo en la ajena»*, y te recuerdo que ésta es nuestra casa; un castillo contra el que incluso los misiles americanos se estrellarían porque Alá creó lugares como éste para que hombres como nosotros podamos seguir siendo libres. Ningún arma, salvo quizá esas famosas bombas atómicas que todo lo destruyen, podría vencernos, porque ninguna ha sido creada para luchar en el desierto.

—Y los tuaregs sí.

—Tú lo has dicho. Hemos tardado mil años, pero hemos aprendido a luchar con todas las garantías.

—¿Y qué piensas hacer ahora?

—Aún no lo hemos decidido.

—¿Volverás al pozo?

—Definitivamente no. Ese lugar ya no tiene futuro. En realidad nunca lo tuvo… —Fue a añadir algo más pero se interrumpió al advertir que de entre las rocas había surgido el grupo formado por los rehenes, su madre y su hermana…—. ¡Ahí los tienes! —exclamó—. Sanos y salvos.

—¡Bendito sea Dios!

El piloto acudió a estrechar la mano y abrazar a quienes parecían como idiotizados por encontrarse fuera de la cueva y a escasos metros de un helicóptero que los conduciría de regreso a sus casas, y resultó evidente que a más de uno se le saltaban las lágrimas al tener plena conciencia de que tan terrible pesadilla había llegado a su fin.

Fueron momentos confusos y en cierto modo emocionantes, que ganaron en intensidad aunque de un registro muy distinto cuando a lo lejos hizo su aparición el menor de los hermanos Sayah, que precedía a un cabizbajo Bruno Serafian.

—¿Ése es el tipo que mató a Mauricio Belli? —inquirió en tono agresivo el calvo que como siempre parecía llevar la voz cantante.

—Él asegura que fue un accidente.

—¿Qué clase de accidente?

Nené Dupré se apresuró a intervenir haciendo gestos con las manos para pedir calma:

—Éste no es lugar ni momento para discusiones... —dijo—. Nos espera un largo viaje, y cuanto antes nos vayamos y menos lo compliquemos, mejor... ¡Alégrense porque todo ha acabado y olvídense del resto!

—¡Pero...!

—¡No hay peros que valgan! —replicó el otro secamente—. A bordo no permitiré una palabra al respecto, y si alguien tiene intención de pronunciarla que lo diga ahora porque no pienso dejarle embarcar... ¿Está claro?

Uno a uno todos los presentes asintieron en silencio, y tras introducir la mano bajo uno de los asientos del aparato, el francés extrajo una pesada bolsa de deportes de color naranja que tendió a Gacel.

—Esto es para ti —dijo.

—¿Qué es?

—El millón de francos que me autorizaron a entregarte.

El beduino lo rechazó con un gesto despectivo.

—Ya te he dicho que no puedo aceptarlo —masculló ásperamente—. Y no hay nada que me haya hecho cambiar de idea.

—¡Pero te pertenece...!

— No soy un secuestrador que admite rescate.

—No es un rescate... —insistió el otro—. Es una compensación por los perjuicios que os hemos causado.

—Tampoco lo acepto.

—¡Pero es que lo habéis perdido todo...! —insistió el piloto—. El pozo, el huerto, el ganado... ¡Todo!

—¡He dicho que no, y cuando un tuareg dice que no, es no!

—¡La puta que parió vuestro maldito orgullo! —El francés se volvió a Laila para suplicar con voz quebrada—: ¡Hazle entrar en razón! Con esto podréis iniciar una nueva vida en cualquier parte, y a esos hijos de puta de la organización les sobra el dinero.

La respuesta no admitía réplica:

—Gacel es el jefe de la familia, y sólo se hace lo que él decide.

—¡Joder con los tuaregs...! —no pudo por menos que exclamar un hastiado Nené Dupré—. ¡Ya me tenéis hasta las narices con tantas manías! ¡Yo me largo!

Empujó a los pasajeros para que se acomodaran lo más cómodamente posible en el aparato, ocupó su puesto, y momentos antes de poner en marcha el rotor apuntó con el dedo directamente a Gacel con un gesto amistoso.

—¡Eres el tipo más testarudo que he conocido nunca! —exclamó—. ¡Pero me ha encantado conocerte!

—¡Lo mismo te digo!

—¡Suerte...! ¡La vais a necesitar!

—¡Suerte...! ¡Tú también la vas a necesitar!

Los cuatro miembros de la familia se apartaron porque al alzar el vuelo el helicóptero levantaba nubes de arena y polvo y permanecieron muy quietos observando cómo la rugiente máquina voladora ganaba altura, trazaba un amplio círculo y regresaba para cruzar sobre sus cabezas mientras varios de los pasajeros les despedían agitando la mano.

De pronto, la portezuela se abrió y la pesada bolsa de color naranja voló por los aires para ir a caer a unos veinte metros de distancia.

En lo alto Nené Dupré sacó casi medio cuerpo al exterior, les dedicó un rotundo corte de mangas y sonrió de oreja a oreja al gritar con toda la fuerza de su pulmones.

—¡El que ríe el último ríe mejor!

Dicho eso puso rumbo al nordeste y a los pocos minutos el aparato no era ya más que un punto en el horizonte.

Tan sólo entonces la familia Sayah se aproximó a la bolsa, Aisha la abrió y se quedó unos instantes alelada, con los ojos como platos.

—¿Es posible que exista tanto dinero? —exclamó al fin.

—Exista o no exista, no vamos a quedárnoslo —le hizo notar su hermano—. No es nuestro.

—¿Y qué piensas hacer con él? —quiso saber Suleiman—. ¿Dejarlo aquí para que los chacales se limpien el culo? ¿O dejarlo aquí y esperar a que dentro de cien años un viajero perdido se tropiece con él?

—No lo sé, ni me importa

—¡Escucha, hijo…! —intervino Laila que había tomado asiento en una piedra mientras observaba con atención un grueso fajo de billetes muy nuevos que Aisha le había entregado—. Tú eres el jefe de la familia y siempre respetaré tus decisiones, pero tu hermano tiene razón y dejar aquí todo este dinero no beneficiaría a nadie…

—Está manchado de sangre.

—Si todo el dinero manchado de sangre se abandonara en el desierto, jamás volveríamos a ver la arena… —sentenció la buena mujer con una leve sonrisa—. Y lo mejor que se puede hacer para «lavarlo», no es lo que hace el padre de Pino Ferrara, sino emplearlo bien.

—Todo el mundo asegura que va a emplear bien el dinero, pero a la hora de la verdad nadie lo hace.

—Podemos ser una excepción… —le hizo notar su madre—. Te propongo un trato: nos quedamos con la mitad de este dinero, y la otra mitad la empleamos en mejorar los pozos de la zona que buena falta les hace. Nuestra gente necesita agua y lo sabes.

Gacel Sayah tardó en responder, observó uno tras

otro a sus hermanos, leyó en sus ojos una velada súplica que permitía adivinar que aceptarían su decisión por dolorosa que pudiera parecerles, y al fin se inclinó para observar por primera vez el contenido de la bolsa naranja.

—¡De acuerdo! —masculló—. Me parece un trato justo.

Aisha no pudo contenerse y se precipitó a abrazarle mientras Suleiman se limitaba a esbozar una leve sonrisa de satisfacción al tiempo que comentaba:

—Me encanta que ese francés sea más testarudo que tú. ¿Qué hacemos ahora?

—Marcharnos cuanto antes.

—¿Con un solo camello…? —le hizo notar Suleiman—. Las mujeres no aguantarían tres días de marcha.

—¿Y qué remedio nos queda?

—Iré hasta *Sidi-Kaufa* y regresaré con un camión —señaló Suleiman.

—¿Un camión…? —repitió asombrada su madre—. ¿Pretendes alquilar un camión para nosotros solos?

—¿Por qué no? Ahora podemos permitírnoslo.

—¡Qué pronto te has acostumbrado a ser rico…! —ironizó Laia en tono burlón—. ¡Nada menos que un camión…!

—¡No es para tanto!

—¿Y adónde iremos a parar con semejante despilfarro…?

Gacel se vio obligado a intervenir, por lo que, acuclillándose junto a su madre, eligió dos de los billetes del gran fajo que tenía en la mano y los abanicó muy suavemente ante sus ojos.

—«Esto» bastará para pagar un camión que nos lleve muy lejos… —dijo al tiempo que con la otra mano le acariciaba el cabello tal como le gustaba hacer a menudo—. Es más dinero del que hemos visto en años, y tienes que empezar a hacerte a la idea de que las cosas han cambiado.

—¡Pero es que…!

—No quiero discusiones —añadió él con cierta sequedad pero con manifiesta intención—. Si el dinero empieza a traernos problemas, prefiero que las cosas continúen como están. ¡Lo dejamos aquí y que no se hable más!

—¡Ah, no…! —se apresuró a replicar ella apartándose como si creyera que le iban a quitar lo que tenía—. ¡Eso sí que no! Acepto lo del camión, pero tenemos que guardar una parte para la dote de tu hermana…

—Aisha es joven, hermosa, inteligente, decente, buena y trabajadora… —fue la respuesta—. Encontrará el marido que quiera, pero te doy mi palabra de que además tendrá la mejor dote que ninguna muchacha del «Pueblo del Velo» haya tenido nunca.

—Eso es lo que quería oír.

—¡De acuerdo entonces…! —Gacel se volvió a su hermano al tiempo que hacía un gesto hacia la bolsa de deportes—. Coge lo que necesites y vuelve con ese camión. Compra también algo de ropa porque lo cierto es que con estos andrajos no podemos presentarnos en ninguna parte, pero procura no llamar la atención.

—¡Haré una lista de lo que necesitamos…! —se apresuró a señalar Laila.

Su hijo mayor la observó de arriba abajo y no pudo por menos que esbozar una leve sonrisa humorística al tiempo que negaba una y otra vez con la cabeza:

—¡Aún no hace diez minutos que somos ricos, y ya empezamos a tener «necesidades»…!

Permitió no obstante que, de regreso a la gran cueva, ambas mujeres apuntaran cuidadosamente sus peticiones en un pedazo de papel, y ayudó a Suileman a cargar el único dromedario que les quedaba.

—Ve con cuidado… Supongo que aún continuamos teniendo enemigos —le recomendó—. No hagas alardes de dinero, y tómate el tiempo que necesites.

—Me preocupa dejarte solo… ¿Y si surgen problemas?

—¿Aquí…? No lo creo. Las mujeres estarán seguras en la cueva y siempre he sabido cómo arreglármelas…

—¿Y si se les ocurriera volver?

—¿A los mercenarios…? Imagino que no estarán tan locos… ¡Ve tranquilo y que Alá te guíe!

—¡Que él te proteja!

Cuando su hermano desapareció tras una lejana duna, Gacel Sayah tomó asiento sobre una roca y se dedicó a contemplar la puesta de sol mientras meditaba sobre cuanto había ocurrido y sobre cómo debía enfocar el futuro de su familia de allí en adelante.

Aún le costaba trabajo hacerse a la idea de que la miseria en que siempre habían vivido había quedado definitivamente atrás.

Aún su mente se negaba a asimilar que la mitad de la asombrosa cantidad de dinero que contenía aquella bolsa pudiera ser suya.

Aún le parecía estar viviendo un sueño.

Estaba asustado.

Por primera vez en su vida, el valiente *«immouchar»* que había demostrado ser capaz de encarar incontables peligros sin perder la calma se sentía atemorizado por el rumbo que estaban tomando los acontecimientos.

Su padre y la experiencia le habían enseñado a enfrentarse a la miseria y a todos los posibles enemigos de los habitantes de los desiertos más inhóspitos, pero nadie le había enseñado a convivir en armonía con uno de sus más viejos enemigos: el dinero.

Tradicionalmente, para los beduinos ese dinero no constituía más que una forma práctica de equilibrar pequeñas diferencias cuando se trataba de realizar un trueque, útil en especial a la hora de compensar el precio de dos camellos con el de siete cabras, o el de cinco metros de tela con el de un saco de cebada.

En los grandes mercados de los oasis solían abundar los dátiles y el ganado, pero por lo general escaseaban los billetes, y cuando al fin estos últimos se dignaban hacer su aparición, acostumbraban a estar tan viejos y manoseados que más parecían reliquias de tiempos muy remotos que auténtica moneda de curso legal.

Ahora, sin embargo, y en lo más profundo de «La Cueva de las Gacelas» se ocultaba una panzuda bolsa de colores chillones que contenía más billetes nuevos, relucientes y embriagadoramente olorosos de los que hubieran circulado jamás a todo lo largo de la historia del afamado mercado de *Sidi-Kaufa*, y por lo tanto resultaba en cierto modo lógico que el *imohag* Gacel Sayah se sintiera confuso hasta el punto de plantearse serias dudas sobre cuál debería ser la actitud a adoptar frente a tan impactantes e insospechados acontecimientos.

Para la inmensa mayoría de los seres humanos, pasar bruscamente de la pobreza a la riqueza se traducía de inmediato en una rápida y casi compulsiva ansiedad a la hora de adquirir todos aquellos bienes materiales —por lo general superfluos— que desde siempre habían poblado sus más locos sueños, pero para cierto tipo de nómadas, tales bienes superfluos podían llegar a convertirse en una auténtica pesadilla.

Quienes en realidad amaban al desierto amaban ante todo la libertad de movimientos, y tras años de verse obligado a permanecer en un mismo punto por causas totalmente ajenas a sus deseos, Gacel Sayah aspiraba a emular las hazañas de su padre, que había sido el único guerrero capaz de atravesar por dos veces «La tierra vacía de Tikdabra», así como explorar los más olvidados rincones del Teneré.

Cierto era que ahora tenía la oportunidad de conseguir una hermosa esposa con la que establecerse en algún fértil oasis chadiano, o incluso descender hasta las orillas del Níger con el fin de comprarse una amplia casa en la mítica Tombuctú donde podría dedicarse a criar docenas de camellos, pero lo cierto era que ni una cosa ni otra le atraía.

Le constaba que no tenía ningún derecho a arrastrar consigo a su madre y sus hermanos, por lo que sospechaba que a partir de aquel momento tal vez se iniciara un lento aunque inevitable relajamiento en lo que se refería a la conexión del núcleo familiar.

Paradójicamente, la libertad de elegir que proporcionaba la riqueza solía distanciar más a las personas de lo que las acostumbraba a unir la miseria, y sentado aquella tarde allí, en aquella roca de aquel lejanísimo lugar, Gacel Gayah pareció comprender la evidencia del solitario futuro que le aguardaba.

¡Insh'Alá…!

Si el Señor había decidido que fueran ricos, no le quedaba otro remedio que aceptarlo con todas sus consecuencias.

Los días que siguieron fueron tranquilos.

Con agua y alimentos en abundancia, se encerraban en la cueva durante las horas de mayor bochorno, para sentarse en las noches a contemplar las estrellas y hacer planes sobre un futuro que cada miembro de la familia imaginaba de un modo diferente.

En un momento dado fue la propia Laila la que definió la situación con una acertada frase:

—Ser ricos obliga a pensar demasiado… —dijo—. Ser pobres no exige tanto esfuerzo.

No obstante, resultaba más que evidente que era aquél un esfuerzo que le agradaba, puesto que tanto ella como Aisha no cesaban de fantasear sobre cómo se las ingeniarían para dedicar parte de aquel dinero a mejorar los pozos de la región sin que se llegara a saber que eran los Sayah quienes los financiaban.

El desierto no era un lugar en el que resultara conveniente hacer alardes de riqueza.

No todos sus habitantes eran tuaregs.

Ni tampoco todos los tuaregs gente de fiar.

Gacel se mantenía en cierto modo al margen de las desmedidas ilusiones de las mujeres.

Sus sueños eran otros.

En un momento dado incluso soñó con viajar a

París y dedicar dos o tres años a estudiar la forma de ser y de pensar de los franceses, con el fin de regresar lo suficientemente preparado como para aspirar a convertirse en el líder que las tribus tuaregs necesitarían si es que algún día decidían fundar una auténtica nación, libre y soberana.

A su modo de ver, los poderosos clanes del «Pueblo del Velo», el «Pueblo de la Espada» y el «Pueblo de la Lanza» tenían la ineludible obligación de olvidar sus viejas rencillas y aglutinarse en torno a un caudillo que les condujera a la victoria que por tradición se merecían.

Si eso llegaba a ocurrir, ¿por qué no podía ser Gacel Sayah, hijo del mítico Gacel Sayah, ese caudillo?

Al amanecer rechazó tan irracional sueño consciente de que un auténtico líder acababa por convertirse en rehén de sus propios seguidores, perdía su libertad y perdía por tanto la posibilidad de dedicarse a vagabundear por los inexplorados confines del desierto.

Perdía, en definitiva, su condición de nómada.

Tal vez por ello entre los *imohag* jamás había surgido un verdadero caudillo.

Su carácter estaba reñido con el mando del mismo modo que estaba reñido con la obediencia.

Gacel Sayah era lo suficientemente inteligente como para darse cuenta por sí solo de que para hacer estallar una revolución hacía falta un líder carismático que fuera capaz de movilizar a las masas en un momento dado.

Pero por desgracia en el Sahara no existía masa alguna que movilizar. Tan sólo existían grupúsculos de seres humanos que difícilmente se dejarían arrastrar por un ideal que no estuviese relacionado con sus más firmes convicciones religiosas.

Probablemente una sangrienta «Guerra Santa» les impulsaría a luchar hombro con hombro, pero no se consideraba a sí mismo persona capaz de iniciar una de aquellas injustas y crueles contiendas fundamentalistas que tan sólo traían aparejadas muerte, destrucción y sufrimiento.

Buscó otros sueños.

Imaginó otros destinos.

En ello estaba la mañana en que les sorprendió un rumor que iba en aumento, y cuando distinguió a lo lejos la inconfundible silueta de un helicóptero que no se parecía en absoluto al de Nené Dupré, se apresuró a cargar su rifle para apostarse en una atalaya desde la que dominaba la mayor parte del macizo rocoso.

El aparato se detuvo en el aire, a unos cien metros de altura y poco más de trescientos de donde el beduino se ocultaba.

Permaneció allí durante unos cuantos minutos, y al fin descendió muy lentamente para ir a posarse muy cerca de donde días antes lo hiciera el francés.

Gacel observaba.

Las puertas se abrieron y dos hombres saltaron a tierra.

Se les advertía incómodos y desconfiados.

El piloto permanecía en su sitio, los rotores continuaban girando, y resultaba evidente que los recién llegados se mostraban más que dispuestos a regresar a la cabina con el fin de poner pies en polvorosa a la menor señal de peligro.

Al poco uno de ellos, que lucía una más que llamativa camisa rosa con flores estampadas, sacó del bolsillo posterior de su pantalón un enorme pañuelo blanco y lo agitó repetidas veces al tiempo que alzaba las manos como si tratara de dejar clara evidencia de que se encontraba desarmado.

Tras unos instantes de duda Gacel decidió dejarse ver.

El propietario de la horrenda camisa se dirigió a su encuentro, y cuando se hallaba lo suficientemente cerca, inquirió en un francés en verdad chapucero y macarrónico:

—¿Gacel…? ¿Eres Gacel, el tuareg?

—Lo soy.

—Traemos algo para ti…

Se volvió e hizo un gesto a su compañero que permanecía junto al aparato, quien penetró en la cabina para empujar fuera, sin miramiento alguno, a un hombre maniatado que al caer sobre las rocas perdió el pie y quedó de hinojos.

Gacel lo reconoció en el acto.

—¿Y eso…? —no pudo evitar inquirir desconcertado.

—De parte del «comendatore» Ferrara.

—Hace días que dejé en libertad a los rehenes.

—Lo sabemos, pero el «comendatore» siempre cumple sus promesas.

Juntos se aproximaron hasta donde un aterrorizado Marc Milosevic les observaba con el rostro desencajado por el terror, y el *imohag* no pudo por menos que arrugar la nariz con gesto de desagrado.

—¡Huele a perros muertos! —dijo.

—¡Dínoslo a nosotros, que llevamos horas soportándolo…! —masculló el otro—. En cuanto se dio cuenta de que veníamos hacia aquí se cagó encima. ¡Ahí dentro no hay quien pare!

—¿Y qué esperan que haga con él?

—Cortarle una mano.

El tuareg medió unos instantes sin apartar la vista de aquella piltrafa humana sucia, apestosa y con los ojos enrojecidos por el llanto que parecía a punto de sufrir un ataque de histeria, y que en nada recordaba al prepotente y agresivo Marc Milosevic que un día le amenazara con un arma.

El piloto, que había detenido los rotores, y sus dos acompañantes aguardaban expectantes.

Sin prisas, plenamente consciente de la importancia del momento, Gacel Sayah extrajo de la funda una larga y afilada gumía de la que jamás se separaba y se apoderó de la mano derecha del cautivo que lanzó un profundo gemido de terror.

—¡No! —casi aulló—. ¡No por favor! ¡Perdóname! ¡Perdóname, te lo suplico! Estaba muy cansado y no sabía lo que hacía.

Su verdugo aguardó hasta que instintivamente cerró los ojos para no ver lo que iba a ocurrirle y en ese justo momento se limitó a producirle un ancho corte en el dorso de la mano.

—Ya ha habido suficiente dolor… —dijo—. Lo único que deseo es que cada vez que contemples esta cicatriz recuerdes la magnitud del mal que causaste y reflexiones sobre las consecuencias de tus actos… —Limpió la sangre de la gumía en el pantalón del herido y señaló al tiempo que la enfundaba nuevamente—: Por lo que a mí respecta, todo ha terminado… —Se volvió al hombre de la impactante camisa rosa para concluir—: Saluda de mi parte a Pino Ferrara y dile que lamento profundamente la muerte de Mauricio.

Luego dio media vuelta y se alejó por donde había venido.

Los italianos permanecieron unos instantes confusos y sin saber qué hacer, hasta que al fin el piloto señaló:

—¡Más vale que nos larguemos! El viaje es largo.

El dueño del pañuelo se lo entregó a Marc Milosevic para que se restañara la sangre al tiempo que le ayudaba a erguirse.

—¡Te has librado de una buena! —masculló—. Yo te hubiera cortado la mano y los cojones, pero ese morito te despacha con una simple cicatriz de la que incluso presumirás exhibiéndola como heroico recuerdo de la guerra en Bosnia. ¡Y a los muertos que los jodan! ¡Anda vámonos de aquí!

Lo empujó obligándolo a trepar al aparato, y pocos instantes después se encontraban de nuevo en vuelo, rumbo al nordeste.

Sin embargo, al cabo de unos veinte minutos el italiano estudió con detenimiento la oscura llanura salpicada de pedruscos que se extendía bajo él, se cercioró de que el macizo rocoso había desaparecido por completo a sus espaldas y se inclinó para golpear levemente el hombro del piloto.

—¡Aquí está bien! —dijo.

El otro asintió con un gesto e inició la maniobra de descenso para concluir por tomar tierra aunque sin hacer intención de detener los motores.

El mafioso de la camisa rosa abrió una afilada navaja y cortó con ella las ataduras de su prisionero al tiempo que indicaba la pesada cantimplora que se encontraba bajo su asiento:

—Si la administras bien, ese agua te puede durar un par de días.

Marc Milosevic le observó con los ojos desorbitados por el terror.

—¿Pero es que piensan abandonarme en mitad del desierto? —inquirió como si se sintiera incapaz de aceptar un hecho tan inconcebiblemente monstruoso.

—Cumplimos órdenes.

—Pero ¿por qué...? —casi sollozó fuera de sí—. ¿Por qué? El tuareg me ha perdonado.

—Ese tuareg es muy dueño de hacer lo que quiera, aunque personalmente no esté de acuerdo con su decisión —fue la tranquila respuesta—. Es el «comendatore» el que no te perdona que hayas sido el causante de la muerte del mejor amigo de su hijo...

—¡Pero yo no lo maté! Fueron los de la organización.

—Lo sabemos, y nos ocuparemos de ellos a su debido tiempo, pero lo que está claro es que todo esto lo empezaste tú por imbécil y por bocazas... ¡Así que, abajo!

—¡No pueden hacerlo! Sería un asesinato.

Su interlocutor se limitó a abrir la portezuela empujándole al exterior.

—¡En ese caso dormiré mal esta noche! —comentó al tiempo que inquiría sarcásticamente—: ¿No buscabas emociones…? Pues ahora tienes ocasión de experimentar auténticas emociones.

Cerró de un golpe e hizo un significativo gesto al piloto alzando el pulgar de tal modo que en cuestión de segundos el aparato ganó altura para continuar su marcha como si nada hubiera ocurrido.

Marc Milosevic tardó largo rato en reaccionar.

Había quedado tendido en el suelo, asido a la cantimplora, cegado por el polvo que levantaban las hélices, y tan aturdido por cuanto acababa de suceder, que tuvo que esperar a que el aparato dejara de ser una mosca en el horizonte para llegar a la conclusión de que le habían abandonado y no tenían la más remota intención de regresar en su busca.

Tendido sobre la oscura tierra apisonada y recostado en una de las infinitas piedras que parecían haber sido caprichosamente esparcidas por la llanura por un ciclópeo sembrador borracho, apenas hizo ademán de ponerse en pie, convencido de que realizar tan pequeño esfuerzo significaba una pérdida de tiempo.

Le habían condenado a muerte y lo sabía, pero sabía también que le habían condenado a la más cruel e inhumana de las muertes; aquella que ni tan siquiera el peor de los beduinos infligiría al peor de sus enemigos.

Únicamente alguien nacido muy lejos del Sahara sería capaz de elegir tan espantosa forma de ejecución.

Y nadie nacido en el Sahara hubiera sido tan cruel como para proporcionarle, además, el agua necesaria para prolongar su agonía.

Buscó a su alrededor.

El horizonte era el mismo hacia cualquier punto que se volviese: una delgada e imprecisa línea de color castaño que allá muy lejos se juntaba con un cielo de un azul virulento.

Ni una minúscula montaña, ni una amarillenta duna que sirviera de punto de referencia; ni tan siquiera un mísero matojo polvoriento que intentara dar fe de que se encontraban en la Tierra y no en la Luna.

Ninguna otra llanura podía ser más plana, ni ningún otro paisaje más monótono, puesto que cabría asegurar que cada una de las piedras era idéntica a la siguiente, y que había sido puesta allí, más para confundir al viajero que para ayudarle a orientarse.

Aguardó, como una piedra más entre tanta piedra, confiando en que el corazón de quienes le habían abandonado se ablandara.

Aguardó más de una hora.

Pero todo resultaba inútil puesto que en lo más profundo de sí mismo sabía que incluso la roca en la que se apoyaba podría llegar a ser mucho más humana que aquel indiferente trío de asesinos.

Ni siquiera lloraba.

Ni siquiera maldecía su suerte o se lamentaba por haber cometido el absurdo e infantil error que le había llevado a poner colofón a su vida de una forma tan trágica.

No necesitaba hurgar demasiado en su interior para aceptar que en realidad no estaba siendo castigado por el simple delito de haber arrojado una lata de aceite a un miserable pozo beduino, sino por otros muchos delitos, incomparablemente más graves, de los que no deseaba acordarse en aquellos momentos.

Siempre había presumido de haber sido capaz de pasar la mayor parte de su vida haciendo equilibrios en el filo de una afilada navaja, y debido a ello ahora no tenía derecho a lamentarse por el hecho de que al fin dicha navaja se hubiera vuelto contra él.

De lo que en verdad se lamentaba era de que se hubiese vuelto por una muerte absurda de la que no se sentía en absoluto responsable.

Tal vez un juez demasiado meticuloso podría haber-

le pedido responsabilidades por algunos de los acontecimientos ocurridos años atrás en Bosnia, pero estaba
convencido de que ni al más intransigente de dichos
jueces se le ocurriría relacionarle de forma directa con
el trágico fin de Mauricio Belli.

~~Él pretendía que sucediera cuanto había su-~~
cedido.

Ni tan siquiera se le pasó por la mente que un absurdo arranque de ira —en cierto modo justificado por
las circunstancias— desembocara en tan lamentable cadena de disparates.

Pasó mucho tiempo antes de que se decidiera a des-
calzarse, quitarse los pantalones, limpiarse el culo con
los calzoncillos y arrojarlos lo más lejos posible.

Ya que iba a morir pretendía conservar al menos una
cierta dignidad.

Le avergonzaba no haber sabido controlar su esfín-
ter delante de aquellos tres hijos de mala madre.

Les había proporcionado una divertida anécdota
que contar a sus nietos: contarían cómo muchos años
atrás un bosnio acojonado se les había cagado literalmente de miedo.

No era digno de alguien que, como él, había enca-
rado tantas veces la muerte.

La muerte ajena, eso sí.

Al fin se puso en pie y echó a andar en dirección
opuesta a aquella hacia la que había lanzado los calzoncillos.

Nunca supo por qué lo hizo, pero debió responder
a un instintivo impulso de alejarse cuanto antes de una
prueba tan física y palpable de su incontrolable co-
bardía.

En realidad… ¿qué más daba un punto que otro?

Lo único que buscaba era un lugar en el que caerse
muerto, y en aquella inconcebible llanura cualquier lugar parecía bueno para eso.

Avanzaba como un autómata, sin pensar en nada, huyendo de los recuerdos, y huyendo sobre todo de la posibilidad de sentir lástima de sí mismo.

¿De qué le serviría sentir autocompasión si nadie sería testigo?

Sudaba a mares y sabía muy bien que eso era lo peor que podía ocurrirle en semejantes circunstancias, pero en realidad no le importaba.

Cuanto antes le llegara la muerte, mejor.

Cuanto antes perdiera el conocimiento, menos sufriría.

El corazón le latía con fuerza, la sangre le golpeaba en las sienes como el retumbar de lejanos cañonazos, la vista comenzaba a fallarle, le faltaba el aire, y tenía plena conciencia de que aquéllos eran los primeros síntomas de un próximo colapso.

Hizo un supremo esfuerzo para no beber.

Sabía que de nada le serviría intentar prolongar su agonía.

Resultaba, eso sí, muy difícil resistirse a la tentación.

Muy, muy difícil.

Un pequeño reflejo parpadeó en la distancia.

Se detuvo, prestó atención y se limpió el sudor que le caía sobre los ojos, para llegar a la amarga conclusión de que se había tratado de un espejismo.

La llanura continuaba siendo la misma, y mismos los horizontes.

Nada destacaba por parte alguna y el reflejo, corto e intermitente, tenía que haber sido fruto de su imaginación.

Continuó su avance y luchó de nuevo contra el ansia de beber.

Se repitió el reflejo que duró apenas una décima de segundo, y que provenía de un punto no demasiado lejano, tal vez a poco más de un kilómetro de distancia.

Intentó tranquilizarse y aguzar la vista, pero una vez más no distinguió nada.

Nada de nada.

—¡Esto se acaba…! —musitó apenas—. Me estoy volviendo loco.

Pero por tercera vez algo brilló entre las piedras.

Apretó el paso y se dirigió directamente hacia allí alimentando alguna especie de impalpable esperanza, pero al llegar al punto marcado se dejó caer de rodillas al tiempo que dejaba escapar un ronco lamento.

El viento jugueteaba caprichosamente con una lata de refresco, y cada vez que su plateada parte inferior quedaba expuesta a los rayos del sol que había empezado a declinar, lanzaba violentos destellos.

¡Una simple lata de refresco!

Aquélla había sido su vana y postrera esperanza de salvación: una lata de refresco que giraba una y otra vez sobre sí misma.

Permaneció largo tiempo observándola sin hacer tan siquiera intención de tocarla, puesto que su aparición se le antojaba una cruel y estúpida burla del destino.

¿Cuántas veces había tenido en sus manos una de aquellas latas sin imaginar siquiera que sería la última cosa «civilizada» que vería?

Resultaba en verdad demoledor e incongruente.

Uno de los más conocidos símbolos del consumismo y el progreso humano, bailando al ritmo del viento en el más desolado de los paisajes del planeta.

¿Cómo era posible?

Poco a poco la pregunta comenzó a abrirse camino a través de la brumas que se habían adueñado de su cerebro: ¿Cómo era posible?

¿Cómo había llegado hasta allí aquella lata?

¿Y cómo era que aún no se hubiera oxidado y continuara siendo capaz de lanzar destellos cuando el sol la golpeaba?

¿Quién la había abandonado allí?

De pronto, una absurda idea cruzó por su mente.

Intentó desecharla, pero regresó una y otra vez intentando adquirir el carácter de absoluta certeza.

Absurdo, pero cierto... ¡Había sido él mismo!

Había sido él mismo, Marc Milosevic, el que abandonara allí aquella lata el día en que se vieron obligados a detenerse con el fin de reponer una vez más el agua que perdía el radiador de su vehículo.

Buscó a su alrededor.

Allí estaban, muy cerca, las huellas de su coche.

Y junto a ellas, las huellas del coche de Marcel Charriere, al que con tanta rabia había estado persiguiendo durante aquel maldito día de infausta memoria.

Aquélla tenía que ser, necesariamente, la pedregosa llanura que se extendía entre el pozo de los tuaregs al que había arrojado una lata de aceite a primera hora de la mañana y el gran pozo del palmeral de *Sidi-Kaufa* al que habían llegado al atardecer.

Aquélla era, por tanto, una ruta que ya había recorrido.

Un lugar conocido.

Y las rodadas de dos vehículos que destacaban como ancho camino le señalaban de forma inconfundible en qué dirección se encontraba exactamente el oasis de *Sidi-Kaufa*.

Allí, al nordeste, en algún punto perdido, tal vez muy cerca, tal vez muy lejos.

Miró al frente y apretó con fuerza los dientes.

Si estaba allí, y ahora sabía que estaba, él, Marc Milosevic, lo encontraría.

¡Le iba la vida en ello...!

Lanzarote-Madrid
Junio 2000

ESTE LIBRO HA SIDO IMPRESO
EN LOS TALLERES DE
LIBERDÚPLEX, S. L.
CONSTITUCIÓ, 19. BARCELONA